O CLIENTE *em* SEGUNDO LUGAR

O CLIENTE em SEGUNDO LUGAR

Hal F. Rosenbluth
Diane McFerrin Peters

OBRA SELECIONADA, APROVADA E RECOMENDADA
PELA ACADEMIA BRASILEIRA DE MARKETING

M.BOOKS

M.Books do Brasil Editora Ltda.

Rua Jorge Americano, 61 - Alto da Lapa
05083-130 - São Paulo - SP - Telefones: (11) 3645-0409/(11) 3645-0410
Fax: (11) 3832-0335 - e-mail: vendas@mbooks.com.br
www.mbooks.com.br

Dados de Catalogação na Publicação

Rosenbluth, Hal F. e McFerrin Peters, Diane
O Cliente em Segundo Lugar/Hal F. Rosenbluth e Diane McFerrin Peters
2004 - São Paulo - M.Books do Brasil Editora Ltda.
1. Marketing 2. Recursos Humanos
ISBN: 85-89384-34-9

Original em inglês publicado por HarperCollins Publishers Inc.

EDITOR
Milton Mira de Assumpção Filho

Produção Editorial
Salete Del Guerra

Tradução
Roger Maioli dos Santos

Revisão Técnica
Marina Kenan

Revisão de Texto
Lucrécia Barros de Freitas
Glauco Peres Damas

Design
Joy O'Meara

Capa
ERJ/MMA

Foto do autor
Bachrach Studios

Editoração e Fotolitos
ERJ Composição Editorial

2004

Este livro foi selecionado, aprovado e recomendado pela ACADEMIA BRASILEIRA DE MARKETING

A ACADEMIA BRASILEIRA DE MARKETING é uma iniciativa e propriedade intelectual do MADIAMUNDOMARKETING, idealizada no final dos anos 90, e institucionalizada em março de 2004.

Tem como MISSÃO: identificar, selecionar e organizar as melhores práticas do MARKETING mundial e disseminá-las no ambiente empresarial brasileiro, garantindo o acesso às mesmas, muito especialmente das micros, pequenas e médias empresas, no sentido de contribuir, decisivamente, para seus sucessos e realizações na luta pela sobrevivência e crescimento.

Tem como VISÃO: tornar todas as empresas brasileiras extremamente competitivas pela adoção e implementação das melhores práticas do MARKETING, resultando, por decorrência, no desenvolvimento econômico e social do país.

Seu ENTENDIMENTO DO MARKETING: mais que uma caixa de ferramentas, é o de tratar-se de ideologia empresarial soberana e consagrada, presente nas empresas que buscam, de forma incansável e permanente, conquistar, desenvolver e preservar clientes, e crescer, sempre e, preferencialmente, através dos próprios clientes.

O CLIENTE EM SEGUNDO LUGAR, de Hal F. Rosenbluth e Diane McFerrin Peters corresponde integralmente aos princípios e compromissos da ACADEMIA BRASILEIRA DE MARKETING.

Francisco Alberto Madia de Souza

Milton Mira de Assumpção Filho

Dedicado aos associados da Rosenbluth International e a nossos clientes, que nos inspiram a prestar serviços de coração.

Sumário

Prefácio

Se o mundo dos negócios de hoje não faz com que você se sinta a um só tempo entusiasmado, exausto, animado, aturdido, deslumbrado, assustado e confiante, então você provavelmente anda vivendo em outro mundo, e só Deus sabe como foi pôr as mãos em uma cópia deste livro.

Há mais de vinte e cinco anos que venho trabalhando, e a cada ano o desafio é maior. Ultimamente, contudo, o ritmo da mudança e a velocidade constante com que os modelos de negócios precisam ser alterados para continuarem eficazes excederam mesmo meus prognósticos mais desvairados. É com esse pano de fundo em mente que resolvi, com relutância, atualizar um livro que minha co-autora Diane McFerrin Peters e eu escrevemos há cerca de uma década.

É interessante que o que funcionava então ainda funciona hoje. Na verdade, a premissa sobre a qual este livro foi escrito é talvez o ingrediente mais importante do sucesso no moderno ambiente selvagem dos negócios. Ela é tranqüilamente o único elemento capaz de lhe proporcionar aquela fugidia *vantagem competitiva sustentável*.

Em 1992, ao escrevermos a primeira versão de *O Cliente em Segundo Lugar*, tivemos a oportunidade de reavaliar os passos de nossa inadvertida jornada. Hoje, passada uma década, muita coisa mudou, e recebemos solicitações de todas as partes do mundo para compartilhar a nova geração de idéias delineadas na versão original, revelando nossas práticas mais recentes. Esta nova versão do livro mistura o melhor de nossas idéias originais com nossas últimas estratégias, apresentando as lições aprendidas ao longo do caminho.

Muitos livros e artigos excelentes sobre negócios foram escritos desde que *O Cliente em Segundo Lugar* veio a público em 1992, e eu provavelmente li a maioria deles. Nos últimos anos, todos parecem se referir a e-isso ou e-aquilo. Na maioria dos casos, sua vida útil parece estar entre nove e doze meses — tamanha a velocidade com que as coisas mudam. O que não mudou, e parece ter sobrevivido a todas as tendências da última década, foi a necessidade de as empresas atraírem, reterem e desenvolverem profissionais de notória excelência. É com isso em mente que atualizamos e relançamos este livro.

Espero que você aprecie seu conteúdo e que este o motive a purificar sua empresa dos elementos inoportunos, substituindo-os por outros corretos, humanitários e essenciais para a competitividade. Você deve isso a si mesmo, a sua empresa e a seus parceiros.

METAMORFOSE CULTURAL

Há apenas duas décadas, éramos como qualquer outra empresa. Na época, se alguém me descrevesse minha empresa tal como ela é hoje, eu julgaria essa pessoa louca. E também teria dado qualquer coisa para que tudo fosse verdade.

Muita coisa aconteceu; a maior parte por acidente, em outros casos de propósito. Mas as transformações que nossa empresa sofreu estão sendo amplamente estudadas, e por toda parte escreve-se a seu respeito. Não solicitamos curiosidade nem atenção, mas descobrimos que somos seus alvos.

Ao longo dos últimos vinte e cinco anos, nossa receita saltou de 20 milhões de dólares para 6,2 bilhões de dólares, mantendo, assim, a lucratividade acima da média do mercado. Em função desse crescimento e de nosso estilo heterodoxo, temos sido inundados continuamente por perguntas sobre o "segredo" do sucesso. Nosso segredo é polêmico. Ele reside em nossa crença básica de que *as empresas devem pôr o seu pessoal — e não seus clientes — em primeiro lugar*.

Talvez você se pergunte como nossos clientes se sentem a esse respeito. Para nosso pessoal, os clientes são a prioridade número um. Nossa empresa construiu uma sólida reputação no campo dos serviços aos clientes (na verdade, nosso índice de retenção de clientes é de 98% — número jamais visto em nossa atividade), mas isso é algo que alcançamos nos concentrando internamente em nosso próprio pessoal.

As empresas exercem efeitos vastos e profundos na vida das pessoas que trabalham nelas, e por isso têm a obrigação de fazer com que esses efeitos sejam positivos. Com excessiva freqüência as empresas provocam estresse, medo e frustração em seus funcionários — sentimentos que eles levam para casa todas as noites. Isso gera problemas em casa, e as pessoas os trazem para o serviço. O ciclo é ao mesmo tempo terrível e típico, mas não é o que as empresas desejariam deixar como legado. Certamente não é o que nossa empresa deseja — sobretudo quando há tantas coisas que podemos fazer para enriquecer a vida de nossos funcionários.

Se isso parece simples, acredite, não é. Vejamos de onde viemos, onde estamos hoje e como aí chegamos. Aqui começa o traçado de um mapa para a mudança.

HÁ MUITO, MUITO TEMPO...

Nossa empresa teve início há pouco mais de um século, como precursora das agências de viagem que conhecemos hoje. Meu bisavô, Marcus Rosenbluth, fundou-a em 1892 para proporcionar transporte a vapor aos imigrantes europeus a caminho dos Estados Unidos.

Era uma empresa de serviços completos. Ela agia como banco para ajudar as famílias a economizar para a passagem de cinco dólares. Como Marcus falava nove idiomas, ele podia ajudar a organizar a documentação de imigração e facilitar o processo de reunir as famílias. Por meio da rede que havia construído, ele conseguia até mesmo ajudar os imigrantes a achar trabalho no novo país.

AS SEMENTES DA MUDANÇA

A empresa sobreviveu às mudanças astronômicas no mundo a seu redor e prosperou. Cerca de oitenta e dois anos após sua fundação, a Rosenbluth estava firmemente estabelecida como a maior e mais forte agência de viagens na região da Filadélfia. O sucesso da empresa era indiscutível. E foi então que ingressei nela.

Eu não procurei desde o início converter nossa empresa de um amontoado de sessenta personalidades díspares e intratáveis em um grupo de seis mil amigos com o desejo comum de se ajudarem mutuamente. Eu não tinha o traquejo ou a experiência para isso.

Quando entrei na empresa, em 1974, descobri uma organização que se concentrava quase exclusivamente nos clientes e muito pouco nos funcionários. Não era de propósito que nosso pessoal vinha em segundo lugar. Acho simplesmente que a administração se achava de tal modo consumida pelos clientes que perdera de vista o fato de que alguém tinha de servi-los.

O que notei desde o início foi que dificilmente um funcionário gostava de outro, e por boas razões. A maioria não era inerentemente formada por pessoas amáveis. A meu ver, essa não é uma boa fórmula para prestar serviços inspirados para os clientes, e muito menos é uma boa fórmula para o moral e a lucratividade. O único fator sustentável era o estresse. A longo prazo, pessoas infelizes produzem um serviço infeliz e uma lucratividade declinante.

Meu dilema, evidentemente, era que eu tinha vinte e dois anos e acabara de sair da faculdade, e quaisquer sugestões que fizesse seriam dispensadas como imaturas e impertinentes. Então fiz o que qualquer neófito ambicioso faria: nada. Bem, quase nada. Na verdade, fiquei simplesmente vagueando pela empresa, trabalhando para um gerente inútil após o outro. Cada um deles contribuía para a lista crescente de lideranças negativas que fui conhecendo ao longo dos anos.

Havia meu técnico de beisebol júnior, que me humilhou em frente aos colegas, à família e aos amigos por eu ter bobeado em uma rebatida em meio-de-campo, fazendo com que perdêssemos o campeonato. Havia o inspetor da escola, que inventou de convocar minha mãe a sua sala para lhe mostrar uma camiseta suja de sangue que resultara de uma briga no vestiário masculino uma hora antes. E minha liderança negativa favorita, a professora de inglês que me expulsou da sala dizendo que eu desafiava sua autoridade e que estava prestes a tentar um golpe de Estado no campus. O que de fato ocorreu foi que ela se mostrou estúpida o bastante para desafiar a sala com a velha frase: "Se alguém acha que pode dar essa aula melhor do que eu, que levante a mão". A minha logo se ergueu, e o resto virou lenda na velha Cheltenham High, nos arredores da Filadélfia.

Felizmente, aprendi muito com esses modelos negativos. Em primeiro lugar, aprendi a não ser um deles. Em segundo, vi que eram os meus amigos que sempre corriam para me ajudar e ficavam a meu lado, e serei por isso eternamente grato a eles. Há quem diga que a vida é moldada em uma idade tenra; no meu caso isso provou ser verdadeiro. Aprendi a mais valiosa lição para os negócios antes dos dezessete anos: amigos nunca abandonam amigos.

Eu estava determinado a construir algum dia uma empresa de amigos. Não que me disporia a contratar amigos. Na verdade, não creio que nunca tenha feito isso. Eu queria viver de acordo com dois princípios básicos. Primeiro, criar e manter um clima que gerasse amizades; e segundo, só contratar pessoas amáveis. Essa fórmula vem funcionando há mais de duas décadas, e tornou-se nossa vantagem competitiva sustentável. Não há nada que não possamos realizar quando nos dispomos a fazer a coisa certa. Nenhum de nós gostaria que fosse de outra forma.

Admito que a princípio eu não queria ingressar no negócio da família, o que me fazia encará-lo de modo incomumente severo. O que eu via ali era um negócio florescente retardado por politicagem; grandes esforços individuais cerceados por falta de trabalho em equipe. Era um ambiente em que eu não gostava de trabalhar, sendo portanto provável que muitos de meus colegas também não gostassem.

A mudança tinha de começar em alguma parte; e ela veio com um grupo de inovadores que renovou nosso departamento de viagens corporativas — na época uma unidade em início e pouco profícua. Hoje ela representa mais de 90% das operações de nossa empresa.

Antes da desregulamentação das linhas aéreas nos EUA, não havia muito mercado para os serviços de viagens corporativas. Mas quando os preços das passagens e os horários de vôo começaram a sofrer mudanças a todo minuto no novo ambiente desregulamentado, as corporações perceberam o impacto que as viagens de negócio podiam causar em suas vidas e em seu saldo bancário. Foi aí que o gerenciamento de viagens corporativas disparou para nós.

Essa operação nascente não era lugar para criaturas do hábito, para amantes do *status quo*. Cada dia significava mudanças, um redemoinho de atividades, um futuro revelando-se a cada minuto. Nesse território virgem, a rotina das nove às cinco foi se convertendo na rotina das cinco da manhã às nove da noite.

Fui atraído por isso instintivamente, quase como se rumasse para casa. Esse era o ambiente perfeito para que a transformação de nossa empresa tivesse início. Eu não tinha nenhum plano de mudança específico, mas queria captar o espírito que descobrira nesse novíssimo departamento, um espírito de cooperação, amizade, dedicação sólida e trabalho duro. Eu sabia que teríamos de nos concentrar acima de tudo nas pessoas que *prestavam* o serviço. A partir daí, tudo o mais entraria no lugar.

A VIRADA

As mudanças começaram em nosso cantinho da empresa, e a virada sobreveio quando pusemos nosso pessoal em primeiro lugar. Ela não ocorreu da noite para o dia. Uma mudança abrangente como essa exige comprometimento, persistência e tempo. As pessoas têm de mudar, assim como a infra-estrutura e os sistemas que as suportam.

Esse tipo de mudança pode ter início como um movimento de base. Ele pode ser absorvido pela alta chefia e impregnar toda a organização. Ou, como no nosso caso, pode se impor em um segmento da empresa e se difundir lateralmente. O mais importante é que ele tenha início.

Estamos falando de uma mudança que põe os funcionários das organizações acima de tudo o mais. Eles são acalentados, valorizados, fortalecidos e motivados a se importar com seus clientes. Quando uma empresa põe seus funcionários em primeiro lugar, os resultados são espetaculares. Eles se inspiram a prestar serviços com uma qualidade que se origina genuinamente no coração. É algo que não pode ser forjado. A única forma de imitá-lo é criá-lo do começo.

Quando algo tão positivo se põe em movimento, ele chama a atenção. Espalha-se. É natural — compatível com a maneira com a qual supostamente devemos viver como seres humanos. Já não precisamos ser uma pessoa em casa e outra no serviço.

Na Rosenbluth, essas mudanças trouxeram resultados muito tangíveis ao nosso departamento secundário, e os chefes da empresa perceberam. Todos em volta queriam trabalhar em um departamento como o nosso. O pessoal ali era feliz, se sentia realizado e sobressaía, não tinha como não notar. Os clientes gostavam de trabalhar conosco e nos diziam isso.

Foi apenas uma questão de tempo até que, departamento por departamento, a organização se transformasse como um todo. Hoje, a postura de "primeiro os funcionários" permeia nossa empresa e influencia tudo o que fazemos.

Começamos contratando o tipo certo de pessoas — as mais dispostas a carregar a tocha. Essa ênfase se estende a nossos programas de treinamento, que são tão filosóficos quanto técnicos. E molda nosso relacionamento com os fornecedores e nossas relações estratégicas com os clientes, afetando até mesmo nossa convivência em casa. Na verdade, é para nós um modo de vida.

A concentração em nosso pessoal foi a fundação. Os muitos outros componentes que perfazem nossa empresa, as ferramentas que utilizamos e as teorias pelas quais vivemos derivam todos dessa crença básica.

O modo exato como mudamos e os programas específicos que adotamos para nos ajudar nessas transições serão explicados nos próximos capítulos. Também daremos uma olhada nos métodos usados para monitorar nosso progresso e os resultados que obtivemos nesse percurso. Antes, porém, pode ser útil nos conhecer um pouco mais.

QUEM SOMOS E O QUE AFINAL FAZEMOS?

Somos uma firma global de gerenciamento de viagens que desenvolve cinco linhas primárias de negócios. Três linhas de negócios ligadas ao setor de viagens são dirigidas às viagens corporativas, à gestão de encontros e motivação (programas que motivam e inspiram as pessoas a atingir as metas que sua empresa estabelece, na maioria das vezes com viagens como recompensa) e a viagens de lazer ou de "férias". A quarta linha de negócios associada a viagens é nossa divisão de compras eletrônicas (*e-procurement*). O quinto setor de nossa empresa é uma firma de serviços que oferece soluções para lidar com os clientes. (Mais a esse respeito no Capítulo 11.)

Nosso crescimento mais explosivo durante os últimos vinte e cinco anos foi no segmento corporativo, que representa 95% de nosso volume de viagens. Ao consolidar as viagens de negócios das empresas, nós as ajudamos a obter ganhos em tempo e dinheiro. Fazemos isso nos valendo de poder de compra, informações, eficiência e serviços abrangentes que começam antes mesmo de os viajantes planejarem suas viagens e persistem muito depois de seu retorno.

Fora de nosso mercado não somos especialmente famosos, mas nossos clientes são. Temos a felicidade de ter entre eles algumas das mais respeitadas empresas do mundo, incluindo uma porcentagem significativa das empresas *globais* da *Fortune 500*. Administramos a contabilidade das viagens de negócios de 1,5 mil corporações, e nossa lista de clientes é invejada em nosso mercado. As empresas com as quais trabalhamos são indiscutivelmente de primeira classe em seus respectivos mercados.

Nossa empresa tem mais de 5,3 mil pessoas em quase mil escritórios cobrindo 50 estados e 53 países pelo mundo, em todos os seis continentes habitados — de Istambul a Dubai, de São Paulo a Estocolmo, de Copenhague a Caracas. Nossa sede é na Filadélfia. Pelos últimos cálculos, nosso volume anual de vendas atinge um montante superior a 6,2 bilhões de dólares, e vem crescendo em média um bilhão por ano em novos negócios. A Rosenbluth International é uma empresa privada.

Não fizemos estudos nem elaboramos planos para as mudanças que realizamos em nossa empresa. Concluímos que, conforme crescíamos de uma empresa regional para uma global, precisávamos formalizar o que havíamos aprendido de modo a preservá-lo e cultivá-lo. Começamos, então, a analisar atentamente o que vínhamos fazendo e como o fazíamos. Foi daí que nossas teorias ganharam corpo.

Compartilhamos nossas filosofias e práticas com muitas grandes empresas. Na verdade, uma das principais razões para termos escrito há alguns anos a primeira versão deste livro foi poder oferecer respostas por escrito a muitas das perguntas que empresas de todos os mercados e de todas as partes do mundo nos faziam.

Hesitei a princípio quando pensei em compartilhar nossas idéias em um foro aberto como esse — em parte porque não me sinto muito à vontade fazendo isso e em parte por receio de abrir mão de uma informação competitiva. Mas concluí que o que aprendemos é importante demais para não ser compartilhado. Talvez, ao compartilhar o que aprendemos, possamos ajudar outros a alcançar resultados similares. O melhor de tudo é que essa é a coisa certa a fazer, o caminho certo a seguir. Todos vencem.

UM ANÚNCIO DO QUE VEM ADIANTE

As páginas que se seguem não contam apenas a "história de nossa empresa". Este livro procura ser um manual de consulta dos fatores que contribuem para o sucesso de uma organização, das idéias que podem ser adotadas, adaptadas, elaboradas, padronizadas e aprimoradas para a aplicação em sua empresa.

Tentei criar um modelo ao qual você possa recorrer periodicamente para experimentar algumas idéias em sua empresa. Elas podem ser implementadas separadamente ou em grupo. Não é necessário empregar todas as idéias para que alguma delas tenha efeito. Elas devem ser escolhidas conforme você julgar apropriado.

Com essas idéias, viramos nossa organização de cabeça para baixo e alcançamos resultados com os quais nunca havíamos sonhado. A nossa é a história de uma velha empresa fazendo coisas novas. As empresas podem mudar. Somos a prova viva disso. E estamos convencidos de que as empresas *devem* mudar. Temos essa obrigação para com nossos clientes e para com as pessoas que empregamos, e é o único modo de assegurar nosso lugar no futuro.

As idéias que incluí transcendem mercados e países. Elas enfocam as *pessoas*, e por isso podem ser aplicadas a qualquer negócio. Você as encontrará organizadas em duas partes. A Parte Um explica quão importante é valorizar e cultivar seu pessoal, e explicita maneiras de fazer isso. A Parte Dois estende as filosofias e práticas de "primeiro os funcionários" a outros aspectos da direção de sua empresa, como a tecnologia, o planejamento estratégico e as parcerias.

Um epílogo trata candidamente de nossa jornada adiante após os eventos de 11 de setembro de 2001, em um mercado afetado como nenhum outro. E um pós-escrito sintetiza idéias-chave que podem ser adotadas em sua organização. Espero que você ache tais práticas tão úteis quanto nós achamos. Boa leitura.

PARTE UM
O Poder dos Funcionários

Nunca me pareceu que a idéia de "dizer aos funcionários que se importem com os clientes" surta efeito se esses funcionários não sentirem que o empregador se importa com eles. O ato de se importar é uma emoção. Por séculos as empresas perderam de vista o fato de que não se pode delegar uma emoção. Imagine se eu enviasse um e-mail a cada uma das 6 mil pessoas que empregamos em vinte e quatro países dizendo o seguinte: "A partir da próxima terça-feira, devemos começar a nos importar mais com nossos clientes".

Confesso que se eu recebesse tal mensagem, a primeira coisa em que pensaria seria se a empresa se importa ou não comigo. Em caso negativo, por que eu deveria me importar com o que ela quer de mim? Essa preocupação deve partir inicialmente da empresa, emanando para os clientes por meio do cuidado com os funcionários no ambiente correto.

As pessoas são na verdade o ativo mais valioso de que uma organização pode dispor. Sem elas, as coisas atravancam. Sem sua lealdade, motivação e esforço, o máximo que se pode esperar é a mediocridade.

Isso faz total sentido, e atualmente é comum dizer tais coisas. Mas não é fácil vivenciá-las todos os dias e por toda a parte. É por isso que a maioria das empresas não as vivencia. Contudo, uma vez lançada a fundação e firmado um compromisso de não ceder quando a coisa apertar, isso passa a ser possível. E vale bem o esforço.

Para ajudá-lo a construir essa fundação, você aprenderá na Parte Um como:

- Começar corretamente.
- Criar um ambiente de trabalho feliz e produtivo.
- Encontrar e atrair os melhores talentos.
- Fomentar um ambiente de aprendizado.
- Cultivar um serviço de alto nível.
- Nutrir e desenvolver uma cultura eficiente.
- Estimular novas idéias.
- Podar sua empresa para mantê-la saudável.

CAPÍTULO UM
Como Tudo Começou

A maioria das pessoas não consegue dormir na véspera de seu primeiro dia em um emprego. Elas provavelmente decidem com duas semanas de antecedência que roupa vão vestir. Mal podem esperar para começar, conhecer novas pessoas, ver tudo o que tiver ali para ver e levar a cabo grandes feitos.

Após toda a antecipação, seu primeiro dia costuma ser um bocejo só. Elas se descobrem ocultas em uma salinha qualquer preenchendo formulários. Que decepção! As primeiras impressões ficam. E, então, será que é assim que as empresas querem ser lembradas? Não creio. Não é essa a impressão que queremos gerar.

Os primeiros dias em nossa empresa são um pouco diferentes. Toda pessoa que se une a nossa equipe, não importa seu cargo, departamento, nível, posição ou linha de negócio, começa sua carreira passando o primeiro dia com seu superior imediato. O dia transcorre com o chefe oferecendo orientações pessoais sobre a empresa. Ele fala sobre valores e ética do trabalho e apresenta o novo funcionário a todas as pessoas com quem este trabalhará. Tipicamente, o chefe leva o recém-chegado para almoçar ou faz uma reunião grupal para comemorar sua chegada. Embora os chefes tenham um manual com todas as informações essenciais a serem transmitidas, cada um é livre para transmiti-las à sua maneira. O segredo está em fazer com que o funcionário se sinta confortável e bem-vindo. Com raras exceções (como no caso da implementação acelerada de novas unidades), todo novo funcionário, juntamente com outros que tenham se unido recentemente à empresa, visita ou nossa Sede Mundial na Filadélfia ou nossa Sede Européia em Londres durante o primeiro trimestre de serviço.

Muita gente não chega a conhecer a sede de sua empresa. Nem mesmo vê os membros da alta administração. Aqui, todos fazem ambas as coisas. E também aprendem o que é realmente importante na empresa. Eles se divertem.

Há benefícios substanciais nesse programa. É, sem dúvida, um propulsor moral. Ele incentiva o comprometimento logo de cara. Além disso, estimula o desligamento, o que é importante. Dar às pessoas uma visão aprofundada de nossa cultura permite que elas tomem uma decisão bem informada sobre ser esse ou não o lugar certo para elas, e isso nos beneficia.

Um programa de orientação aos novos associados é uma ferramenta valiosa para preservar a cultura conforme a empresa cresce. Todos entendem a história. Todos ouvem a mesma mensagem. Ela faz com que as pessoas comecem com o pé direito. É uma ferramenta da qual todas as empresas poderiam de fato se beneficiar. Explicarei o modo como funciona nosso programa.

Começamos o dia investindo algum tempo no conhecimento mútuo, e, em seguida, apresentamos a história da empresa em que os novos associados ingressaram. Em seguida, imergimos o grupo em nosso enfoque pessoal, discutindo a importância da percepção e do trabalho em equipe, bem como o valor das diferenças. Tratamos de ergonomia e segurança, comunicação e mudança.

Então passamos a nossos clientes, estudando suas expectativas e nos concentrando na qualidade. Em seguida, vem uma discussão sobre os negócios, para garantir que todos os novos associados entendam as metas, os objetivos e as operações de nossa empresa, que giram em torno de nossos clientes. Fazemos uma apresentação geral da estrutura da organização, de modo que as pessoas saibam onde procurar aquilo de que precisam. Por fim, falamos algum tempo sobre o "serviço elegante" e a "linguagem elegante" (mais a esse respeito no Capítulo 6).

Imergimos nossos novos associados na filosofia e nos valores da empresa, e eles começam a ver seu papel dentro dela, no futuro. As pessoas freqüentemente ficam surpresas ao descobrir que foram trazidas à sede somente para treinamento filosófico. Quando lhes dizemos quão importantes são esses princípios para a companhia, elas começam a notar a ênfase que damos a nossos valores.

Em seguida, o grupo passeia pela sede, parando para conhecer tantos indivíduos quanto possível. Então, no auge do programa, há um chá vespertino — com um diferencial. Os novos empregados são servidos por altos funcionários da empresa. Essa é de longe a parte mais memorável do programa. As pessoas me abordam continuamente após anos de carreira para me falar da impressão que lhes causou aquele chá.

Há uma mensagem sobre serviços por trás da escolha do chá como atividade. Uma xícara de chá pode vir de uma máquina expressa, pode lhe ser empurrada durante um jantar ou pode ser servida elegantemente em alto nível. O chá é apenas um produto; o serviço que o envolve faz toda a diferença do mundo.

Ao servir nossos novos associados, mostramos a eles que estamos felizes por tê-los como parte de nossa equipe, que eles são importantes para nós, que nosso pessoal vem em primeiro lugar. Falamos sobre aquilo em que acreditamos. Discutimos o que está em suas mentes. Nada está fora dos limites.

Certa vez, enquanto eu servia chá, um novo associado me perguntou quanto ganhava. Eu lhe disse que em anos bons ganhava uma bolada e em anos ruins levava uma no queixo. Outro me perguntou o que eu faria se não fosse presidente da Rosenbluth. Eu lhe disse que gostaria de ser o Philly Phanatic, pois sou um palhaço de horas vagas e adoro beisebol. Mas a maioria das perguntas se refere ao futuro de nossa empresa.

Um ponto que deixamos muito claro é que agora se trata da empresa *deles*, e, toda vez que alguém inicia um comentário ou uma pergunta com "sua empresa...", eu o corrijo e peço que reinicie dizendo "nossa empresa...". Creio que é importante que todos ali tenham uma sensação de propriedade desde o primeiro dia.

Embora essa seja nossa orientação central, já adotamos diversas abordagens ao longo dos anos para arraigar esses pontos. Por exemplo, nossa orientação já incluiu sátiras teatrais em que pequenos grupos encenavam as piores experiências de serviço que conseguissem imaginar. Fazendo caretas, eles discorriam sobre todas as terríveis experiências com serviços que haviam tido na vida. O grupo decidia qual era a pior das experiências e a desenvolvia, tornando-a tão horrorosa quanto possível. Em seguida, eles retornavam a seus grupos e convertiam a história de serviço em uma história positiva, aprimorando-a por todos os meios que imaginassem. Então encenavam como esquete a experiência positiva.

Quando concluímos esse exercício, as pessoas julgam que acabou por aí, mas não acabou. Mesmo o melhor serviço pode ser aprimorado. Assim, de volta aos grupos, eles criam um serviço superior — um serviço elegante. Mas as coisas não devem terminar nesse ponto. O serviço pode ser levado de mau a bom e de bom a excepcional, mas há maneiras infinitas de ir além do excepcional — e é essa a faixa na qual estamos interessados.

Começando Corretamente

Resumo

- O treinamento deve começar com um programa de orientação pelo qual todos passam antes de iniciar seu primeiro dia de trabalho. As primeiras impressões ficam, e tanto os bons como os maus hábitos começam cedo. Todos devem passar pelo mesmo programa, não importa seu cargo ou sua posição.
- Pense em levar os novos associados à sede de sua empresa ainda no início de suas atividades (os nossos a visitam logo no primeiro trimestre de serviço).

- A orientação deve incluir uma apresentação de todas as áreas da empresa, de modo que as pessoas saibam aonde ir em caso de necessidade.
- Certifique-se de incluir bastante informação sobre a filosofia e os valores da empresa. Isso ajuda a preservar a cultura e incentiva o comprometimento (ou o desligamento) desde o início.
- Procure incluir alguma tradição especial como parte da orientação de sua empresa. Nosso chá tem sido uma das forças de nosso programa.

CAPÍTULO DOIS

A Felicidade no Trabalho

O ditado "Uma imagem vale mais do que mil palavras" é mesmo verdadeiro? Por acharmos que sim, criamos um programa, há bem mais de uma década, que acabou se tornando um dos mais memoráveis e mais imitados da empresa.

Enviamos uma carta a cem associados pedindo-lhes que fizessem um desenho mostrando o que a empresa significava para eles. A empresa não significa necessariamente a mesma coisa para duas pessoas. Mas houve alguns temas bastante comuns: faces risonhas; ilustrações de serviços prestados a clientes e a outros associados; e montes e montes de desenhos de salmões. (O salmão é nossa mascote corporativa.)

Desde nossa primeira remessa, já repetimos o programa muitas e muitas vezes. Aprendemos que, embora a vasta maioria dos desenhos que chegam seja positiva, também há muito valor nos desenhos *infelizes*, e por vezes surgem alguns. Ficamos contentes por descobrir que as pessoas se sentem livres para apresentar desenhos negativos, e, o que é mais importante, tais desenhos revelam problemas que podemos abordar.

O desenho mais aterrador que creio já ter recebido ocupava duas páginas. A primeira mostrava uma família sentada em torno do fogo, crianças brincando, gatos e cachorros. O desenho era colorido, caloroso e acolhedor. As pessoas eram felizes. Senti-me feliz só de olhá-lo. No alto vinha escrito "ANTES".

Quando virei a página, tive uma desagradável surpresa. O segundo desenho fora feito a lápis. Era brutal e gélido. Havia uma pessoa sozinha tremendo. O fogo estava apagado. A sala estava completamente vazia. Fiquei horrorizado. No alto vinha escrito "AGORA".

Chamei a desenhista e tive com ela uma longa conversa; fiquei sabendo que houvera um anúncio de que parte do trabalho de seu escritório seria transferida para outro local. As pessoas achavam que perderiam seus empregos. Na verdade, já havia planos feitos para que as pessoas afetadas fossem treinadas para uma nova atividade que seria transferida para seu escritório, e isso representaria um degrau acima para todos. Infelizmente, *essa* informação não fora transmitida a ninguém.

Não acho que em uma conversa longa eu compreenderia melhor os sentimentos dela do que por meio daqueles desenhos. E duvido que nosso diálogo tivesse ocorrido sem os desenhos.

Também nos preocupamos com as pessoas que recebem a carta mas não respondem, e por isso ouvimos todas elas. Nem todo mundo se sente bem desenhando, e isso não é problema. Mas há algumas pessoas que hesitam em nos contar o que pensam, e isso é um problema. Assim, conversamos com elas para assegurar que os receios se desfaçam.

Para aprender de fato com esse exercício, você precisa discutir o desenho com o desenhista, a menos que ele ofereça uma explicação detalhada. Um desenho que recebi há não muito tempo mostrava uma caixa com formas geométricas coloridas e bem desenhadas em seu interior. Em volta da caixa estavam garranchos e rabiscos. Durante uma conversa, o associado me disse que a caixa colorida era nosso escritório em Nova York, enquanto o caos à sua volta era o mundo exterior. É improvável que alguém entendesse o sentido do desenho sem tal conversa, e conversas como essas podem levar a novas idéias e soluções para desafios que você talvez nem imagine que existam.

Aprendi tanto com o programa que decidi estendê-lo a nossos clientes, e as respostas foram numerosíssimas. Uma das descobertas mais interessantes que fiz foi a da evidente similaridade entre os desenhos enviados pelos clientes e os feitos por nossos associados. É especialmente fascinante comparar os desenhos feitos por clientes específicos com os dos funcionários que os servem. O método mostrou-se uma medida eficaz da felicidade, do que é ser prestativo, da percepção e da comunicação.

Como É Possível que Levemos Isso a Sério?

A Base para a Filosofia de "Primeiro os Funcionários"

As empresas devem pôr seus funcionários em primeiro lugar. Sim, antes mesmo de seus clientes. Pronto, agora eu já disse tudo. Sei que a idéia é polêmica. Ouvi-la deixa a maioria das pessoas nervosa, mas ela funciona.

Certa vez, acompanhamos um cliente em potencial em uma visita a nossas instalações; nessa ocasião, ele conheceu uma série de departamentos em vários de nossos escritórios. No fim da visita, um dos executivos da empresa chegou a perguntar se éramos alguma espécie de culto. Todo mundo parecia tão feliz que ele ficou em dúvida. Sei que ele estava brincando, mas, então, nos demos conta de como realmente éramos diferentes. Ele concluiu que gostava daquilo, e a empresa é hoje nossa cliente.

Superficialmente, isso tudo pode soar como mera falação — mas é algo sério. Quando contamos às pessoas como somos, elas normalmente nos olham com um ar de zombaria, mas, como dizem: "Testa-se o pudim comendo". Claro que o objetivo é ganhar, e é assim que ganhamos.

Não há provavelmente nada em que acreditemos com mais firmeza do que na importância da felicidade no trabalho. Ela é simplesmente a chave para prestar serviços superiores. Claro que nossos clientes são a razão de nossa existência como empresa, mas, para servi-los melhor, precisamos pôr nossos funcionários em primeiro lugar.

O princípio por trás disso é óbvio. São nossos funcionários que prestam serviços a nossos clientes. O nível máximo que se pode alcançar em um serviço é aquele oriundo do coração. Assim, a empresa que alcançar o coração de seus funcionários prestará o melhor serviço. É provavelmente a melhor coisa que podemos fazer por nossos *clientes*. Eles aprenderam que, vindo em segundo lugar, acabam ficando na frente.

É mais ou menos como a velha história sobre o cavalo e a carroça. Digamos que nossos funcionários representem os cavalos. Se pusermos os clientes na carroça e esta em frente dos cavalos, eles não chegarão muito longe. Podemos ter champanha e caviar na carroça, e nossos clientes não chegarão a lugar algum enquanto os cavalos estiverem atrás deles.

É assim que nos sentimos com relação a nossos associados. Se os pusermos em primeiro lugar, eles porão nossos clientes em primeiro lugar. Claro que também precisamos fazer direito uma porção de outras coisas, mas afirmamos que esse é o aspecto dos serviços mais comumente negligenciado, e é por isso que falo mais dele.

De acordo com a teoria do psicólogo Abraham Maslow, as necessidades humanas distribuem-se em uma hierarquia natural do mais urgente para o menos urgente. Essas necessidades relacionam-se à fisiologia, à segurança, à aceitação social, à auto-estima e à auto-realização. As pessoas tendem a satisfazer a necessidade mais urgente e, então, passam à seguinte em grau de importância.

É só quando uma pessoa tem comida, vestimentas, abrigo, segurança, companhia e auto-estima que ela poderá ser estimulada pelo auto-aprimoramento. Enquanto a maioria das empresas oferece provisões básicas às pessoas, afirmamos que é essencial criar um ambiente em que necessidades de outros níveis sejam satisfeitas.

Se as pessoas se preocupam com a segurança no emprego, com políticas internas ou com outras frustrações comuns no ambiente de trabalho, elas não vão se concentrar no cliente. Elas vão se preocupar consigo mesmas. Nós procuramos criar um clima em que nossos associados deixem tais preocupações para a empresa, de modo que consigam se concentrar — e realmente se concentrem — apenas nos clientes.

As empresas se enganam quando aceitam a idéia do "Cliente em Primeiro Lugar". As pessoas não põem o cliente em primeiro lugar de modo inerente, e certamente não o fazem só porque seu empregador assim deseja. Apenas quando as pessoas sabem como é estar em primeiro lugar nos olhos de alguém é que elas conseguem de fato partilhar esse sentimento com outrem.

Não estamos lhe dizendo que prefira seus funcionários a seus clientes. Estamos lhe dizendo que se concentre em seus funcionários *por causa* de seus clientes. Desse modo todos ganham.

Dando o Tom

A Importância da Liderança Acessível

Em uma edição de 1991 da revista *Working Woman,* a editora colaboradora e escritora Nancy Austin escreveu sobre Bill Arnold, então presidente do Centennial Medical Center, em Nashville: "Um de seus primeiros atos no Centennial foi abalar uma sacrossanta tradição administrativa arrancando a porta de sua sala e suspendendo-a do teto para ilustrar seu compromisso com uma política de portas abertas".

Embora eu sempre tenha tido uma política de portas abertas, retirei as paredes de minha sala e as substituí por vidro, para que todos possam ver o que estou fazendo. As pessoas imitam aqueles que as lideram, e, por isso, os líderes, começando pelo topo e distribuindo-se pela organização, devem sempre ter em mente os exemplos que dão. Em nossa empresa, a abordagem da chefia é ser acessível.

Precisamos ter contato com todos os níveis. É a única maneira de evitar a purificação das informações conforme elas se filtram na subida pela organização. É da natureza humana querer compartilhar somente as boas notícias com os líderes e tentar resolver os problemas em surdina.

Mas é freqüente que aprendamos mais em nossos fracassos do que em nossos sucessos. Precisamos conhecer tanto os problemas que estão sendo resolvidos como os que não estão. Não podemos considerar o tempo gasto com os funcionários como uma interrupção. É a coisa mais importante que fazemos, e nunca faremos o bastante.

Meu Dia É Seu

Um Programa para Alcançar as Pessoas

Há cerca de doze anos iniciei um programa pelo qual qualquer pessoa da empresa podia passar um dia comigo. O que quer que eu fosse fazer, ela estaria ao meu lado. A pessoa leria o mesmo que eu, tomaria parte em todos os telefonemas, qualquer visita ou reunião de clientes, ou o que quer que compusesse meu dia. A única exceção seria algum problema confidencial de recursos humanos que pudesse trair a privacidade de outro associado.

Chamamos esse programa de *Associado do Dia*, e, a princípio, para ser lançado, ele foi mais formalizado e estruturado. Hoje, os funcionários passam um dia ou mesmo uma hora ou duas com qualquer líder que escolherem. Às vezes sou eu e às vezes o líder de certa área em que eles têm algum interesse específico.

O programa tem sido um sucesso tremendo. Nossos funcionários aprendem mais sobre a empresa, adquirem uma boa visão do panorama geral da organização e retornam a sua função com um entusiasmo renovado, em razão da sua importância em nossas metas. Eles também saem com uma ciência maior do nível de responsabilidade com que arcam seus chefes.

Por outro lado, o programa tem ajudado nossos líderes a aprender mais sobre as necessidades, aspirações e talentos dos associados. Isso nos auxilia a identificar futuros líderes e designar áreas de desenvolvimento para eles. E também ajuda as pessoas a traçar suas carreiras. Um associado pode achar que gostaria de uma carreira em um departamento qualquer e, depois de passar um dia ali, concluir que aquilo não é para ele. Ele aprende o que um departamento realmente faz antes de se empenhar em ser parte dele e, quem sabe, desapontar-se em seguida.

O programa também nos obriga a avaliar o proveito que tiramos do nosso dia. Para ser honesto, quando alguém nos observa é embaraçoso ter momentos de lentidão, adiar um projeto ou decisão ou não dar o melhor de si a cada minuto.

Sentindo-se como um Sanduíche

Um Programa para Atingir os Líderes de Nível Médio

Dizem ser comum que o filho do meio em uma família se sinta de algum modo esquecido. O filho mais velho se beneficia da sensação de entusiasmo que têm os pais com seu novo papel. O caçula é com freqüência mimado não somente pelos pais, mas também por irmãos e irmãs. Mas o filho do meio às vezes fica perdido nessa balbúrdia toda.

Parece ocorrer o mesmo com os líderes de nível médio. Espera-se muita coisa deles. Eles ficam na difícil posição de comunicar o que vem de cima para as pessoas da linha de frente, e vice-versa. Ficam atravessados no meio.

A sensação é de que mais e mais empresas estão reconhecendo os benefícios de apoiar seu pessoal de linha de frente, sem precisar se preocupar muito com as pessoas no topo — mas e quanto àquelas que ficam no centro?

Em nossa empresa, o programa Associado do Dia atrai sobretudo pessoas da base e, embora esteja aberto a todos, são essas as pessoas que eu mais espero que participem. Por outro lado, encontro-me com os altos executivos quase todos os dias. Por isso, precisávamos de um programa para manter contato com os líderes de nível médio.

Para isso, comecei me encontrando com cada um deles em uma base regular, mas logo percebi quanto eles perdiam por não disporem daquele mesmo tempo sem interrupções para se encontrarem uns com os outros, sendo sempre tão ocupados como nós.

Por isso, há alguns anos, começamos a promover um encontro anual de toda a nossa equipe da administração média. Em nosso Encontro Mundial de Líderes, todos se reúnem em um mesmo local, desde os gerentes-gerais (representando todas as linhas de negócios, atividades e locais por todo o mundo) até nossos executivos seniores, de modo que se vejam cara a cara por dois dias.

Os executivos seniores dão palestras aos líderes a respeito da situação da empresa. Sessões breves tratam do desenvolvimento da liderança e da formação de equipes; apresentam nossos novos produtos e serviços (incluindo demonstrações ao vivo); compartilham as melhores práticas; e incluem discussões com os clientes ali presentes com o intuito de ouvir seus comentários. Os altos executivos da empresa promovem um debate com os líderes chamado *Pergunte-nos Qualquer Coisa*, e eles perguntam mesmo.

Incluímos vários eventos sociais para dar aos membros do grupo a chance de passar algum tempo juntos e, na noite final, concedemos prêmios de Desempenho Notável àqueles que foram além e acima da média. Os ganhadores recebem um salmão de cristal (o salmão é a mascote de nossa empresa, representando nossa abordagem oposicionista de negócios e nosso desejo de nadar rio acima, contra a corrente).

Além de renovar a perspectiva geral de nossa equipe de administração média, esses encontros mundiais de líderes reúnem as grandes mentes de nossa liderança para compartilhar idéias e proporcionar a nossos executivos seniores uma visão realista das microoperações diárias da organização.

Conselho dos Embaixadores

Um Meio de Medir a Felicidade

O único modo de sabermos realmente se atingimos nossas metas é tentar mensurar nosso progresso. O mesmo vale para a felicidade no ambiente de trabalho. Não podemos simplesmente pressupor que nossos funcionários estão felizes. Devemos nos assegurar de que eles estão, e isso significa descobrir meios de ajudá-los a nos dizer isso.

Há cerca de doze anos, reunimos um grupo de amostra que chamamos de"barômetro da felicidade". Ele se reunia duas vezes por ano para nos proporcionar uma idéia do nível do moral. Cada encontro começava com um questionário anônimo, e o resto do dia era deixado para discussões abertas. Conforme fomos crescendo, sobretudo globalmente, passamos a precisar de uma ferramenta mais estruturada para ouvirmos as vozes de todos os associados no mundo, e por isso criamos, em 2001, nosso *Conselho dos Embaixadores*.

O conselho consiste em doze associados — dois de cada região do mundo — escolhidos ao acaso pelo prazo de um ano. Como o grupo do barômetro da felicidade que o precedeu, o conselho se encontra duas vezes por ano em nossa sede — porém, antes da reunião, seus membros vistoriam suas regiões em busca de problemas, preocupações ou dúvidas que possam surgir. Nós os incentivamos a usar métodos variados para obter colaboração em suas regiões — quanto mais criativa e assertiva a colaboração, melhor. Cada membro apresenta então os comentários de sua região durante o encontro.

Eu promovo pessoalmente as reuniões de dois dias do Conselho dos Embaixadores, juntamente com nossos mais altos executivos. Para nosso encontro inaugural, dividimos os debates em seis áreas centrais: liderança e comunicação; respeito e apreciação; justiça; orgulho; "espírito salmonídeo" (diversão no trabalho); e "pensamentos finais" (mudanças sugeridas, perguntas abertas).

Para garantir que os encontros resultem em ação, designamos um "embaixador-chefe" para cada área, que é responsável por registrar as reações e fazer o acompanhamento de quaisquer medidas tomadas. Após a reunião, os associados são informados no mundo todo dos problemas identificados e das medidas tomadas, e são convidados a participar da criação de soluções para as áreas nas quais tenham mais interesse.

Levantamento da Opinião dos Associados
Uma Ferramenta de Diagnóstico Global

Embora as vistorias tradicionais possam ser úteis, elas também podem ser muito lentas para o ambiente de hoje. Até que sejam emitidas, concluídas, devolvidas, tabuladas e avaliadas, muitos dos problemas já mudaram, ou outros novos surgiram sem estarem previstos na vistoria. Para contornar isso, criamos nosso *Levantamento da Opinião dos Associados*, uma ferramenta de diagnósticos dinâmica e aberta, que pode ser usada rapidamente para descobrir e resolver problemas.

Os tópicos incluem aquilo que as pessoas mais apreciam no trabalho em nossa empresa; quais fatores as mantêm conosco; as razões pelas quais elas pensariam em nos deixar; e quaisquer comentários adicionais que queiram fazer. O questionário, de uma única página, pode ser traduzido rapidamente para qualquer língua e enviado por e-mail ou fax para qualquer grupo, departamento ou região do mundo. Sempre asseguramos o anonimato. Os resultados são computados e enviados ao superior do chefe local, que então os examina com esse último, que, por sua vez, os compartilha diretamente com seus associados. A equipe pode, assim, trabalhar em união para solucionar quaisquer problemas.

Descobrimos que o Levantamento da Opinião dos Associados atende aos requisitos de um programa eficiente: velocidade, justiça, acesso global, comunicação aberta e enfoque no que é importante para nosso pessoal.

Pergunte-nos Qualquer Coisa

Usando Ferramentas de Comunicação para Incentivar Respostas

No início da década de 90, criamos um programa de correio de voz para nossos associados, por meio do qual eles podiam se manifestar a qualquer momento, de qualquer parte, sobre qualquer assunto. Hoje passamos a incluir também um endereço de e-mail, e chamamos o programa de *Pergunte-nos Qualquer Coisa*. O programa facilita a nossos associados compartilhar suas opiniões, fazer perguntas, expressar preocupações ou apresentar idéias. Examinamos todas as mensagens e respondemos àqueles que pediram resposta.

As pessoas podem deixar mensagens anônimas, mas parece que quase todas deixam seu nome e número. Recebemos muitas perguntas, e isso é bom. As pessoas já sugeriram desde a provisão de planadores em nosso retiro corporativo (explicado no Capítulo 13, "Desbravando Novas Trilhas") até o estabelecimento de um programa de troca com o sistema educativo, pelo qual professores poderiam trabalhar em nossa empresa por algum tempo enquanto especialistas de tecnologia e outras áreas ensinariam nas escolas. Um associado de nosso escritório em Chicago sugeriu que trabalhássemos com a Cruz Vermelha para oferecer treinamento de primeiros socorros a todos os funcionários. Um outro, em Daytona Beach, recomendou que gravássemos em vídeo as reuniões ocorridas na sede e enviássemos as fitas aos escritórios subsidiários.

Muitas das sugestões se referiam à economia de gastos, como a de um associado de nosso escritório em Lancaster, na Pensilvânia, que propôs um programa para economizar em remessas desnecessárias. Ele calculou que poderíamos poupar cem mil dólares ao ano usando em nossa correspondência interna envelopes brancos simples, em vez dos envelopes timbrados, e usando sempre o menor envelope possível. Até o momento, essa idéia economizou para a empresa quase a soma estimada. Mais recentemente, a situação de nosso mercado nos obrigou a descobrir novos meios de reduzir gastos.

Há pessoas que sugerem clientes que poderíamos desenvolver, perguntando pela situação de clientes potenciais e oferecendo ajuda no processo de vendas.

Também já descobrimos áreas de preocupação com o programa Pergunte-nos Qualquer Coisa. Em mais de uma ocasião, recebemos de um mesmo escritório repetidas ligações ou mensagens referindo-se a uma gama de problemas que se estendiam desde a formação de equipes até a política dos escritórios locais. Isso deixou claro que precisávamos resolver algum problema subjacente de liderança ou comunicação que ainda não tinha vindo à tona.

Recebemos muitas solicitações de visita dos executivos seniores aos escritórios locais. Em atenção a isso, meus colegas seniores e eu promovemos uma série de *Reuniões Municipais* por toda a América do Norte, Europa, Oriente Médio, África do Sul e Ásia Oriental, e outras partes do mundo participam por meio de teleconferência.

As Reuniões Municipais têm se mostrado um excelente meio de compartilhar diretamente com nossos funcionários estratégias e informações atualizadas sobre a empresa e de responder a quaisquer perguntas deles em discussões francas e abertas. As reuniões duram em média uma hora, e são seguidas de uma oportunidade de passar algum tempo com nosso pessoal em seu próprio ambiente.

Descobrimos que duas perguntas são feitas quase em todo lugar aonde vamos. Em primeiro lugar: vamos abrir o capital? A resposta é que estamos comprometidos com uma estratégia de rápido crescimento e, quando as condições de mercado estiverem favoráveis, abrir o capital da empresa será uma opção que poderemos considerar como método de levantar fundos para nosso maior crescimento.

A outra pergunta normalmente feita é se promoveremos outra reunião geral da empresa (veja o Capítulo 6). Nossos associados gostam da oportunidade de virem de todas as partes do mundo para se reunirem, e tentamos fazer isso uma vez a cada poucos anos. Nossa resposta é que, se a reunião for financeiramente possível, tentaremos promover uma nova talvez no próximo ano.

Como resultado dos trágicos acontecimentos de 2001, nossos associados estão ansiando mais do que nunca por uma comunicação constante com o escritório corporativo. Assim, criamos rapidamente uma distribuição mensal de e-mails chamada *Conexões Rápidas*, contendo atualizações executivas, notícias no mundo, informações pertinentes a nosso mercado, informações sobre programas de incentivo e novidades sobre recursos humanos e benefícios.

Não há nada de radical em correios de voz, e-mails ou encontros cara a cara. O interessante é que coisas tão simples podem ser tão eficazes se utilizadas para melhorar as vidas das pessoas. É um modo de facilitar ao máximo que as pessoas nos digam o que é importante para elas.

Negócios ou Estilo de Vida?

Conquistando o Direito de Integrar a Vida de Nosso Pessoal

A maior parte de nossas horas de vigília é gasta no trabalho. Portanto, os empregadores têm um efeito tremendo tanto na vida profissional quanto na vida pessoal de seus funcionários — na verdade, um efeito excessivo. Por mais que se tente, é quase impossível deixar efetivamente o trabalho no trabalho e tornar-se uma outra pessoa em casa.

Quando alguma coisa do trabalho fica na nossa cabeça, não conseguimos aproveitar o pouco tempo que temos em casa. No dia seguinte, nos sentimos mal no serviço por não termos passado com a família um tempo "de qualidade" suficiente. Ficamos preocupados em casa com nossa falta de produtividade durante o dia. O ciclo se repete continuamente, e as pessoas se precipitam em uma espiral de decadência.

Esse não é um bom modo de alcançar sucesso em casa ou no trabalho, tampouco de viver. Por isso, nossa empresa põe a felicidade no trabalho entre suas mais altas prioridades. E eu fiz disso minha cruzada pessoal.

As empresas devem procurar ser tanto estilos de vida quanto negócios, mas precisam conquistar esse direito. Elas têm de prestar mais atenção ao lado humanitário dos negócios. Costuma-se dizer que não é uma boa idéia trabalhar com amigos. Bobagem! Amigos não abandonam amigos. Por quem as pessoas caminhariam aquele quilômetro a mais — por um amigo ou por um indiferente colega profissional?

Para que as pessoas "vivam" uma empresa, esta precisa se assemelhar mais à vida. A estrutura costumeira das corporações é estranha ao modo como as pessoas interagem naturalmente. Tentamos evitar o padrão típico das empresas, que é freqüentemente pretensioso e segregador.

Por exemplo, não temos camadas e mais camadas de administração, e não temos grandes equipes de suporte. Tentamos fazer o máximo de nossa própria comunicação. Para ver um organograma de nossa empresa, você precisaria de uma folha gigantesca. Procuramos deixar nossa estrutura tão achatada quanto possível — com o que a comunicação flui mais livremente nos dois sentidos, e todos ficamos mais acessíveis a um número maior de pessoas. Isso estimula a criatividade e faz com que nossas decisões sejam mais acertadas em cada nível.

Uma Estratégia Holística

A Importância do Ritmo entre o Trabalho e a Vida

O aumento de estresse no trabalho e em casa representou para muitos um fardo que influencia fatalmente e para pior a vida tanto profissional quanto doméstica. É algo que muitos de nós enfrentam de certo modo. As empresas precisam admitir a óbvia existência desse estresse e oferecer apoio aos funcionários para reduzi-lo.

Nosso grupo de recursos humanos vem acompanhando os casos de nossos associados há mais de uma década. Ao longo dos anos, adotamos várias iniciativas. Conforme a consciência global foi despertando para a importância desse problema, várias empresas criaram soluções para prover apoio, e hoje trabalhamos com diversas delas no intuito de proporcionar assistência a nossos associados.

Por meio de nosso *Programa de Assistência ao Associado* (AAP, *Associate Assistance Program*), nosso pessoal pode discar para um número de emergência confidencial vinte e quatro horas por dia, sete dias por semana. Os serviços oferecidos estão disponíveis não somente para o funcionário, mas também para o cônjuge, os familiares e os dependentes. Os serviços vão desde a localização de centros médicos certificados em um raio de 16 quilômetros até conselhos sobre o tratamento de idosos, adoção, acampamentos de veraneio e aconselhamento e encaminhamento legal, bem como serviços ligados a doenças mentais e abuso de substâncias. Além disso, os associados recebem um folhetim mensal tratando de tópicos como alimentação saudável, como parar de fumar, como reconhecer e lidar com o estresse e como alcançar o equilíbrio.

Programas como o AAP são a coisa certa a fazer, e, enquanto estão em operação, elevam o moral, aumentam a lealdade, reduzem o absenteísmo, diminuem o esgotamento e propelem a produtividade — exatamente os resultados que toda empresa procura.

Operação SAFE

Associados Ajudando Associados

Embora esperemos que não, há momentos em que os associados enfrentam crises em suas vidas, e queremos estar presentes quando isso acontece. Assim, no início de 2002 iniciamos a *Operação SAFE* (*Saving Associates From Emergencies,* Salvando os Associados em Emergências), um programa de assistência entre funcionários destinado a proporcionar auxílio financeiro a qualquer associado de período integral ou meio período — bem como a seus filhos, pais e cônjuges ou parceiros — em tempos de crise pessoal.

O fundo é composto de contribuições voluntárias dos associados, e de doações periódicas (de até 50% de seu valor) feitas pela empresa. Estamos pensando também em contribuições dos fornecedores. A quantidade que recomendamos a nossos associados é de um dólar americano (ou o equivalente) por dia, ou 26 dólares por mês, mas eles podem contribuir com a quantia que desejarem. Os associados podem receber fundos independentemente de já terem contribuído ou não.

O fundo é administrado por uma organização de caridade sem fins lucrativos criada pela empresa e liderada por um corpo de diretores que avalia as solicitações e toma decisões de custeamento. Os associados se oferecem como voluntários para atuar no conselho do SAFE pelo período de um ano. Os membros atuais incluem nosso vice-presidente de recursos humanos e dois diretores, que são equilibrados por não líderes de dentro e de fora dos Estados Unidos. Eles se encontram mensalmente e de acordo com a necessidade, e realizam as avaliações por meio de teleconferência.

Todas as solicitações e decisões são confidenciais, e os pagamentos são feitos diretamente para a instituição ou o credor em benefício do associado. Alguns exemplos de solicitações apropriadas incluem incêndios, enchentes ou outras tragédias não cobertas por seguros, ou ainda despesas médicas decorrentes de tratamentos de um associado ou de seus familiares em condições críticas.

Enquanto estávamos no processo de criar a Operação SAFE, no final de 2001, sabíamos tristemente que as licenças em conseqüência dos eventos daquele setembro (sobre os quais você lerá mais no Epílogo, "Um Mundo Diferente") haviam resultado em muitas dificuldades financeiras para os funcionários afetados. Um doador anônimo contribuiu com um generoso donativo para criar um fundo específico para os associados em licença, ajudando-os a dar conta das dificuldades financeiras. Reunimos um comitê interino para avaliar as solicitações e encaminhar os fundos para os locais em que eles eram mais necessários.

Quando digo que essa é uma empresa de amigos, refiro-me ao melhor tipo de amigos — aqueles que socorrem os necessitados e não esperam reconhecimento em seguida. Talvez nunca saibamos quem foi o doador, mas ele sempre será querido em nossos corações.

O Que Você Tem Feito por Eles Ultimamente?

Os Funcionários São a Única Medida Verdadeira da Competitividade

A felicidade da vida é composta de pequenas frações — as breves e logo esquecidas caridades de um beijo ou sorriso, um olhar de bondade, um elogio sincero e os inúmeros e infinitesimais lapsos de sentimentos amistosos e aprazíveis.

– Samuel Taylor Coleridge, *The Friend* [O amigo]

As grandes coisas da vida têm indubitável importância, mas as pequenas coisas podem certamente dar sua contribuição. Elas podem aumentar a felicidade, o comprometimento e o bem-estar, ou podem consumir a auto-estima, a segurança ou a perspectiva de uma pessoa.

Até aqui, falei de problemas maiores — dos motivos para pôr os funcionários em primeiro lugar, de programas para assegurar o acesso à chefia, de maneiras criativas de mensurar a felicidade e de ajudar as pessoas a alcançar equilíbrio em suas vidas. Mas ainda não falei das pequenas coisas do dia-a-dia que contribuem para a auto-realização de nossos associados.

Mesmo coisas tão básicas como celebrar o aniversário das pessoas ou seus anos de firma, ou ainda outras ocasiões especiais, devem ser vistas como importantes. Minha co-autora me diz que em uma empresa em que trabalhou recentemente essas ocasiões haviam sido celebradas por anos, até que um novo presidente proibiu tais atividades durante o dia de trabalho. O moral despencou verticalmente.

Por mais exótico que possa ter parecido na época, há treze anos começamos a promover o "dia do jeans", contrariando a teoria do "vista-se para o sucesso". Logo percebemos que éramos tão produtivos em tais dias como nos outros, se não mais. Hoje, mesmo as firmas mais tradicionais de Wall Street têm como vestimenta-padrão o "social informal", assim como nós, salvo que reconhecemos há anos que o conforto e a descontração melhoram a produtividade mais do que a formalidade e as regras.

Também há dias em que as pessoas se trajam como seus clientes, vestindo roupas com o logotipo da empresa ou pondo seus produtos em sua mesa. Outras vezes as pessoas usam trajes de seus lugares favoritos, em um concurso para ver se conquistam uma viagem até lá.

Nossa empresa oferece viagens de "familiarização" (FAMs) para propósitos tanto educacionais como de lazer. Isso dá às pessoas a oportunidade de saber mais sobre os lugares para onde enviamos nossos clientes, além de fazer com que viajem juntos e se conheçam melhor. Nosso pessoal também pode usar seu tempo de FAM para programas educacionais ou serviços comunitários.

Damos de uma a duas semanas pagas aos nossos associados (dependendo de sua estabilidade) para que eles participem do programa, e lhes concedemos de 100 a 700 dólares (de acordo com o tempo de casa e com o tipo de FAM utilizado) para as viagens, muitas das quais são, aliás, gratuitas. E isso em adição ao tempo de férias.

A maioria dos escritórios tem um álbum com fotos dos eventos promovidos, com cartas de cumprimento aos associados e outras lembranças de experiências compartilhadas. Todas essas são atividades que fomentam a felicidade e incentivam o trabalho em equipe. Cada escritório planeja os programas que preferir. O ponto importante é que eles não só têm a permissão de fazer isso, mas também são incentivados a fazê-lo.

Creio que as empresas merecem os maus hábitos de seu pessoal. Alguém já começou maldisposto em um emprego? Não. As pessoas chegam animadas e com energia, cheias de antecipação, entusiasmo e ambição. Mas empresas com pouca preocupação com a felicidade dos funcionários descobrem que seu entusiasmo e disposição logo dão lugar à apatia e à amargura.

Certa vez, durante um almoço, estive discutindo o conceito de felicidade no trabalho com o presidente de uma empresa. Concordamos em que ela é vital para que se tenha uma força de trabalho sadia e para prestar bons serviços. Mas discordamos em um ponto importante — o de que é responsabilidade da empresa assegurar a felicidade de seus funcionários. Quando eu lhe contei algumas das coisas que fazemos para garantir a felicidade, ele disse: "Se alguém não estiver feliz em nossa empresa, nós o demitimos". Não entendi isso literalmente, mas, ao mesmo tempo, percebi que sua idéia era a de que as empresas não devem afagar seus funcionários.

Brados pelo mundo corporativo deploram a falta de lealdade e motivação no ambiente de trabalho. Esgotamento, absenteísmo, apatia, letargia e uma série de outros males reduzem a produtividade e convertem as empresas em competidoras globais menos ativas. A origem desses males está na falta de felicidade no trabalho. Sem ela, os processos mais bem planejados, as melhores ferramentas e os produtos mais comercializáveis fracassam. Sem ela, tudo o mais acaba vindo abaixo.

Lembro-me de uma conversa que tive com um executivo que acabara de ser promovido à presidência de uma proeminente empresa aérea. Ele me perguntou o que eu, como cliente e parceiro, poderia lhe sugerir para dar uma virada na empresa, então um tanto conturbada.

Eu lhe disse que certamente não era um especialista em empresas aéreas, mas procurava entender as pessoas e aquilo que as motivava, que as fazia felizes e as ajudava a prestar serviços excepcionais. Minha única sugestão foi a de que ele pusesse sua mesa em um avião.

Disse-lhe que, caso eu tivesse que dirigir sua empresa, meu escritório seria um vôo diferente a cada dia, e meu tempo seria gasto conversando com os funcionários e os clientes a bordo. Nunca lhe perguntei se ele fez isso ou não, mas sei que sua empresa voltou mais forte e seus serviços estão entre os melhores.

Se as corporações dessem a seus funcionários tanta atenção como dão à política, à imagem pública e ao aumento de lucros, tudo se ajustaria. Os lucros são uma extensão natural da felicidade no trabalho. As coisas não funcionam de outro modo. Conseguimos comprovar consistentemente a relação dos aumentos de custos com casos de infelicidade em determinados departamentos e escritórios. E levamos isso muito a sério.

Erradicando a Infelicidade

A História de um Erro que Custou Caro

Como estamos sempre buscando a felicidade no ambiente de trabalho, acabamos por cometer erros. Mesmo assim, é fundamental nunca esmorecermos em nossa busca por ela.

Há mais de doze anos, consegui um grande cliente que justificou a abertura de um novo escritório. Nosso novo cliente estava ansioso para que começássemos os serviços, e pediu que o fizéssemos antes do planejado. Não queríamos desapontá-lo, e por isso nos apressamos.

Cometemos muitos erros por não seguir nosso processo normal. Contratamos um chefe para o escritório com base em uma recomendação. Não usamos nosso método de pôr os líderes potenciais em situações desconfortáveis e entrevistá-los em uma variedade de circunstâncias (explicadas no Capítulo 3, "Encontrando as Pessoas Certas"). Contratamos rápido demais todo o pessoal daquele escritório.

O primeiro indício de que as coisas estavam fora de ordem foi nosso índice de erros no local. Aprendemos que esse é quase sempre um sintoma de infelicidade. O segundo foi que os funcionários locais começaram a ligar para meu escritório dizendo que estavam infelizes. O terceiro indício sobreveio quando nosso cliente nos telefonou para dizer que os viajantes de sua empresa não estavam satisfeitos com o serviço de nosso novo escritório.

O interessante é que o cliente foi o último a sentir os efeitos da infelicidade de nossos funcionários. Há aqui uma oportunidade tremenda. A infelicidade vem à superfície antes da insatisfação do cliente. Assim, prestando atenção ao nosso pessoal, podemos inverter a maré antes que os problemas afetem o serviço. A melhor maneira de fazer isso é nos concentrarmos em erigir a felicidade desde o início.

Para reverter a situação, uma equipe de recursos humanos instalou-se naquele escritório para conversar com as pessoas e tentar chegar à raiz dos problemas. Eles foram para ficar um dia e acabaram ficando mais de um mês. O que descobriram foi uma liderança ao "velho estilo": o tratamento das pessoas como meios para um fim. Treinamos os líderes que ali tínhamos, mas a maioria deles não servia culturalmente. Apenas aqueles com instinto humanitário foram mantidos.

Encontramo-nos com nossos associados em pequenos grupos e perguntamos quais chefes estavam causando medo e quais se preocupavam mais com o próprio progresso do que com as pessoas. Perguntamos quem não tinha tempo para eles e quem era injusto. Fui ao escritório diversas vezes para me sentar e conversar com o pessoal. Esses foram alguns dos piores dias de minha carreira. Eu podia ver os efeitos negativos que nossa empresa estava tendo em suas vidas. Cometemos os erros clássicos que tantos outros cometem.

Tivemos de recomeçar do início, mostrando ao nosso pessoal que a empresa se preocupava, sim, com eles, e antes até que pudéssemos esperar que eles se preocupassem com os clientes. E, ao fazê-lo, os serviços melhoraram drasticamente. Nossos clientes estão encantados com o serviço daquele escritório, mas nos custou muito chegar a esse ponto.

Durante o período problemático, houve vinte e sete demissões — de pessoas que treináramos a um custo de 61.290 mil dólares —, e isso era dinheiro jogado fora. Para substituir essas pessoas, gastamos outros 50 mil dólares em recrutamento (anúncios e agências de empregos). Esses são os custos diretos. Perdemos mais em termos de tempo e percepção.

Três gerentes de recursos humanos dedicaram todo um trimestre para resolver os problemas criados somente nesse escritório, o que, somado, representa 75% do ano de uma pessoa exaurido no esforço. Além do tempo perdido, houve três processos trabalhistas. Saímo-nos bem em todos eles, e, embora não tenha havido gastos em pagamentos — exceto no que se refere a nosso conselho legal —, os processos exigiram tempo e energia, e o moral sofreu um golpe.

Além de perdermos produtividade, houve durante algum tempo efeitos negativos nos serviços prestados aos clientes daquela cidade, e a confiança de nossos associados sofreu um abalo. Isso fere mais que tudo, e levou literalmente anos para nos recuperarmos de fato.

Uma empresa é tão boa quanto o forem seus funcionários. Todos podemos comprar as mesmas máquinas e ferramentas, mas são as pessoas que as utilizam com criatividade. Podemos contratar consultores que nos instruam, mas, no fim das contas, o conselho deles só vale o que valerem as pessoas que o puserem em prática. Nossa verdadeira medida competitiva é nosso pessoal.

Pilares de Pessoas

Construindo uma Fundação para a Felicidade

Toda empresa trabalha com uma hierarquia de preocupações. A nossa é a seguinte: funcionários, serviços, produtos. Nessa ordem. O foco da empresa são os funcionários. Estes então se concentram em nossos clientes. Os lucros são o resultado final.

Os pilares sobre os quais muitas empresas se erguem são voltados primariamente aos lucros. Nós afirmamos que tais pilares não são fortes o bastante para sustentar o peso das companhias, sobretudo em tempos de crise. Os seres humanos devem ser os pilares da empresa. Eles proporcionam uma fundação inabalável. Essa pode parecer uma estratégia sem substância, mas, no nosso caso, contamos com nosso crescimento e nosso índice de retenção de clientes para provar que esse método se traduz em resultados sólidos.

Cultivando a Felicidade no Trabalho

Resumo

- A felicidade no ambiente de trabalho é a chave para prestar serviços de alto nível. Crie e mantenha um ambiente em que as pessoas deixem as preocupações para a empresa e possam se concentrar nos clientes.
- As pessoas são a verdadeira medida competitiva das empresas. Investigue aquelas áreas com custos crescentes para saber se não há um problema moral relacionado.
- Mensurar a felicidade no ambiente de trabalho é essencial. Descobrimos cinco maneiras eficientes de fazê-lo. São elas: (1) pedir às pessoas que desenhem o que a empresa significa para elas; (2) usar correio de voz e e-mail para estimular comentários; (3) manter Reuniões Municipais para ouvir os associados diretamente; (4) reunir um grupo de amostra regularmente para testar o moral e revelar os problemas existentes em campo; e (5) usar um método rápido e facilmente administrável de levantar a opinião geral quando necessário.
- Trave contato com seu pessoal em todos os níveis. Combata a purificação que sofrem as informações no caminho até você. Você saberá mais sobre o que realmente ocorre em sua empresa e o moral subirá às alturas. Pense em um programa como o Associado do Dia. Os líderes aprendem com eles tanto quanto os funcionários. Uma reunião com os gerentes de nível médio poderá lhe proporcionar uma boa idéia do moral em departamentos específicos, além de agrupar as pessoas para que compartilhem idéias e conhecimentos.
- Faça de sua empresa um estilo de vida — não somente um local de trabalho. Torne-a divertida. Esteja sempre ciente do efeito que sua empresa tem na vida pessoal de seus funcionários, além de na profissional. Lembre-se sempre de envolver seus funcionários em decisões; dê-lhes a sensação de serem donos da empresa.

- Pense em um Programa de Assistência ao Associado (AAP) para apoiar seu pessoal na busca de equilíbrio entre a vida pessoal e a profissional. É sua obrigação, e é também um bom negócio.
- Reavalie a proporção entre pilares financeiros e pilares humanitários na fundação de sua empresa. Descobrimos que os dois coexistem em perfeita harmonia. A abordagem de negócios humanitária proporciona os resultados financeiros que as empresas buscam, pois as pessoas trabalham melhor quando *querem* trabalhar.

CAPÍTULO TRÊS

Encontrando as Pessoas Certas

A maioria de nós escolhe o parceiro conjugal com cuidado, e cria os filhos com zelosa e compassiva atenção. Todavia, costumamos selecionar as pessoas que ingressarão em nossas empresas baseando-nos em uma entrevista ou duas, e, uma vez lá dentro, elas descobrem que precisam se virar sozinhas.

Esse contraste ilustra a disparidade entre os ambientes da família e do trabalho. Mas, dada a quantidade de tempo que devemos passar trabalhando, não seríamos todos mais felizes se tomássemos tanto cuidado para criar um ambiente favorável no escritório quanto tomamos em casa? Não teríamos também muito mais sucesso? Eu digo que sim, e novamente que sim.

Os Serviços Partem do Coração

A Importância de Procurar Pessoas Amáveis

O princípio número um é *Procurar pessoas amáveis.* O resto se ajustará. Com demasiada freqüência, dá-se mais valor ao histórico profissional do indivíduo do que a seus valores humanos. O que está no coração de uma pessoa não pode ser descoberto em um currículo.

Há pessoas que furam a fila da estação para conseguir um assento no trem e há pessoas que oferecem seu assento a outras. Há pessoas cujo chavão favorito é "Isso não é serviço meu" e outras que logo já vão perguntando em que podem ajudar.

Algumas pessoas mal conseguem esperar que as outras terminem suas sentenças até que possam falar de si mesmas e de seus pontos de vista. Mas há algumas que querem ouvir, e bem, o que as outras têm a dizer. Muitas procuram ganhar; as demais procuram contribuir.

Em nosso processo de seleção, a gentileza, o esmero, a compaixão e o altruísmo têm mais valor do que uma experiência de muitos anos, um histórico salarial notável ou um punhado de diplomas.

Isso é algo que nossos concorrentes parecem estar sempre tentando descobrir. Chegando ao mais básico denominador comum, a fórmula para o sucesso de nossa empresa é que temos mais pessoas amáveis do que eles. A amabilidade está entre nossas principais prioridades, pois as pessoas boas trabalham melhor.

Nossos clientes com freqüência nos dizem que vêem nosso pessoal como um oásis no deserto corporativo. Eles se sentem ansiosos por conversar com nossos funcionários. Isso não é acidente. É algo que nos esforçamos para proporcionar. Não há maior vantagem competitiva em uma empresa de serviços.

Não se pode ensinar as pessoas a serem amáveis. Você não pode simplesmente dizer: "Comece na quinta a ser gentil!". O ato de ser gentil e de se importar com os outros deve ser inerente a sua natureza — as pessoas devem senti-lo em seus corações. E, se o sentirem, seus clientes também o sentirão.

Um de meus momentos mais orgulhosos ocorreu durante uma entrevista com uma funcionária em perspectiva, que estava pensando em se mudar do Centro-Oeste para a Filadélfia para trabalhar na Rosenbluth. Vindo à cidade para sua terceira entrevista, ela chegou ao aeroporto e chamou um táxi. Quando o motorista lhe perguntou aonde ela desejava ir, ela respondeu: "Sede da Rosenbluth". A réplica dele ao pedido ficará comigo para sempre. Ele disse: "Rosenbluth. É onde só trabalha gente boa". Depois de ouvir isso, nossa entrevistada desejou mais que tudo se tornar parte de nossa empresa, e posteriormente foi o que aconteceu. De fato, ela é a co-autora deste livro, e foi parte de nossa empresa durante quinze anos.

Essa reputação, em particular, é mais gratificante do que qualquer outra que pudéssemos conquistar e, a meu ver, justifica os critérios ultra-severos para o ingresso em nossa empresa. Cada pessoa selecionada deve agir como um embaixador nosso, e deve ser escolhida tendo isso em mente.

É importante lembrar que, independentemente de quão impressionante sejam os currículos ou as realizações anteriores das pessoas, se elas não forem amáveis e não se ajustarem à empresa, então, estão fora. Por que correr o risco de contaminar a equipe?

Somente as Melhores

Você Não Pode se Dar o Luxo de Não Ser Seletivo

O diferencial que põe à parte as empresas preeminentes de hoje é a capacidade de atrair e reter pessoas de excelência. Quando a primeira versão deste livro saiu, há uma década, o mercado de empregos era uma outra história. Os empregos eram escassos, e as empresas estavam inundadas de currículos de candidatos superqualificados loucos por uma oportunidade de meramente pôr o pé na porta.

Não resisto ao ensejo de dizer que, na época, tínhamos uma forte sensação de que as coisas mudariam, e que haveria uma carência de recursos humanos. De fato, no Capítulo 14 do livro original, tínhamos uma seção inteira sobre como se tornaria difícil encontrar bons funcionários. Na época, muita gente nos tomou por tolos, mas, agora, estamos todos em uma guerra global por talentos.

Encontrar líderes hábeis, dedicados e sensatos nunca foi mais importante nem mais difícil do que hoje, e, contudo, mesmo nesse ambiente de recursos escassos, é tão vital quanto antes que mantenhamos nossos altos padrões.

Assumimos uma postura seletiva no que toca à admissão de pessoas em nossa empresa. Para cada cargo, entrevistamos de oito a dez pessoas antes de fazer a seleção final. E a entrevista não é fácil — por que deveria ser? Esperamos muito de nossos funcionários e lhes oferecemos muito em troca. Devemos uns aos outros a escolha exclusiva de pessoas que enriqueçam o que construímos.

Um gerente-financeiro analisa um ativo qualquer considerando o modo como ele se encaixará em seu portfólio, e é assim que as empresas precisam avaliar os candidatos, valendo-se para isso do mesmo olho incansável. Um determinado ativo, embora possa ser profícuo individualmente, pode ter efeitos negativos no portfólio como um todo.

Do mesmo modo, os indivíduos devem ser escolhidos tanto em função de seu potencial pessoal quanto daquilo que trarão para a equipe. Um elemento fundamental para o ajuste à equipe é a adequação cultural. Para tomar a decisão correta, as empresas devem ser capazes de delinear bem sua cultura e avaliar os candidatos dentro desses limites. Em parte alguma isso é mais importante do que na área de liderança, pois os líderes são vistos em toda a empresa como modelos para os funcionários.

Os Peixes Grandes e o Tranco
Selecionando Líderes Seniores

Costuma-se dizer que: "Se você quiser os peixes grandes, terá de agüentar o tranco". Entrevistar executivos de topo é um processo especial para nós, pois nossos líderes são uma safra à parte. Os candidatos passam por avaliações um tanto exóticas e bastante severas.

No momento em que um líder ingressa em nossa empresa, sabemos o que ele toma no café da manhã, quando perde a estribeira e exatamente onde se ajustará. Descobrimos que conhecer tão bem uma pessoa só é possível observando-a em situações incongruentes, que não têm absolutamente nada a ver com o cargo, a empresa ou o negócio.

Atrás do Volante ou Debaixo do Aro

Técnicas Incomuns de Entrevistas

Tome por exemplo os hábitos ao volante. Achamos que eles dizem muito sobre as pessoas. Não queremos contratar aquele tipo que não consegue dirigir com convicção ou que não procura alternativas em engarrafamentos, aceitando sem mais o fato de se ver em um impasse. Por outro lado, não queremos alguém descuidado ou distraído. Não queremos ninguém que ponha o"chegar lá"antes da segurança dos passageiros. Todos esses são traços que podem ser transportados para o ambiente de trabalho.

Outro teste amargo são os esportes. Gostamos de pessoas competitivas, que procuram fazer o seu melhor. Mas igualmente importante são as habilidades e o desejo de trabalhar para o bem da equipe. Cada jogador precisa possuir aquele altruísmo inato decorrente da segurança de não precisar ser a estrela a todo momento do jogo. Valorizamos a pessoa que anseia passar a bola para o jogador desmarcado tanto quanto um superastro das enterradas como Shaquille O'Neal.

Certa vez, fomos salvos por um jogo de *softball*. Nas últimas fases de nossa busca por um importante executivo sênior, convidamos um candidato a se unir aos outros chefes em um jogo de *softball*. Suas cores verdadeiras se mostraram durante aquele teste. Ele tinha de ser a estrela, mesmo à custa dos outros. Seu time perdeu, e ele levou isso muito a sério, tentando pôr a culpa nos outros jogadores.

Nós lhe pedimos que jogasse *softball* porque não estávamos seguros a seu respeito, mas não esperávamos descobrir tanto. Esses eram traços que não tinham sido detectados durante as entrevistas. Pessoas astutas conseguem evitar armadilhas, mas, quando avaliadas de maneira não tradicional, revelam muito mais sobre si mesmas.

É importante conseguir que o maior número possível de pessoas se envolva no processo de seleção, pois precisamos trazer para a empresa somente aquelas que consigam trabalhar bem com a equipe que já possuímos. Por essa razão, candidatos a cargos da alta administração passam algum tempo com nossos atuais líderes seniores, e a opinião deles é crucial. Para encerrar o processo, os candidatos à chefia também são entrevistados pelas pessoas que chefiarão. Estamos procurando pessoas que inspirem suas equipes. Quem melhor para julgar isso do que a própria equipe?

Posto à Prova

Utilizando a Avaliação de Executivos

Como a localização de altos executivos para nossa empresa é encarada como uma microcirurgia, há muitos anos lançamos um Programa de Avaliação de Executivos para julgar os candidatos a altos cargos. Essas avaliações são feitas por nosso psicólogo corporativo e pela equipe de líderes da qual o candidato procura ser membro.

Candidatos externos à empresa, bem como associados sendo avaliados para a promoção a um cargo elevado, devem participar. Os exames avaliam os valores, as idiossincrasias, as forças e as fraquezas, e estimam a adequação à equipe. Os líderes são todos únicos, mas é fundamental que, como grupo, eles complementem as forças e compensem as fraquezas uns dos outros. E, mais importante, eles têm de gostar de trabalhar juntos.

Minha co-autora, Diane, lembra-se de ter passado pelo processo de avaliação de executivos. Ela completou a bateria de testes escritos em cerca de meio dia, o que exigiu que ela examinasse a fundo seus valores, prioridades e estilo de liderança. Em um dado teste, ela teve de encaixar blocos de formatos estranhos e formar com eles o desenho mostrado em um papel.

Diane percebeu que, durante todo o tempo do teste, o psicólogo tomava notas. No final, ela lhe perguntou o que ele tanto escrevia, já que a velocidade era supostamente o objetivo. Ele lhe disse que na verdade *a estratégia* para a solução do problema era mais importante do que o resultado do cronômetro. Ela fez perguntas? Havia um método nos passos adotados? Ela tinha senso de humor? Ela estava interessada em descobrir, ao final, qual teria sido o método mais eficaz?

Como nossas avaliações são feitas, em parte, por nosso psicólogo corporativo, seu conhecimento das metas de nossa empresa é fundamental para a eficácia do programa. Por essa razão, ele freqüentemente toma parte em nossas sessões de planejamento estratégico e em outras reuniões importantes, embora não seja um empregado de nossa empresa. De qualquer forma, nós procuramos deixá-lo disponível para ajudar nossos associados a lidar com situações difíceis no trabalho ou em suas vidas pessoais. Ele está conosco há muitos, muitos anos. Achamos que esse é um bom investimento em nosso pessoal, e, por isso, arcamos com os custos mesmo de consultas absolutamente pessoais.

A Coisa Certa
Há Ferramentas para Ajudá-lo

Alguma vez você foi fazer compras e, depois de experimentar um sem-número de artigos, comprou alguma coisa sem experimentá-la? Não costuma surpreender quando você, após prová-la em casa, descobre que ela não serve, concorda? E quando você encomenda por catálogo ou pela Internet um produto que na foto parecia ótimo, mas que, ao chegar, o deixa frustrado pela compra? E há também o dia após o Natal. É o maior dia de compras no ano — não porque as coisas estejam em promoções, mas porque todos estamos devolvendo presentes que não servem ou dos quais não gostamos, ou talvez porque nem sabemos o que são.

O mesmo desajuste ocorre entre pessoas e empresas, mas as pessoas não são tão fáceis de devolver. Há muita gente lá fora, e nem todo mundo se ajustará a sua empresa.

O processo de recrutamento e seleção é trabalhoso e dispendioso. Erros de contratação causam prejuízos tanto emocionais quanto financeiros. Toda empresa quer encontrar as pessoas certas logo na primeira vez.

Especialistas podem ser úteis em estabelecer critérios para um bom ajuste entre os candidatos e sua empresa, mesmo com seus departamentos e cargos específicos. Há duas décadas, nosso pessoal de recursos humanos trabalhou junto a especialistas externos para criar um processo de seleção de novos funcionários que ajudasse a identificar as melhores pessoas para nossa empresa. Parte desse processo inclui o delineamento de perfis específicos determinando o tipo correto de personalidade e o repertório de técnicas necessárias a determinados cargos dentro da empresa.

Por exemplo, para os cargos de atendimento ao cliente (CCA, *Customer Care Associate*), precisamos de alguém que trabalhe com nossos clientes em uma base diária via telefone, e-mail ou bate-papo eletrônico. Para isso é preciso uma combinação de habilidades técnicas, interpessoais e organizacionais.

Nossa criação de perfis envolveu diversos passos. Primeiro, reunimos um grupo de estudo que representasse a população de CCA. Em seguida, criamos uma análise profissional para definir o cargo em termos cotidianos e para estabelecer um ideal de desempenho. Identificamos habilidades e características básicas essenciais para o cargo.

Então aplicamos ao grupo testes nessa área, tais como eficiência escriturária e de leitura, raciocínio matemático, fluência verbal e percepção. Também foram avaliados traços de personalidade como energia, flexibilidade, empatia, segurança e espírito de equipe.

Comparamos os resultados do teste de cada pessoa no grupo com seu desempenho no trabalho, procurando relações entre certas habilidades e traços pessoais e o sucesso profissional. A partir daí, pudemos deduzir fórmulas para prognósticos, que podemos usar como auxílio na avaliação de candidatos durante o processo seletivo. Essas fórmulas são um meio de determinar a possibilidade de sucesso em um cargo específico.

Há alguns anos, adotamos também certas aptidões centrais formalizadas, detalhando o que seria necessário para integrar nossa empresa. Então descrevemos as aptidões adicionais necessárias a nossos líderes. E não paramos por aí. Desenvolvemos ainda modelos para cada setor da empresa, incluindo perfis de aptidão específicos para cada cargo. Esses perfis nos auxiliam a encontrar a pessoa certa para cada posição, e também são muito úteis na administração de desempenho, ajudando-nos a assegurar que mensuramos as coisas que realmente importam.

A lista de aptidões centrais é disponibilizada aos associados de todo o mundo por meio de nosso Guia do Progresso na Carreira (CEG, *Career Enhancement Guide*), uma ferramenta eletrônica disponível também como brochura. Além das aptidões, o CEG inclui ferramentas de auto-avaliação para cada setor, permitindo que as pessoas saibam o que é necessário para atuar em uma dada área ou posição da empresa, e descrevendo as opções de carreira. A ferramenta também inclui dicas para entrevistas e para a composição de currículos, e um diretório de contatos a serem procurados em cada área para conseguir entrevistas informativas.

Um certo grau de cientismo elimina parte da subjetividade inerente aos processos de entrevista e administração de desempenho. Os perfis e as aptidões centrais nos ajudam a localizar pessoas com aquelas qualidades que provavelmente farão com que sejam bons candidatos à vaga e também que apreciem seu trabalho — qualidades mutuamente reforçadoras. Utilizar as mesmas informações para melhorar as opções de carreira dos associados ajuda a aumentar a lealdade, o moral e a eficiência.

Embora sejam úteis como guias, essas ferramentas não são nosso único critério de seleção de funcionários. Não queremos, é claro, que todos os nossos funcionários sejam iguais. Mas considerando o fato de que nossa empresa emprega cerca de seis mil pessoas, essas ferramentas ajudam a garantir que alcancemos nossos padrões e prestemos serviços consistentes.

Ferramentas similares podem ser desenvolvidas para praticamente qualquer cargo em qualquer ramo de atividade, seja por meio de estudos científicos como os que empregamos, seja por meio de informações recolhidas com grupos de amostra, avaliações de desempenho, entrevistas de desligamento e outros programas que as empresas provavelmente já adotam. As ferramentas de prognóstico podem sem dúvida poupar tempo e dinheiro no processo de recrutamento.

Ao longo dos anos, observamos um elo interessante — a correlação entre a excelência nas tarefas e a facilidade de lidar com pessoas era incrivelmente alta. Uma explicação disso é que, quando as pessoas conhecem suas tarefas como a palma de suas mãos, elas ficam livres para se concentrar no tratamento que dão aos outros. Também sabemos que pessoas amáveis, com uma atitude positiva, dominam instintivamente as tarefas, de modo que são capazes de prestar serviços em um tal nível que favorece seu jeito com as pessoas.

O ponto aqui é que os dados apóiam nossa crença de que as pessoas amáveis fazem um trabalho melhor. Aqueles que se dão bem com os colegas e clientes também têm as melhores habilidades. Ao procurar pessoas amáveis, você beneficia seus clientes tanto no aspecto tangível quanto no aspecto intangível dos serviços.

Garimpando Recursos

Atraindo Candidatos em um Mercado de Trabalho Exíguo

Você está provavelmente pensando: "Adoraria ter funcionários amáveis, mas como encontro os candidatos, antes de tudo?". Não acho que alguém tenha uma revelação a fazer nessa área. O mundo lá fora é difícil, mas posso lhe afirmar que nossa cultura é a chave. A cultura certa ajuda uma empresa a atrair o tipo certo de candidato e a preservar as pessoas que já possui.

Sinto-me honrado pela reputação que tem nossa empresa de ser um ótimo lugar para trabalhar. De fato, em 1992, pouco depois de enviarmos à gráfica a primeira versão deste livro, fomos incluídos no livro *The 100 Best Companies to Work for in America* (As 100 Melhores Empresas para se Trabalhar na América), de Robert Levering e Milton Moskowitz, e, a bem da verdade, fomos listados entre as dez primeiras. Desde então, a *Fortune* nos incluiu em sua lista dos cem melhores empregadores, e muitas outras distinções do tipo se seguiram, incluindo o prêmio Investors in People no Reino Unido, na Europa Ocidental, na Ásia Oriental e na África do Sul, honraria conferida à empresa que melhor exemplifica o bom local de trabalho e o enfoque nos funcionários.

Conforme nossa visibilidade como boa empresa aos funcionários cresceu, também cresceu o número de currículos não solicitados que recebemos por ano — na última contagem foram cerca de trinta mil. A evidente vantagem é o vasto espectro de candidatos a partir do qual podemos selecionar. Uma vantagem sutil, mas considerável, está no fato de que as pessoas que se cadastram melhor se ajustam a nossa empresa, pois sabem como somos. Nossa reputação como empregadores seletivos traz até nós exatamente o tipo de pessoas de que precisamos.

A reputação é boa, mas a realidade, sim, é que é eficiente. As pessoas podem ter uma impressão imediata de uma empresa na mais breve das interações, por isso todo encontro é importante. Tudo começa com a mensagem que está em seu site ou em seu processo de triagem telefônica. Como você faz as pessoas se sentirem no primeiro encontro? Eu penso que você deve envolver seu melhor pessoal no processo de atrair candidatos. Cada pessoa deve ser um embaixador de sua empresa, e eles devem tratar o recrutamento como prioridade.

Nossa maior ferramenta de recrutamento é o Programa de Indicação pelos Associados. Descobrimos que as indicações dos funcionários nos traziam candidatos com melhor ajuste cultural e com habilidades mais alinhadas, pois nossos associados entendem a empresa. Assim, em 1999 iniciamos um programa para estimular indicações (na época, nossa terceira maior fonte de novas contratações).

Associados que fazem indicações bem-sucedidas recebem um presente de agradecimento de 500 dólares, e seus nomes também são incluídos em um encontro que ocorre todo agosto durante o Mês de Apreciação dos Associados (sobre o qual você lerá mais no Capítulo 6). O ganhador do grande prêmio leva uma viagem aérea de ida e volta para duas pessoas com um fim de semana em um hotel.

Foi de propósito que mantivemos baixo o bônus da indicação, para que as pessoas o vissem como o gesto de gratidão que é, e não como uma corrida de sugestão de nomes. Isso assegura a qualidade dos candidatos. Todavia, durante períodos de contratação críticos (como o desenvolvimento de um novo cliente ou outros surtos de crescimento), aumentamos a oferta para mil dólares por indicação bem-sucedida, além de um encontro com dez vencedores, em que cada um recebe cinco mil dólares.

A segunda melhor ferramenta de recrutamento que temos é nosso sistema interno de anúncios de vagas. Somos bastante proativos em divulgar na empresa as oportunidades de trabalho existentes (por meio de anúncios acessíveis a todos os funcionários) e muito diligentes no que se refere a promover o nosso pessoal. À primeira vista, preencher uma vaga com um candidato interno deixa ainda assim uma cargo desocupado, mas o segredo está em nosso comprometimento com o progresso do associado. As pessoas sabem que aqui haverá oportunidades reais para elas. Por isso ficam conosco, trabalham em seu pleno potencial e recomendam a empresa aos amigos. As pessoas que se candidatam ouvem as histórias de sucesso daqueles que se uniram à empresa antes delas. Promover o pessoal de dentro é uma ferramenta de recrutamento melhor do que supõe a maioria.

Além dessas ferramentas testadas e aprovadas, estamos sempre experimentando estratégias criativas. Nós promovemos, por exemplo, feiras de empregos, mas elas não são aquela costumeira fábrica de currículos que você conhece. Fazemos festas com muita comida, muitos brindes e uma atmosfera divertida. Nós as organizamos três vezes no mesmo dia, permitindo que funcionários de todos os turnos encontrem tempo de participar.

Um segredo para descobrir os melhores talentos é alargar seus horizontes. Procurar em lugares não tradicionais; abraçar a variedade de históricos, de culturas, de geografias — de tudo; esse não é um meio só de encontrar funcionários excelentes, como também de prestar serviços com uma certa riqueza.

Livre do Peso do Etnocentrismo
As Vantagens dos Históricos Variados

As pessoas com históricos variados dão profundidade às organizações. Elas constituem uma fonte de idéias e perspectivas novas, bem como de usos originais para produtos, serviços e recursos. Como destinamos recursos consideráveis aos nossos programas de aprendizado, não nos limitamos a procurar gente de qualidade em nosso ramo especificamente. Isso abre novas portas para que descubramos os melhores talentos.

É claro que contratamos profissionais experientes do ramo de viagens, porém, com mais freqüência, contratamos pessoas que se destacaram em sua profissão em outras áreas. Em vez de procurar especialistas em tecnologia de viagens, por exemplo, procuramos especialistas em tecnologia de vários campos, que trazem em sua bagagem conhecimentos únicos de outros ramos, os quais podem ajudar a mudar o futuro do nosso.

Normalmente nossos associados não só se originam de uma vasta gama de mercados, como sua experiência muitas vezes não tem relação alguma com viagens. Isso alarga nossos horizontes, trazendo-nos novas perspectivas que transcendem nosso mercado e conferindo-nos uma compreensão mais vasta do mundo externo a nossa esfera.

Isso tudo faz sentido quando paramos para pensar. Por exemplo, uma associada do setor de arquitetura para sistemas de negócios, que explica a nossos clientes nossos produtos tecnológicos, chegou a nossa empresa com uma carreira no ramo de educação especial. Ela tem a habilidade de explicar conceitos complexos em termos compreensíveis. Ela faz de assuntos áridos coisas interessantes. E é uma excelente ouvinte.

Um de nossos analistas de estratégias passou seis anos estudando o comportamento e a biologia dos animais. Hoje ele usa sistemas altamente analíticos para otimizar as viagens de nossos clientes, de modo que estes façam o máximo de economia. Sua experiência prévia deu-lhe a habilidade de observar as coisas de modo bastante sistemático, científico e estratégico.

Uma associada de recursos humanos passou dois anos como parteira e enfermeira pediátrica antes de cursar o mestrado em Recursos Humanos e ingressar em nossa empresa. Sua empatia, atenção e técnicas de estímulo são constantemente exercidas, assim como sua força, seus conhecimentos e sua capacidade de trabalhar sob pressão — exatamente como em sua atividade anterior.

A variedade de históricos é infinita. Uma integrante de nossa equipe de recursos humanos é engenheira elétrica. Ela é encarregada da criação e atualização dos sistemas organizacionais de recursos humanos. Suas habilidades técnicas são postas em prática de modo criativo.

Um de nossos líderes de atendimento aos clientes tem MBA em finanças internacionais. O trabalho de administrar viagens globais multimilionárias junto a clientes corporativos exige suas sólidas habilidades financeiras.

Nosso corpo de executivos é composto dos melhores indivíduos de suas safras, todos com históricos diversificados. Nosso presidente e diretor de operações era executivo sênior da maior empresa de tratamento de imagens do mundo; nosso diretor-financeiro ocupava a mesma posição no banco de maior crescimento do país; nosso diretor de informações e nosso diretor de marketing vêm de duas das mais prestigiosas agências de seguro de vida do mundo. Orgulho-me muito de ter conseguido tirá-los de empresas tão respeitáveis.

Como foi que localizamos toda essa gama de pessoas com históricos tão diversos? Acima de tudo, estamos abertos para essas possibilidades, considerando não somente as pessoas cujos currículos pareciam se ajustar ao cargo. Preocupamo-nos muito em entrevistar uma grande variedade de pessoas e em considerar seus históricos com um olhar criativo. Essa é inquestionavelmente uma vantagem competitiva.

A Letra "e-": Não É o que Você Pensa

Descobrindo Talentos no Mercado Eletrônico

Provavelmente não existe recanto algum no mundo intocado pelo meio eletrônico, mas eu encaro esse fato de um modo diferente da maioria. Eu diria que o segredo de um *e-commerce* eficiente não são os aspectos eletrônicos, mas, sim, os emocionais: "comércio emocional". A estrada do *e-commerce* está cheia de arrivistas com idéias brilhantes, mas sem experiência em satisfazer os clientes. Na mesma estrada estão empresas tradicionais ansiosas por abraçar a oportunidade de reduzir seus custos de logística comercializando seus produtos e serviços em um ambiente sem funcionários.

Praticamente as mesmas pessoas que compravam de nós da maneira tradicional estão comprando eletronicamente. Elas ainda querem atenção personalizada, mas também desejam respostas imediatas e entregas mais convenientes. O maior erro que as empresas cometem é tentar tirar o aspecto pessoal do *e-commerce*.

A tecnologia em si não é uma vantagem competitiva. Ela pode ser copiada facilmente, e, dada a velocidade em que as coisas mudam, torna-se obsoleta quase no mesmo momento em que você a emprega. Nossos funcionários são a única vantagem que nos resta no mercado eletrônico — e em qualquer mercado.

As pessoas são tão importantes no comércio eletrônico que tomamos uma atitude aparentemente de contracultura. Em 1999, compramos o Biztravel.com, e a primeira coisa que fizemos foi demitir todo o mundo. Os funcionários da empresa se odiavam. Havia politicagem e rixas, e, em função disso, a arquitetura do produto sofria, fazendo do serviço ao cliente um paradoxo. Contratamos gente com paixão e compaixão e criamos um ambiente de cooperação. Redesenhamos o produto e colocamos um pessoal excelente por trás do processo — pessoas facilmente acessíveis por meio de uma linha gratuita indicada no site, por e-mail ou pelo bate-papo eletrônico. Os aspectos humanos e emocionais fizeram toda a diferença do mundo, e o Biztravel.com decolou.

O *e-commerce* não é tão simples como se pensava. Ele realmente amplia o campo de atuação do marketing, já que qualquer um encontra prateleiras no ciberespaço, mas a despesa com os funcionários que sustentam as páginas pegou muita gente de surpresa — tanto empresas grandes quanto pequenas.

Um erro comum é contratar pouca gente para os empreendimentos eletrônicos, e outro é contratar gente inadequada, pondo os negócios nas mãos de pessoas sem experiência. Você não pode simplesmente reunir um amontoado de pessoas e querer que isso funcione. Não contrate gente para uma mera abertura de capital, e sim para longo prazo, criando uma equipe de fato. E isso não é tão fácil como já foi antes. Houve uma época, há não muito tempo, quando as carreiras eletrônicas eram vistas como glamourosas, e todos queriam ter esse tipo de experiência no currículo. A euforia arrefeceu, e as pessoas estão começando a perceber que, embora haja qualidades únicas nos negócios eletrônicos, os mesmos princípios ainda vigoram: trabalho duro, trabalho em equipe e a importância dos aspectos humanos.

Como fazer para encontrar as pessoas certas nesse tipo de negócio? Para começar, seu pessoal de recrutamento precisa ter as mesmas características que os recrutadores tradicionais (ser embaixadores de sua empresa, comunicadores entusiásticos de sua cultura, cuidadosos, estimuladores etc.), mas também precisam ter conhecimentos seguros de tecnologia.

A velocidade é outro imperativo importante. O processo de contratação costumava levar um mês ou dois, mas hoje as melhores pessoas são arrematadas em um piscar de olhos; por isso as empresas precisam de um processo de recrutamento bem definido, que todos os líderes compreendam e aprovem. Os passos têm de ser seguidos rapidamente. Na verdade, o melhor processo leva apenas metade de um dia, com uma decisão sendo tomada ao final. Durante esse tempo, um especialista em tecnologia da informação avalia a competência técnica do candidato; um profissional de recursos humanos avalia o ajuste cultural e seu jeito de lidar com as pessoas; os líderes avaliam a confiança, a atitude, o ajuste à equipe e outros aspectos; então todos se encontram para discutir suas opiniões e chegar a uma conclusão.

Recrutar talentos para empreendimentos eletrônicos, como para qualquer outro departamento de sua empresa, é algo para o qual já existem dicas e ferramentas. Mas, acima de tudo, lembre-se de que você está lidando com pessoas. Fazer de sua empresa o tipo de lugar onde elas dariam tudo para trabalhar é a mais poderosa arma de que você pode dispor.

Procurando Preservar

Um Grama de Retenção Vale um Quilo de Recrutamento

A regra das vendas é que custa mais conseguir um cliente novo do que manter um existente. Todos sabemos que isso se aplica não só aos clientes, mas também aos funcionários. E a demissão de um funcionário acarreta custos que vão bem além dos financeiros. A demissão fere o moral, atrasa projetos, prejudica os esforços de recrutamento e é um risco competitivo.

Com o desemprego nos Estados Unidos próximo de seu ponto mais baixo em meio século, não podemos garantir 100% a permanência de nossos funcionários — não que jamais possamos. A escassez de talentos é global e não diminuirá por algum tempo. Some-se a isso a atitude de "agente livre" prevalecente entre os trabalhadores atuais (sobretudo entre aqueles que estão ingressando no mercado de trabalho), e as empresas terão uma crise virtual.

Para combater a tendência de ficar saltando de emprego em emprego, uma das melhores coisas a fazer é incentivar seu pessoal a trocar de emprego dentro de sua empresa, criando oportunidades para que alcancem novas experiências, conhecimentos ou aprimoramentos. Temos regras segundo as quais um associado não deve ser impedido de migrar. Não acreditamos em períodos de espera ou fitas vermelhas para manter as pessoas onde seria conveniente para nós. Incentivamos todos a continuar rumando para onde desejam ir — *dentro* de nossa empresa.

Um erro dispendioso que todos tendemos a cometer é perder tempo demais com os associados mais fracos, por precisarem de mais ajuda. Precisamos gastar tempo com eles, mas não à custa do pessoal mais forte. Eles também precisam de estímulo. Podem não precisar de nossa ajuda, mas certamente necessitam e merecem nosso apreço, nossa atenção e nosso tempo. Uma das melhores maneiras de incentivá-los é interpelá-los e perguntar-lhes o que julgam importante, o que os manteria na empresa — e usar essa informação para retê-los conosco.

Outro segredo para a retenção é ser tão flexível e personalizado quanto possível em suas ofertas de empregos, ajustando-as às necessidades individuais. Temos de nos lembrar também de que as necessidades mudam, e é uma boa idéia reavaliá-las com as pessoas.

Um gerente de retenção pode ser útil — alguém cuja responsabilidade seja preservar os melhores funcionários. A mera ênfase no assunto pode afetá-lo dramaticamente. Ter um plano de retenção formalizado também pode ajudá-lo a manter os balões no ar.

Nosso plano de retenção começa com alguns elementos-chave essenciais, como o comprometimento executivo — líderes dedicando tempo a fortalecer a retenção e reconhecendo sempre a natureza altamente competitiva do mercado de trabalho. O plano prossegue com ações específicas, incluindo uma divisão da liderança de desenvolvimento voltada especificamente aos problemas de retenção de associados, e que procura ajudar os líderes a compreender plenamente as necessidades de seus funcionários, a estabelecer um monitoramento, a proporcionar um diálogo construtivo e a fazer das avaliações de desempenho ferramentas úteis para o desenvolvimento profissional.

A comunicação também é fundamental para a retenção. As pessoas querem se sentir informadas sobre a empresa para a qual trabalham — para onde ela está rumando, como elas se encaixarão no futuro. Todos precisam se sentir parte da equipe, se envolver no planejamento, oferecer idéias e ser ouvidas.

A *justiça* é outra palavra-chave para a retenção. As pessoas precisam e querem ser tratadas e pagas com justiça, e não ser atravancadas por políticas rígidas e por faixas salariais. No fim das contas, para preservar os funcionários, precisamos mostrar compaixão, senso comum e preocupação.

Como Avaliamos?
Ferramentas para Conhecer Suas Forças e Fraquezas na Retenção

Você precisa saber por que as pessoas ingressam em sua organização, assim como precisa conhecer as características e benefícios que fazem vender os produtos ou serviços que sua empresa oferece aos clientes. Nossos funcionários nos dizem que as coisas que os trouxeram até nós foram nossa cultura, integridade, atmosfera confortável, a óbvia oportunidade de aprimoramento e uma sensação de amizade ou de elo familiar. Como sabemos disso? Ora, nós lhes perguntamos de diversas maneiras, duas das quais compartilharei com você: nosso Estudo de Envolvimento e nossas avaliações de 30, 60 e 90 dias.

Em 2001, instituímos nosso Estudo de Envolvimento, patrocinado e administrado por meu escritório. Essa auditoria global de cultura nos permitiu comparar nosso índice de satisfação dos associados com o das melhores empresas no mundo. Para permitir o máximo possível de participação, a pesquisa é feita pela Internet, e cuidamos para que cada associado no mundo tenha acesso à rede para participar. Também traduzimos o estudo para todos os idiomas necessários ao nosso pessoal.

Nos anos anteriores, costumávamos enviar uma pesquisa sobre satisfação a todos os associados, mas esse é um estudo mais significativo, pois nos diz não somente como as pessoas se sentem em relação à empresa, mas também quão comprometidas estão com a permanência nela. Pessoas satisfeitas com a empresa podem mesmo assim deixá-la, e queremos saber por que ficam e o que as faria partir.

Esse estudo recorreu a mensurações que nunca consideráramos antes, como pedir às pessoas que arrolassem problemas na empresa e comparassem o valor de potenciais soluções. Afinal de contas, por que gastar tempo, esforço e dinheiro em coisas que você acha que podem ajudar mas que não serão tão significativas para seus associados como você espera? Eles podem achar uma outra solução mais vantajosa.

Outro avanço importante em relação a nossas pesquisas anteriores é a oportunidade de comparar nossa cultura e a lealdade de nossos associados com as existentes em outras empresas mundiais. Isso é possível porque o Estudo de Envolvimento foi criado por uma organização externa, o Foro de Envolvimento da Força de Trabalho, que é afiliado ao Conselho de Liderança Corporativa. O Foro é formado por empresas dedicadas a compreender o que determina as decisões de carreira. Graças a sua pesquisa, podemos nos comparar com uma série de empresas de mentalidade similar — aquelas que procuram ser as melhores na satisfação dos funcionários.

A pesquisa avalia o risco de desligamento, as preferências de carreira, as oportunidades no mercado de trabalho, problemas no emprego ou na vida pessoal, alinhamento de valores (quão bem o que é importante para nosso pessoal corresponde ao que oferecemos) e as melhores maneiras de preencher tal lacuna. Ela inclui questões sobre tópicos como a qualidade dos colegas de trabalho e dos gerentes imediatos; o nível de responsabilidade e autonomia que cabe às pessoas; o fato de o trabalho estar ou não valendo a pena; e a mobilidade e as oportunidades internas.

O Estudo de Envolvimento é anônimo, confidencial e seguro. Apenas os pesquisadores externos têm acesso aos dados, e informamos nossos funcionários disso, de modo que se sintam livres para ser brutalmente sinceros.

Uma característica interessante da pesquisa é o fato de ela ser personalizada de duas maneiras importantes. Em primeiro lugar, cada uma das empresas que administram a pesquisa pode formular seis perguntas personalizadas, que entram em primeiro lugar na pesquisa. A nossa incluía sete alternativas que iam de "concordo intensamente" a "discordo intensamente". Nossas perguntas personalizadas versavam sobre confiança, preocupação, colaboração, equilíbrio entre a linha de saldo e a satisfação dos associados, diversidade de perspectivas e respeito.

Em segundo, é o fato da pesquisa se ramificar em direções diversas, dependendo das respostas e das avaliações do associado. Em outras palavras, as seções ficam mais e mais focadas conforme o que a pessoa vai respondendo. Chegando ao fim, ela faz opções entre cargos hipotéticos e o seu próprio cargo na empresa, dizendo-nos quão provável seria sua partida e quais as razões que teria para isso. Essas são informações preciosas, e nos ajudam a realmente entender como preservar nosso ativo mais acalentado — nossos funcionários.

O Estudo de Envolvimento é uma estupenda ferramenta de retenção. Outra é nosso processo de avaliação de 30, 60 e 90 dias. Compreender por que as pessoas entram em sua empresa e por que a deixam são informações essenciais na luta para conquistar e preservar os melhores talentos. Para isso, há muitos anos começamos a efetuar entrevistas de acompanhamento passados 30, 60 e 90 dias da data de admissão do funcionário, de modo a registrar a impressão que ele tem da empresa durante esses importantes três meses.

O mesmo processo se aplica àqueles que deixam a empresa, com o mesmo formato de entrevistas de 30, 60 e 90 dias. Por intermédio dessas entrevistas, procuramos entender por que eles nos deixaram. Contatos múltiplos ao longo do tempo nos proporcionaram informações muito francas, e, em muitos casos, nos ajudaram a reconquistar associados.

Fazemos as entrevistas de 30, 60 e 90 dias sempre que possível, mas também temos um *Questionário de Acompanhamento do Novo Associado*, para ajudar a garantir que atinjamos todo mundo pelo menos uma vez. O questionário é enviado 60 dias depois da data de ingresso da pessoa. Ali, nós lhe pedimos que avalie nosso processo de entrevista e contratação; que informe se precisa de recursos, e quais seriam esses; e que diga até que ponto o trabalho que está executando corresponde à descrição feita durante a contratação. Há um espaço para comentários livres e, finalmente, perguntamos à pessoa se ela gostaria de ser contatada por um funcionário de recursos humanos para discutir confidencialmente algum problema.

Todos esses são esforços fundamentais para encontrar grandes talentos. Entretanto, um dos maiores obstáculos para a construção de uma equipe forte pode estar em nós mesmos.

Animais Políticos, Egoístas e Outros Parasitas

Tipos de Personalidade a Evitar

Procuramos evitar a contaminação de nosso ambiente porque não é justo que as pessoas que contratamos tenham de trabalhar com gente intratável ou displicente. Nosso ambiente é o que torna essa empresa especial, e precisamos protegê-la para que continue assim.

Existem três tipos básicos de personalidade que podemos detectar a um quilômetro de distância, e procuramos jamais tê-los em nossa empresa. São os animais políticos, os egoístas e os pesos mortos. Freqüentemente, eles são atraídos para organizações como a nossa porque vêem nossa abertura cultural como bom solo de caça para seus próprios interesses. Abertos, sim; ingênuos, não.

Animais políticos. O modo mais rápido de deixar nossa empresa é tentar subir à custa dos outros. Isso é analisado detalhadamente no Capítulo 8, "O Processo de Cultivo". Mas quero dizer aqui e agora que, no meu entender, a politicagem e as empresas bem-sucedidas são mutuamente excludentes.

Egoístas. Há um ditado que resume adequadamente o egoísmo: "Aqueles que dizem não sabem e aqueles que sabem não dizem". Os egoístas raramente têm uma visão clara das coisas. Eles ficam cegos por considerar quaisquer situações buscando apenas seu benefício próprio. Seus talentos são comprometidos pelo mau julgamento, e eles destroem o trabalho em equipe.

Confiança é excelente, mas egoísmo é mortal. Sempre preferiremos gente amável com jogo de cintura a "intelectuais" arrogantes (que pensam saber tudo).

Pesos mortos. Finalmente, há o peso morto, conhecido como "porco de viagem" em nosso ramo. Todo ramo tem sua safra deles. Eles vêm junto com o pacote.

O mercado de viagens tem sua cota de comedores de camarão sem profissionalismo, que saem em pândegas atrás das feiras de negócios em busca de viagens gratuitas. Esse é obviamente um estereótipo, mas é um estilo que evitamos cuidadosamente.

Somos de pouca farra e muito profissionalismo. É claro que oferecemos aos nossos associados grandes benefícios em viagens, e, se eles não estivessem de certo modo interessados em viajar, provavelmente não teriam seguido uma carreira nesse ramo. Mas as viagens gratuitas devem ser tão insignificantes em sua lista de prioridades que são quase algo inconsciente. Isso pode ser verificado por meio de um processo cuidadoso de entrevistas.

Tudo começa com o primeiro contato que temos com a pessoa, não somente no processo formal de entrevistas. Você pode saber muito sobre alguém por meio da correspondência, de telefonemas e de interações casuais. A consistência é um bom indicador de sinceridade.

Estamos sempre em busca de pessoas estimuladoras e mentalmente flexíveis. Pessoas que desejam natural e genuinamente zelar por outras são ideais para o ramo de serviços, especialmente para nossa empresa. E os indivíduos zelosos também ajudam a formar equipes fortes.

Flexibilidade mental é indispensável em um ambiente dinâmico. As pessoas precisam ser cada vez mais adaptáveis, devido ao ritmo das mudanças e ao fato de um número menor de pessoas estar realizando mais coisas do que nunca. Em nossa empresa, a maioria acha que sabe como passará o dia, mas nunca deixa de haver mudanças. De fato, não é incomum que nosso pessoal se encontre no mesmo dia em uma cidade diferente da que imaginava. As pessoas precisam se adaptar rápida e entusiasticamente.

Aqueles que se incomodam com mudanças na rotina não se darão bem aqui, por isso tentamos determinar isso durante o processo de seleção. Podemos perguntar às pessoas como seria um dia típico em sua vida de trabalho. Perguntamos o que acham mais frustrante. Ou criamos situações hipotéticas (a maioria baseada em um dia da vida real por aqui) que exigem flexibilidade, e vemos como elas reagem.

Um dos melhores indicadores é a adaptabilidade à própria entrevista. Tentamos evitar interrupções durante as entrevistas, mas pelo menos uma fatalmente ocorre. A paciência, o bom humor e a flexibilidade que as pessoas demonstram em suas reações a tais interrupções dizem muita coisa.

As pessoas que selecionamos devem ser profissionais em todos os sentidos da palavra, e devem querer construir uma carreira conosco, ou não gostarão do lugar. O trabalho é duro, e exige um compromisso com a excelência e uma total dedicação à empresa, aos colegas associados e aos clientes.

O Elemento de Perigo
Os Riscos de uma Cultura Aberta

Nossa cultura única tem sido objeto de muita atenção, e isso na verdade pode deixar uma empresa vulnerável àqueles que se aproximam dela com as intenções erradas.

Vestimos a camisa de nossa cultura, e as pessoas sabem o que estamos buscando. Às vezes a pessoa errada sabe como dizer e fazer as coisas certas. Cometemos alguns erros de contratação em função disso.

Como as pessoas tendem a contratar gente como elas, nichos insalubres podem se formar a seu redor. Houve ocasiões em que tivemos de reconstruir departamentos inteiros para resolver situações como essa.

Se os líderes ouvirem com atenção, seus funcionários os levarão até o problema. Quando descobrimos a causa, tentamos dar à pessoa uma segunda chance, e isso muitas vezes funciona. Mas quando essa pessoa não muda rápida e completamente, temos de nos perguntar se ela tem o direito de exercer um efeito negativo em tantas outras. A resposta é claramente "não".

A Aniquilação da Arrogância
Dicas para Sobrepujar a Pomposidade

Acreditamos profundamente na importância de combater a arrogância. Tentar detectá-la durante o processo de seleção pode ajudar, mas um pouco dela acaba penetrando ocasionalmente. A arrogância pode fincar raízes mesmo naquelas pessoas em geral modestas. A mudança sobrevém quando o espaço delas está em risco ou quando passam a considerar como "sua" uma certa área.

Para garantir o controle dos egos extraviados, fazemos regularmente exercícios de trabalho em equipe que ilustram o fato de que ninguém tem todas as respostas. Um de meus favoritos é *Verduras*, exercício que aprendemos há anos com um consultor.

Nesse exercício, pessoas de todos os níveis e departamentos da empresa escrevem o nome de todas as verduras das quais conseguem se lembrar em cinco minutos. Então cada pessoa lê sua lista em voz alta enquanto alguém do grupo anota todas as idéias.

Sempre que fazemos esse exercício, os participantes do grupo ficam espantados ao ver quantas idéias coletivas foram apresentadas e quão pouco eles puderam contribuir em comparação com o grupo todo. A mensagem nas entrelinhas é uma mensagem de sinergia — que não é uma idéia nova, mas que merece continuada ênfase. "O todo é maior que a soma de suas partes." Nenhuma contribuição individual será tão preciosa sozinha como quando é fortalecida pelas contribuições da equipe.

Outro freio ao egoísmo de que nos valemos é pôr as pessoas em situações desconfortáveis. Com freqüência pode-se dizer mais sobre as outras pessoas passando com elas uma hora de guarda abaixada do que trabalhando juntos um ano inteiro.

Uma dessas experiências foi um projeto de cerco de que nossos executivos tomaram parte durante uma sessão de planejamento estratégico. Nossa empresa promove encontros do tipo três vezes ao ano, para que nossa alta administração forme estratégias para o futuro e fortaleça seus elos recíprocos.

Durante esse encontro em particular, que ocorreu há alguns anos, nossos líderes seniores e eu nos propusemos a cercar uma fazenda — o que não é um acontecimento corriqueiro no mundo corporativo americano. De súbito, aquelas pessoas que tradicionalmente expiram confiança — aquelas a quem outras pessoas recorrem em busca de respostas — ficaram ansiosas e de olhos arregalados para lidar com a nova tarefa à sua frente.

Todos estavam no mesmo barco, e, para levar a tarefa adiante, seria necessário um trabalho de equipe no sentido mais genuíno do termo. Traços interessantes de personalidade foram revelados; coração e alma se desnudam quando conseguimos romper barreiras e arrancar as pessoas do ambiente que "dominam".

O que aconteceu nos surpreendeu, e muito. Todos estavam no comando. Todos achavam que sabiam como a coisa deveria ser feita. Pusemo-nos em ação e o resultado foi desastroso. A cerca foi concluída praticamente em um instante, e seguia em tantas direções quanto o número de vice-presidentes ali. Acho que até os animais da fazenda riam da gente.

O fazendeiro dono da terra estava perto de nós. Ele conhecia muito bem aquilo que tentávamos fazer. Tinha nas costas aproximadamente vinte anos de experiência fazendo cercas. Ferramentas que teriam tornado o trabalho muito mais fácil jaziam no chão a poucos metros, intocados. Eram pouco familiares para nós, e por isso pareciam não ter valor.

Muitos chefes e nenhum índio. Muito orgulho e pouca humildade para pedir ajuda a quem podia realmente ajudar. Nenhum processo. Nenhuma sinergia. Má qualidade. Aprendemos algumas lições naquele dia, e elas realmente fizeram diferença.

Somente após uma hora de humilhações em conjunto alguém recorreu ao verdadeiro especialista, nosso amigo fazendeiro. Então, após duas ou três tentativas, a cerca estendeu-se até muito além de nós, em volta de todo o perímetro do pasto, sendo um monumento aos elos que, todos sabíamos, foram fortalecidos naquele dia quente e seco em uma fazenda da Dakota do Norte.

Fórmula para Encontrar as Pessoas Certas

Resumo

- Escolha com sabedoria — os custos emocionais e financeiros de um desligamento são altos. Os projetos ficam à deriva, o serviço é interrompido, os gastos com treinamento se perdem, informações competitivas saem pela porta e um conjunto de outros males resulta de uma demissão. Você precisa encontrar as pessoas certas desde o início. Procure pelo ajuste cultural e grupal.
- Ao entrevistar candidatos para posições de liderança, ponha-os em situações além do escopo normal de seu trabalho ou em ambientes afastados do local de trabalho — experimente esportes, condução de veículos, reuniões informais. Observe suas habilidades de interação, veja como eles se comportam em situações inesperadas.
- Inclua tantas pessoas quanto possível no processo de entrevista de líderes importantes. Aqueles que chefiarão e os que seguirão esses líderes devem ser ouvidos.
- Pense em utilizar os serviços de um psicólogo corporativo, que ajude sua empresa a desenvolver perfis para posições-chave ou que ajude a fazer avaliações executivas de potenciais líderes seniores.
- É importante definir as aptidões centrais necessárias ao sucesso em sua organização de modo geral, especificamente para os líderes, e tam-

bém para cada cargo. Essas aptidões podem ser usadas em contratações, na administração de desempenho e nos planos de carreira.

- Ter a reputação de empregador seletivo pode ser muito útil para atrair talentos, mas é a realidade que conta. Certifique-se de que sua cultura atrai o tipo de pessoa que você procura.
- Duas excelentes ferramentas de recrutamento são um programa de indicação dos funcionários e as promoções internas.
- Abra sua empresa para a diversidade de históricos — e não apenas para pessoas de seu mercado ou de áreas próximas; nem apenas para as fontes tradicionais de empregados. Alargue seus horizontes, amplie suas áreas de especialização e aumente suas chances de encontrar bons funcionários.
- Encontrar e manter bons funcionários para as iniciativas de e-*commerce* não é fácil. Leve em conta a importância dos aspectos emocionais. Contrate gente suficiente com o talento certo para seus empreendimentos no mercado eletrônico, e lembre-se de que as pessoas são o componente mais valioso do *e-business*.
- Um grama de retenção vale um quilo de recrutamento. Facilite as mudanças de seu pessoal dentro da empresa. Tenha tempo também para os associados mais fortes — e não somente para aqueles que precisam de mais ajuda. Pense em contratar um gerente de retenção e em desenvolver um plano de retenção para manter o enfoque nessa área tão fundamental.
- É uma boa idéia ter ferramentas prontas para avaliar seu nível de risco na retenção. Duas que se mostraram muito úteis para nós foram o Estudo de Envolvimento e as avaliações de 30, 60 e 90 dias.
- Evite pessoas arrogantes, egoístas, animais políticos e indivíduos que ficam de olho antes de tudo nos benefícios de seu ramo de atividades, como viagens grátis ou promocionais no mercado de viagens, carros no mercado automobilístico, ou quaisquer brindes que seu mercado em particular ofereça.
- Exercícios para refrear os egos podem ser úteis. Eles rompem barreiras, fortalecem elos e ajudam a diminuir guerras entre setores. Situações ligeiramente desconfortáveis iluminam as verdadeiras cores das pessoas.
- Acima de tudo, procure se cercar de boas pessoas. Tudo o mais pode ser ensinado.

CAPÍTULO QUATRO
O Aprendizado Eterno: Uma Arma Secreta

A liderança e o aprendizado são indispensáveis um ao outro.

– John Fitzgerald Kennedy, 22 de novembro de 1963

O crescimento de uma empresa é, na verdade, a soma do crescimento de seus indivíduos. Organizações que oferecem a seus funcionários oportunidades de aprendizado por toda a carreira estão investindo no futuro e ao mesmo tempo melhorando suas firmas no presente.

Em 1980, tomamos a decisão de nos tornar uma empresa assim. Avançamos um bom caminho desde então. Hoje, nosso aprendizado vai muito além do técnico, estendendo-se para fora de nossa organização. Foi uma jornada interessante, que compartilhamos com muitas outras empresas.

Você pode pensar: "Por que outras organizações estariam interessadas nos problemas de aprendizado de uma companhia de viagens?". A resposta é que muito de nosso aprendizado é filosófico, comportamental e cultural. Muitas firmas, clientes ou não, participaram de nossos programas.

Um momento de muito orgulho para nossa empresa foi quando fomos citados no livro *The 100 Best Companies to Work for in America* como tendo um dos dez melhores programas de treinamento do país. O reconhecimento é muito bom, mas a afirmação de que somos de fato uma organização do aprendizado é o que mais importa para nós.

O Princípio do Jardim da Infância
A Importância de Tornar o Aprendizado Agradável

A maioria das crianças gosta de jardins da infância. Depois disso, elas parecem gostar cada vez menos do aspecto acadêmico da escola. É porque, conforme crescemos, boa parte da diversão é eliminada do aprendizado.

É fato que as pessoas retêm melhor o que aprendem por meio da interação. Também provamos que as pessoas retêm muito mais quando se divertem ao aprender. Chamamos isso de *O Princípio do Jardim da Infância*. Tentamos restituir a diversão ao aprendizado.

Por que será que crianças que detestam matemática conseguem memorizar o placar de vários jogos do seu time em um campeonato de futebol? Como as crianças aprendem a lidar com computadores em uma idade tão precoce e ainda vencem praticamente qualquer adulto em um Nintendo? Fácil: enquanto se divertem, aí, sim, é que elas aprendem.

O aprendizado é uma atitude. Para que seja efetivo, devemos *querer* aprender. Infelizmente, quando somos obrigados a aprender alguma coisa, simplesmente memorizamos apenas o necessário. E isso não é aprender.

O verdadeiro aprendizado tornou-se muito importante para essa empresa. Nós consideramos como nossa responsabilidade ajudar todo e qualquer associado a atingir seu pleno potencial. Se um talento oculto permanece oculto e não é descoberto, alimentado e desenvolvido, então falhamos como empresa e como líderes.

Trabalhamos com base na crença de que não há nada que qualquer um de nossos associados não possa aprender se ele quiser. Tentamos selecionar o tipo de pessoa que anseia pelo conhecimento, e temos programas contínuos para saciar esse anseio.

Nossos clientes precisam que nosso pessoal conheça de fato cada aspecto de nossos serviços. Eles não querem pessoas que se limitam a compreender meramente as funções técnicas de seu trabalho. Querem interagir com indivíduos multifacetados, capazes de lidar com qualquer problema que surgir. Isso jamais ocorrerá por acidente.

Um aprendizado de base ampla prepara as pessoas para prestar serviços desse nível. Muitas empresas ficam tão ansiosas para ter logo seus novos empregados trabalhando que os empurram a seus cargos sem treinamento adequado. Eu afirmo que isso é um erro.

Pelo menos as duas primeiras décadas de nossas vidas são dedicadas ao aprendizado. Então somos enviados ao "mundo do trabalho", onde essas oportunidades diminuem. Sem dúvida aprendemos em nosso serviço, mas por que deter o processo formal de educação? Durante anos alguém nos leva pela mão à escola, e um dia, subitamente, ele some. As empresas precisam assumir esse papel.

O treinamento é tão necessário quanto um mapa rodoviário em uma região desconhecida. Por que deixar que seu pessoal se perca, quando muni-lo de informações o levará aonde ele precisa ir? Dar às pessoas *a melhor informação possível* fará com que elas cheguem a seu destino com rapidez, precisão e orgulho.

Em qualquer mercado ou empresa o aprendizado é essencial, mas, quando se trata de prestar serviços, o aprendizado é tudo, pois só se tem uma chance. As pessoas que prestam serviços não têm "um quilômetro a mais" para ir. Elas precisam saber qual é o melhor caminho e na hora.

Os programas que descobrimos ser eficientes podem ser facilmente adaptados para se ajustar às necessidades, ao ambiente e às metas de sua empresa. Espero que esses conceitos lhe dêem algumas idéias novas.

Platão Ficaria Orgulhoso

Programas de Treinamento Filosófico

A princípio, quando estabelecemos nossa Organização de Aprendizado e Desenvolvimento, reconhecemos somente a necessidade que havia de treinamento técnico. Foi só depois de havermos desenvolvido nossos programas técnicos que constatamos a necessidade de outros tipos de aprendizado.

Vimos desvelar um fenômeno interessante. Descobrimo-nos investindo boa parte do tempo nos aspectos intangíveis do serviço. A maioria das perguntas de nossos funcionários era hipotética, situacional e filosófica. Essas perguntas indicaram uma necessidade, e começamos a adotar também um treinamento filosófico.

As pessoas querem conhecer a filosofia por trás dos serviços, tanto como a mecânica. Quando se pensa a respeito, a cultura e a atitude mostram ter tanto efeito nos serviços quanto as habilidades. O aprendizado precisa começar com a filosofia.

Aprendizado Fluido

Rompendo o Molde do Aprendizado

O único capital insubstituível que uma empresa possui são o conhecimento e a habilidade de seu pessoal. A produtividade de tal capital depende de quão efetivamente as pessoas compartilham sua competência com aqueles que a podem utilizar.

– Andrew Carnegie

Na versão original deste livro, empenhamo-nos em especificar o número de horas investidas em treinamento, detendo-nos até mesmo nos programas específicos. O interessante é que, quando revimos esses números com o fim de atualizá-los, descobrimos que eram quase irrelevantes. Não significa que não ficamos de olho nos investimentos que fazemos em aprendizado — e, sim, que ficamos de olho em tudo. Mas o número de horas passadas em programas específicos de ensino já não vem ao caso hoje em dia.

Seria quase impossível fixar o número exato de horas dedicado ao aprendizado, o que é uma boa notícia. O segredo de uma verdadeira organização do aprendizado está em que esse último não se restringe à sala de aulas. Na verdade, as paredes dessas salas se desfizeram, e o aprendizado ocorre em toda parte da empresa, a qualquer momento, por todo o mundo. É claro que oferecemos alguns cursos essenciais, mas o treinamento imediato que ocorre a todo e qualquer dia em campo é inestimável. O segredo está em um ambiente de abertura, confiança e colaboração, que faz da partilha do conhecimento uma norma.

Dois segredos para maximizar o aprendizado são nosso papel de *líder de aprendizado* e os *Planos de Desenvolvimento Individuais* (IDPs, *Individual Development Plans*). Os líderes de aprendizado são associados de linha de frente que agem como elos entre nossa Organização de Aprendizado e Desenvolvimento e as unidades de negócios em que trabalham. Eles avaliam as necessidades de treinamento; pesquisam, desenvolvem e formalizam cursos; e trabalham para fazer do aprendizado uma parte da vida cotidiana.

Todas as áreas da empresa têm líderes de aprendizado (há mais de 140). Alguns são líderes em tempo integral, enquanto outros incorporam o papel como parte de suas responsabilidades tradicionais. A maioria é composta por pessoas que trabalham freqüentemente com clientes, o que significa que estão em pleno contato com problemas do mundo real.

Para que todos se mantenham em um progresso contínuo, cada pessoa cria seu próprio plano de aprendizado para o ano. Esses IDPs incluem objetivos de aprendizado para a posição atual do associado, bem como objetivos para ajudá-lo a seguir a carreira que deseja (relacionada ou não com seu cargo atual). Os planos incluem passos específicos, critérios de conclusão e molduras de tempo, para garantir que todos avancem em nossas trilhas de aprendizado.

Cópias dos IPDs de cada pessoa são formalizadas e estudadas em busca de tendências nas necessidades de aprendizado na empresa. As necessidades de aprendizado de nossos associados são então satisfeitas por vários métodos, como sessões de aulas, programas on-line, módulos de estudo individual e ofertas externas. Embora boa parte do aprendizado ocorra fora dos cursos estabelecidos, gostaríamos de descrever alguns programas que integram o currículo central.

Da Salsa aos Exercícios de Relaxamento

Um Programa de Seminários para o Indivíduo como um Todo

Não estamos montando um spa em nossa empresa, embora você talvez pensasse que sim se visse algum de nossos seminários. Um programa que promovemos sobre controle do estresse punha os associados sentados em silêncio, respirando fundo, pensando sobre a experiência mais agradável de suas vidas ou no ambiente mais pacífico que pudessem imaginar.

A sala estava em silêncio. Fechando os olhos, eu podia sentir a tensão do dia diluindo-se no passado. Imaginei poças límpidas de água fresca com tranqüilas folhas de lírio sob um céu aberto. Imaginei o cheiro da grama recém-cortada e das flores da primavera.

Eu estava em uma ilha, sem nada à minha volta, exceto ondas suaves que se desfaziam sobre uma alvíssima areia. Sentia tudo em câmera lenta e nada me importava, nada me aguardava, somente o futuro se estendia à minha frente.

Então ocorreu o indizível. Ouvi uma voz em minha ilha — era o instrutor do seminário. Embora estivesse falando de relaxamento, ele me trazia de volta à realidade, e esse foi um cruel despertar. E foi possível ver que todos se sentiam assim. Porém, sabíamos que cada um havia aprendido o caminho para o seu próprio refúgio, para, assim, mergulhar no relaxamento.

Fazemos mesmo esse tipo de coisa durante o dia de trabalho? Sim. Aprendemos exercícios que podem reduzir os batimentos cardíacos, diminuir o estresse e melhorar a saúde. Essa sessão foi parte de nosso programa de *Aprendizado na Hora do Almoço*.

A idéia é oferecer cursos que beneficiem tanto a vida pessoal quanto a profissional de nossos funcionários: temas como o modo de lidar com situações difíceis; etiqueta em e-mails; técnicas de apresentação; alimentação e exercícios físicos; técnicas organizacionais; como lidar com mudanças; usando a Internet como um profissional; e finanças pessoais.

Uma das sessões mais populares que tivemos ao longo dos anos foi "Percepção *versus* Realidade". Os participantes discutiram a importância da percepção e do reconhecimento de que as percepções alheias diferem das suas próprias. Ilustramos isso por meio do seguinte exercício.

Os presentes se dividem em pares. Uma das pessoas de cada par tem os olhos vendados, e a outra não. Recipientes com substâncias são posicionados à sua frente. A pessoa de olhos vendados só pode tocar as substâncias. Seu parceiro só pode olhá-las. Cada um dá um palpite quanto ao que cada substância é, e raramente eles estão de acordo. Por exemplo, a farinha se parece com talco e dá ao tato a impressão de talco; o sal se parece com o açúcar e dá ao tato a impressão de açúcar. Algumas substâncias são mais fáceis de identificar pelo toque, e outras pela visão.

Esse é um meio tangível de demonstrar que outras pessoas podem nos encarar, ou por algo que fazemos ou por algo que dizemos, a partir de perspectivas totalmente diferentes. Enfatizamos que os pontos de vista dos outros devem ser valorizados, especialmente os de nossos clientes, associados e entes queridos.

Além de nos ensinar coisas realmente úteis, o programa de Aprendizado na Hora do Almoço reúne pessoas que normalmente não teriam a oportunidade de interagir. Um funcionário de finanças pode formar par com outro de recursos humanos; alguém da manutenção pode se sentar próximo a alguém da contabilidade; ou um membro de nosso departamento postal pode interagir com um de nossos planejadores de encontros.

Muitos dos tópicos para seminários são sugeridos por nossos associados. É uma excelente forma de eles expressarem suas necessidades, preocupações e interesses, e de verem a empresa ajudando a alcançar tais metas.

Os programas, de quarenta e cinco minutos, são oferecidos no horário de almoço. Não exigimos que as pessoas se inscrevam; deixamos que elas os freqüentem como quiserem, e a freqüência é bastante alta. Elas aprendem com especialistas no assunto — com aquelas pessoas que têm o conhecimento e a inclinação para organizar e apresentar cursos com vasta aplicabilidade. Esses programas podem ser compartilhados com outros escritórios pelo mundo, e ministrados por nossos líderes de aprendizado.

Outros Integrantes desse Time de Estrelas

Uma Amostra de Programas

Temos uma grande variedade de programas de treinamento — no todo são mais de setenta cursos —, que vão desde treinamento técnico a técnicas ao telefone, de inteligência emocional à linguagem elegante, de profissionalismo no novo milênio à diversidade, de preparação e desenvolvimento à gestão de projetos.

Não falarei de todos eles, mas descreverei alguns e explicarei seus objetivos. Essas sessões estão disponíveis a todos, muito embora algumas sejam planejadas para públicos um tanto específicos. A única condição para tomar parte é que cada pessoa só pode agendá-las se isso não influenciar de modo negativo os serviços aos clientes nem impor um fardo irracional a seus colegas associados.

Tais programas são bastante requisitados. As pessoas ficam realmente ansiosas para participar deles, e os benefícios para o indivíduo e para a empresa têm um longo alcance. Se você parar para considerar o que estamos fazendo, estou certo de que verá maneiras de aplicar esses programas em qualquer empresa de hoje em dia.

Iniciamos nossos programas de *Pré-Liderança* há muitos anos, quando notamos que, conforme nossa empresa crescia e se tornava mais complexa, abria-se uma lacuna entre o conjunto de habilidades dos funcionários de linha de frente e as habilidades necessárias a nossos líderes. Precisávamos de um treinamento de pré-liderança que fechasse essa lacuna e ajudasse nossos associados a se prepararem para oportunidades de promoção interna.

Assim, nossa equipe de Aprendizado e Desenvolvimento estudou as técnicas, as carreiras e as forças das pessoas que, por toda a empresa, haviam saltado com êxito da linha de frente para a liderança. A equipe, em seguida, organizou um programa para desenvolver as habilidades corretas.

O programa tem início com um seminário, "A Liderança é para Mim?". Ele ocorre em um sábado e explica as exigências da liderança, ilustrando como ela é de fato no dia-a-dia. Em um dado exercício, os participantes recebem uma caixa postal contendo memorandos dos líderes seniores, cartas dos clientes, diversas mensagens telefônicas e outros documentos. Em seguida, pequenos grupos se formam com o objetivo de priorizar as tarefas, que representam muito mais de quarenta horas de trabalho, mas que devem se ajustar à carga de trabalho de uma semana. É uma excelente ilustração da agenda típica de um chefe.

Se ainda estiverem interessados em concluir o curso, eles podem se inscrever em nosso programa de *Desenvolvimento Pessoal para a Pré-Liderança*. As pessoas selecionadas trabalham juntamente com seu chefe e com o gerente do programa na criação de um plano de desenvolvimento individual, que tem a finalidade de ajudar a desenvolver as devidas técnicas de liderança de cada indivíduo, e que deve ser posto em prática mediante uma série de módulos de aprendizado.

Nosso *Treinamento para Líderes de Equipe* é um programa interativo e abrangente de liderança criado especificamente para nossos grupos de líderes de equipe. Iniciamos o programa em 1997 como um curso piloto, e compusemos o currículo inteiro baseando-nos nos comentários feitos pelos participantes, bem como estudando as aptidões centrais necessárias a essa posição essencial de liderança na linha de frente. Hoje, oferecemos o curso no mundo todo.

Nossos líderes de equipe (TLs, *Team Leaders*) enfrentam o desafio de equilibrar suas tarefas coletivas ao mesmo tempo em que lideram suas equipes particulares. Tópicos como motivação, estilos de aprendizado, dinâmica de grupo, técnicas de comunicação e "conquistando o vírus das atitudes negativas" são apresentados durante uma série de estudos de caso, jogos interpretativos e exercícios destinados a lhes dar apoio nas exigências únicas de sua posição.

O curso tem o suporte de uma rede através da qual os TLs compartilham dados e consultam uns aos outros sobre problemas surgidos em suas unidades de negócios. Também estão disponíveis tópicos de consulta rápida que o grupo pode acessar para adiantar seu desenvolvimento.

Eles nos dizem que uma das melhores partes do programa é a oportunidade de passarem algum tempo com seus pares. Para a maioria, essa é a primeira oportunidade de encontrar TLs de outros escritórios. Eles normalmente trabalham em situações nas quais ou são únicos ou são um entre poucos. Ouvimos dos líderes de equipe inúmeras histórias em que resolveram problemas em suas unidades de negócio ligando para TLs que haviam conhecido nos treinamentos; afinal, duas cabeças pensam melhor que uma. Isso ajuda os TLs e, ao mesmo tempo, gera valor para nossos clientes.

Nosso curso de *Fundamentos dos Padrões Operacionais Corporativos* (FOCOS, *Fundamentals of Corporate Operational Standards*) é um estudo sobre a melhoria da produtividade e da eficácia em toda a empresa. É um modelo do qual praticamente qualquer empresa em qualquer ramo pode se beneficiar. Imagino-o como um "Rosenbluth 101" para novos líderes operacionais. Ele é obrigatório para os gerentes-gerais e gerentes-comerciais que comandam nossas unidades de negócios.

O curso, de três dias, trata de nosso *Manual de Padrões Operacionais Corporativos,* um guia repleto de fórmulas para comandar com sucesso uma unidade de negócios. O que torna o curso tão importante e tão eficaz é o fato de ele englobar todo o trabalho duro feito por nossos líderes ao longo dos anos e documentar suas tentativas, suas atribulações e os caminhos que abriram. Desse modo, podemos evitar a reinvenção da roda e a repetição de erros. Isso representa uma imensa economia de tempo, energia, gastos e reflexão.

Durante o curso FOCOS, nossos novos líderes recebem instruções sobre a estrutura de suporte das sedes e conhecem muitos dos associados que estão lá para lhes dar apoio — o que será também uma economia de tempo e energia quando eles voltarem a campo e precisarem de algum tipo de ajuda. A parte final do curso é uma sessão descontraída com a alta chefia, durante a qual os TLs conhecem a situação da empresa, fazem perguntas e discutem iniciativas correntes ou futuras.

O *Treinamento em Negócios e Finanças* destina-se a melhorar os conhecimentos de nossos líderes em tópicos como análise de declarações financeiras, mensuração dos principais indicadores de desempenho financeiro, identificação de tendências, avaliação de variações no orçamento e análise do fluxo de caixa. Essas são habilidades que eles utilizam para melhor administrar suas empresas e para auxiliar nossos clientes a atingir suas metas nos programas de viagens.

Os participantes são convidados a "pôr baterias novas em suas calculadoras e agarrar suas declarações de lucro e prejuízo", já que o curso é muito interativo, combinando palestras em sala de aula com atividades em grupo em que se usam dados financeiros pessoais e problemas do mundo real. Os participantes são desafiados a explicar o que se encontra por trás de seus números e a compartilhar as melhores práticas uns com os outros.

Uma das partes mais apreciadas da sessão é aquela em que os participantes "dirigem sua própria empresa por um dia". Simulando uma empresa de terceiros, eles são desafiados a tomar decisões a partir de uma perspectiva panorâmica geral e ver os efeitos na organização como um todo. As avaliações que recebemos sobre o curso dizem que os participantes chegam crentes de que terão uma aula de finanças um tanto árida e até maçante. Mas eles saem dali dizendo que foi uma aula muito divertida e, por esse motivo, memorável. Isso indica que estamos causando impacto em uma área fundamental, que ajuda a garantir a saúde de nossa empresa.

Em nosso programa de *Desenvolvimento de Liderança*, guiamos os participantes ao longo de uma trilha de desenvolvimento que ilustra conceitos básicos, para, em seguida, desafiá-los com teorias menos tradicionais em cada tópico. Esses tópicos incluem "A Liderança na Rosenbluth", estudo de sistemas, planejamento estratégico, motivação dos associados, tomada de decisões, técnicas de marketing, impacto e influência, o poder da informação e os equilíbrios profissional e pessoal. O curso é obrigatório para todos os novos líderes, e foi adaptado para todas as nossas divisões no globo. Passarei agora algumas das idéias do curso.

Pedimos a todos que tragam e compartilhem algum artigo que os tenha impressionado. Uma pessoa trouxe um texto de uma revista de educação que tratava dos diversos estilos de aprendizado infantil, e isso originou uma interessante discussão sobre os variados estilos de aprendizado de nossos associados. Esse hábito estimula a participação em sala de aula e alarga o conhecimento trazido ao curso.

Outra parte que faz sucesso é um breve vídeo em que se vêem associados de todo o mundo dizendo como definem um grande líder — o que é muito útil. Nunca devemos perder de vista o que nossos funcionários valorizam e o fato de que liderá-los é um privilégio.

Uma divisão que também fascina nesse curso é a discussão sobre o poder, que integra a seção sobre "Impacto e Influência". É interessante verificar a quantidade de associados que vêem o "poder" sob uma luz negativa. Passamos algum tempo falando sobre diferentes tipos de poder, e compartilhamos exemplos do poder sendo usado positiva e negativamente.

Durante a seção "O Poder da Informação", cada pessoa traz um texto que utilizou internamente ou que compartilhou com um cliente. Depois que definimos os termos "dados", "informações" e "conhecimento", todos avaliam o texto e determinam o que está sendo compartilhado. Em muitos casos trata-se apenas de dados ou informações — e não de conhecimento. Então eles tomam o mesmo texto e acrescentam-lhe conhecimento, criando, por exemplo, uma situação em que se empregam tais dados de modo a influenciar positivamente o programa de um cliente. Todos compartilham as mudanças que fizeram, e o resultado é um eficiente foro das melhores práticas.

A seção sobre marketing é uma de minhas favoritas, pois fazemos testes provando os biscoitos da marca Oreo — diversos deles. Trazemos quatro tipos diferentes de produtos da Oreo, e criamos quatro grupos diferentes que devem compor novas estratégias de marketing para seu produto — cada uma para um público-alvo específico. Um grupo trouxe um pacote prático, contendo *cookies* e leite. Seus componentes projetaram um notável plano de marketing, completo e com excelentes chamadas. Em seguida, pedimos a cada grupo que projete campanhas de marketing para os *nossos* produtos.

A parte da Oreo é divertida, mas, com toda a seriedade, a mais importante para mim é o "Ato de Equilíbrio", uma sessão em duas partes sobre como alcançar o equilíbrio entre a vida profissional e a vida pessoal. A primeira parte tem lugar ao final do primeiro dia e trata da importância do equilíbrio, oferecendo conselhos sobre como alcançá-lo. A segunda parte é apresentada na conclusão do segundo dia, e fazemos certas coisas que realmente levam as pessoas a pensar.

Pedimos aos integrantes que tracem um círculo e o dividam em fatias representando os papéis que desempenham — como cônjuge, pai, administrador, filho, voluntário. O tamanho de cada fatia reflete a quantidade de tempo que eles dedicam a cada papel.

Então todos deixam a sala e, enquanto estão ocupados ligando para o escritório, verificando o correio de voz ou apagando incêndios, o local se transforma. As luzes se atenuam, esteiras são colocadas no assoalho, velas aromáticas e música suave permeiam o recinto. Uma voz gentil os conduz a uma experiência de relaxamento.

A princípio, costuma haver risos e um certo desassossego incômodo, mas, em minutos, é certo que ninguém estará se movendo. Inevitavelmente alguém ressona. Depois de vinte minutos, trazemos todos pouco a pouco de volta à realidade, e lhes pedimos, nesse novo estado de relaxamento, que redesenhem seu círculo dando a cada papel que desempenham o tamanho ideal — o modo como *realmente* querem passar seu tempo. Então, comentamos as mudanças feitas nos desenhos e o que seria necessário para mudar a vida e ajustá-la a essa importantíssima meta.

De Novato a Profissional
Um Treinamento Técnico Abrangente

A maioria das empresas tem programas de treinamento técnico, e, por isso, concentrei-me mais nos aspectos filosóficos de nossos programas. Mas há facetas de nosso treinamento técnico que podem ter grandes aplicações em empresas fora de nosso ramo.

Usarei como ilustração nossos programas de treinamento para associados de atendimento ao cliente (CCAs, *customer care associates*), já que eles perfazem a maior parte de nossa empresa. Os CCAs são os associados de linha de frente que cuidam sobretudo de fazer reservas para as viagens corporativas de nossos clientes. Todo mercado possui uma função correspondente — o pessoal de linha de frente que trabalha com os clientes em uma base cotidiana.

Exigimos que todos os CCAs, independentemente de seu nível de especialização, tomem parte em nosso programa de treinamento técnico. De acordo com seu nível de experiência, pode haver de cinco dias a seis semanas (ou, em alguns casos, oito) de instrução.

Quando estão começando na empresa, as pessoas passam diretamente de nossa *Orientação ao Novo Associado* ao programa de treinamento, com duração de seis a oito semanas, que lhes ensinará o processo a partir do zero. Elas não aparecem em seu local de trabalho até terem completado o curso com êxito.

Esse programa nos permite reduzir nossa dependência do mercado de trabalho, alargando nossas fontes potenciais de mão-de-obra. Tentamos contratar localmente o maior número de pessoas possível, para nos tornarmos parte das comunidades em que estão estabelecidos nossos clientes. Esse treinamento nos proporciona uma vantagem competitiva porque podemos fazer isso sem a preocupação de encontrar gente com experiência anterior em viagens.

Conseguimos contratar o tipo de pessoa que se destacará em nossa cultura e prestará a nossos clientes o tipo de serviço ao qual eles estão habituados. A parte técnica pode ser aprendida. Nosso programa de treinamento assegura que sempre teremos CCAs qualificados.

Contratamos também um grande número de pessoas com experiência, mas elas não deixam de passar por um treinamento técnico. Mesmo aquelas com vasta experiência em reservas corporativas ainda não estão prontas para atender nossos clientes. Temos nossa maneira pessoal de fazer as coisas, nosso próprio estilo de serviço, que inclui a linguagem elegante, o uso de nossa tecnologia proprietária e o conhecimento das regras e programas de viagens corporativas de nossos clientes. Ensinamos esses e outros aspectos de nossos serviços em nossas aulas de "conversão".

Em seguida, a maioria de nossos CCAs freqüenta treinamentos sobre clientes específicos, onde eles aprendem tudo sobre a empresa que estarão servindo — o que fazem nela, para onde viajam com mais freqüência, seus regulamentos e preferências. É comum nossos clientes se envolverem nessa parte da instrução, e isso tem um valor imenso.

Todos os CCAs participam de treinamentos recorrentes para que se mantenham atualizados com os avanços tecnológicos, com as tendências do mercado e com as necessidades dos clientes. Nenhum ramo ou empresa estão isentos da necessidade de oferecer treinamento contínuo para manter as pessoas bem informadas.

TLC

Preparando-se para o Sucesso

O treinamento é importante para todas as pessoas dia após dia, mas em parte alguma é mais vital do que para os novos funcionários. Eles não podem ser atirados da sala de treinamento para sua estação de trabalho, para, daí, se virarem sozinhos. Devem ser preparados por pessoas experientes, que os incentivem e os orientem para situações que talvez não tenham sido apresentadas no treinamento.

Dizem que a vida real é mais estranha que a ficção. Sempre haverá alguma necessidade ou idiossincrasia que você não pode prever ao treinar seu pessoal para atender seus clientes. Não existe fim para a variedade das necessidades, desejos e preferências pessoais. Cumpre haver pessoas experientes disponíveis que compartilhem seu conhecimento com as menos experientes.

O treinamento filosófico e técnico desses novos associados é seguido por uma instrução em situações práticas da função em um ambiente protegido, proporcionado por treinadores experientes. Chamamos isso de *Centro de Aprendizado de Transição* (TLC, *Transitional Learning Center*). Em alguns escritórios, trata-se de um ambiente de sala de aula; em outros, de uma seção especial no departamento de reservas. O segredo está no fato de que cada novo CCA que concluir com sucesso seu curso atenderá as suas primeiras chamadas ao lado do treinador que o auxiliará no processo.

O novo associado permanecerá nesse ambiente até que esteja pronto para atender a chamadas sozinho. Ainda assim, ficará um tempo junto a CCAs experientes que continuarão a auxiliá-lo até que ele se torne totalmente proficiente.

Embora os detalhes desse programa sejam específicos de nosso ramo, o conceito de um programa de aprendizado de transição pode ser utilizado em qualquer departamento de qualquer organização para ajudar os novos contratados a integrar o corpo profissional.

Cinco Mil Computadores Depois

Treinando com Desafios

Nem todos os programas de treinamento são formalizados. As pessoas aprendem pelo exemplo e pela experiência, e, por isso, é preciso garantir que esses exemplos e experiências sejam aqueles que você deseja reforçar. Se você estiver sempre sugerindo projetos diversificados, as pessoas terão de se adaptar ao momento e desenvolverão novos talentos. Na verdade, se não forem desafiadas, elas nunca poderão descobrir certos talentos que possuem — e isso é um crime.

As mudanças são grandes motivadoras para que aprendamos coisas novas. Mas é vital oferecer segurança, de modo que as pessoas não as temam. Novos produtos e novas formas de fazer as coisas não exigem a substituição das pessoas. A falta de treinamento nessas novas coisas, sim. Como líderes, é nossa responsabilidade proporcionar esses treinamento.

Hoje, a tecnologia é parte de nossas vidas cotidianas. Fazemos a maior parte de nossas operações bancárias em terminais automáticos, mas, há duas décadas, as pessoas não confiavam em computadores de rua para efetuar suas transações financeiras. Fazemos grande parte de nossos negócios por e-mail, pela Internet e pelo correio de voz. E, o que é bastante incômodo, há computadores que chegam mesmo a nos telefonar durante o jantar para nos vender alguma coisa.

Lembro-me de que, há mais de vinte anos, a tecnologia invadiu nosso ambiente de trabalho, e todos recearam ser substituídos pelos computadores. Eles se negavam a usá-los, mas, ao mesmo tempo, percebiam sua inevitabilidade. Vencemos o medo garantindo a nossos funcionários que, o que quer que nossa empresa fizesse, e como quer que fizesse, eles seriam uma parte importante. Porém, para que isso ocorresse, eles deviam abraçar a mudança. E, para ajudá-los, oferecemos treinamentos completos em nossos sistemas de informática. Hoje, cinco mil PCs depois, somos uma empresa melhor, com mais oportunidades do que nunca para nosso pessoal.

É nossa responsabilidade contínua conscientizar nossos associados de que seus papéis *vão* mudar. Conforme a tecnologia avança, esses papéis continuam a evoluir. Por exemplo: como nossos clientes vêm utilizando ferramentas de auto-reserva com mais freqüência, nosso pessoal tem investido mais tempo em problemas de consultoria, nas transações mais complicadas e nos aspectos humanos do serviço. E essas são ótimas notícias. A automação tende a fazer com que nosso pessoal se dedique a atividades mais interessantes, plenas e significativas.

Como em todos os outros aspectos das mudanças, oferecemos o treinamento adequado para ajudar nossos associados a mudar de papel. É parte do processo de implementação de ferramentas de reservas on-line para nossos clientes. Isso é organizado por nossos gerentes-gerais e gerentes-comerciais e, em muitos casos, pelos clientes.

Nossos métodos de distribuição podem mudar, mas nosso pessoal sempre virá primeiro. A lealdade a nossa empresa é alta — em parte porque nosso pessoal sabe que, em vez de contratar novas pessoas para usar novos produtos, treinamos nossos próprios funcionários para usá-los. Isso não é somente segurança no emprego, é também uma oportunidade ilimitada de aprender coisas novas.

Há atualmente em desenvolvimento uma Universidade Rosenbluth on-line, por meio da qual todos os associados em todos os cantos do mundo poderão aprimorar suas habilidades para atingir suas metas profissionais. Pretendemos oferecer instruções sobre uma grande variedade de assuntos on-line, além de sessões de bate-papos que serão antes workshops, proporcionando a nossos associados a oportunidade de interagirem uns com os outros e explorarem as aplicações práticas do que aprenderam na Internet. Esse será de fato um aprendizado sem fronteiras.

De Agente de Viagens a Professor

Uma Organização do Aprendizado Requer Pessoas Originais

Para conseguir ministrar essa grande variedade de programas, precisamos selecionar com cuidado nossa equipe de Aprendizado e Desenvolvimento, sabendo que ela tem na vida das pessoas o mesmo efeito que os professores. Há certos históricos que se prestam ao treinamento. Experiência de ensino e treinamento em outras empresas são credenciais ideais, mas não nos limitamos a isso. Também descobrimos que uma experiência no teatro pode preparar uma pessoa muito bem para um papel de treinamento corporativo.

Descobrimos alguns treinadores excelentes promovendo gente de dentro. Contamos mais com os traços de personalidade do que com os históricos específicos ao selecionar pessoas para cargos de treinamento. Os melhores traços são o senso de humor, o entusiasmo e as habilidades de comunicação visíveis, estáveis e consumadas. Também é fundamental que todo e qualquer treinador seja um modelo para as pessoas.

Além de criar e apresentar uma vasta gama de programas, nossa Organização de Aprendizado e Desenvolvimento serve como recurso para a empresa, diagnosticando necessidades de instrução, organizando reuniões e criando ferramentas personalizadas de aprendizado sempre que houver necessidade.

Hoje, temos menos da metade do pessoal efetivo de treinamento que tínhamos quando a versão original deste livro foi publicada, e todavia estamos aprendendo muito mais. Na época, 27 treinadores em tempo integral instruíam 2,6 mil associados. Atualmente, um grupo de dez atende a mais de cinco mil pessoas.

E isso não significa que estamos reduzindo o investimento em aprendizado. O segredo é que ele foi transferido para o campo a que pertence, sendo promovido por indivíduos em busca de conhecimento e por líderes de aprendizado que lhes dão suporte. O aprendizado é individualizado, personalizado, ajustado ao ritmo pessoal, econômico em tempo e muito mais eficiente.

Nossos clientes estão encantados com o novo sistema de treinamento, que permite que suas necessidades específicas sejam atendidas imediatamente. Eles não precisam esperar que uma necessidade de instrução seja detectada, que um programa seja desenvolvido e que os associados que os atendem viajem até um local de treinamento centralizado para fazer um curso. O aprendizado ocorre no local.

É importante encarar o treinamento como um investimento de longo prazo. Empresas que buscarem retornos imediatos sobre o tempo e o dinheiro gastos em treinamento ficarão desapontadas. O investimento em aprendizado deve ser visto como qualquer outro projeto capital. Seu sucesso deve ser medido pelos benefícios que traz à vida do projeto como um todo, e não somente avaliando-se os primeiros dois anos. Do mesmo modo, os treinadores não devem perder tempo tentando justificar o investimento. Seu tempo deve ser aplicado em desenvolver e conduzir programas de aprendizado e em servir como fonte de orientação para o aprendizado individual. E cumpre investir tempo e recursos no desenvolvimento contínuo *dos treinadores* como educadores.

Vale Bem o Investimento

Uma Olhada nos Resultados do Treinamento

O treinamento não é livre de custos, em nenhum sentido. Um treinamento de grande eficiência não precisa ser exorbitante, mas exige investimento em tempo e dinheiro. E tempo *é* dinheiro quando se está tirando as pessoas do trabalho para que aprendam.

Ficamos de olhos bem abertos para os retornos em longo prazo de nossos investimentos em treinamento. Nossa equipe de Aprendizado e Desenvolvimento os rastreia por uma questão de orgulho. Ela gosta de demonstrar o tremendo valor que possui. Em um estudo recente, a equipe analisou os custos típicos de treinamento de uma unidade de negócios de duzentas pessoas durante o período de um ano. Extrapolando o valor para nossa base de cinco mil associados, nossos custos anuais com treinamento eram aproximadamente de 11,4 milhões de dólares — e esses são apenas os gastos para desenvolver e personalizar os programas e materiais. Não estão incluídos as viagens relacionadas nem os custos de entretenimento, tampouco o tempo que o associado passa no treinamento — que é a despesa mais significativa.

O treinamento vale bem o investimento. Ele beneficia tanto a linha de frente quanto as de suporte. De que outro modo você poderia descobrir os talentos de seu pessoal e prepará-lo, bem como a sua empresa, para os anos vindouros? O treinamento gera uma força de trabalho mais eficiente, melhora a qualidade do serviço/produto e consolida a lealdade dos clientes.

Dicas de Treinamento a Considerar

Resumo

- Considere o treinamento como uma parte essencial de sua empresa. Ele representa a diferença entre o sucesso e o fracasso no ramo de serviços, e um número cada vez maior de empresas está descobrindo que o campo de batalhas da concorrência está se tornando uma luta entre serviços.
- Lembre-se do princípio do jardim da infância: *torne o aprendizado divertido*. As pessoas retêm mais coisas quando a informação é apresentada de modo criativo, interativo e interessante.
- O treinamento deve ser tanto técnico como comportamental, e precisa ser eterno. A cultura e a atitude são tão importantes para os serviços quanto a técnica.
- Imagine um aprendizado destituído de fronteiras. Se você tiver as ferramentas certas à disposição, ele ocorrerá continuamente e no próprio local de trabalho, por toda a sua organização. Dois segredos que descobrimos para maximizar nosso aprendizado são os Planos de Desenvolvimento Individual (IDPs) e o papel de líder de aprendizado. Os IDPs mantêm as pessoas avançando, e os líderes ajudam a garantir que o aprendizado seja parte da vida diária em cada canto da empresa.
- Tente oferecer a todos os seus funcionários programas de treinamento sobre temas gerais em uma base regular (nós os oferecemos no horário de almoço). Isso gera coesão e consistência, e estimula o trabalho em equipe. Ofereça um material que beneficie as vidas pessoal e profissional de seus funcionários. Você vai gostar dos resultados.
- Pense em adotar um programa de pré-liderança para ajudar a fechar quaisquer lacunas entre as habilidades da linha de frente e aquelas exigidas para a promoção interna. O nosso tem início com um curso aos sábados destinado a identificar as pessoas que pensam seriamente em subir na carreira. A partir daí, oferecemos um programa de estudo individual para fortalecer as habilidades corretas.
- Se você tiver funcionários em cargos que combinam o trabalho de linha de frente e a liderança de equipes, um programa de aprendizado que os reúna para aprimorar suas técnicas e compartilhar idéias pode ser um sábio investimento. Você pode descobrir, como nós descobrimos, que os participantes construirão e utilizarão redes de contatos duradouras.

- Um curso (acompanhado de um manual abrangente) que descreva os padrões e procedimentos operacionais pode ser uma poderosa ferramenta para a produtividade, especialmente se documentar as tentativas, os sucessos e as trilhas tomadas ao longo dos anos. Ele pode ajudá-lo a evitar a reinvenção da roda ou a repetição de erros.
- O treinamento em negócios e finanças pode ter um impacto significativo na habilidade de seus líderes para dirigir suas próprias divisões da empresa, especialmente se o conteúdo sofisticado e por vezes árido for apresentado de maneira divertida e memorável.
- Um programa abrangente de Desenvolvimento de Liderança é essencial para preparar os líderes para a vasta gama de desafios que eles enfrentam nos dias de hoje. Os temas de que tratamos incluem estudo de sistemas, planejamento estratégico, motivação, tomada de decisões, marketing, impacto e influência, o poder da informação e o equilíbrio entre o trabalho e a vida pessoal. O curso, que dura dois dias, é obrigatório para nossos líderes em todo o mundo.
- Aperfeiçoe continuamente seu treinamento técnico, assegurando-se de que ele seja abrangente o bastante para lhe permitir contratar pessoas sem experiência nenhuma em seu ramo em particular. Isso alargará o espectro de pessoas que você pode contratar — uma evidente vantagem em recursos humanos.
- Ofereça um treinamento de "conversão" mesmo para os neófitos mais experientes, para confirmar seu nível de especialização. Isso garantirá que eles trabalhem à maneira da *sua empresa*, e não à maneira de seu empregador anterior.
- Sempre proporcione a seu pessoal treinamento sobre os novos produtos ou métodos que você pretende adotar em sua empresa. Isso eliminará a necessidade de encontrar novos funcionários que saibam usá-los, e será um grande passo para evitar que seu pessoal resista às mudanças como resultado do medo. Isso também aumentará a lealdade e reduzirá a incidência de desligamentos.
- Procure treinar por meio de desafios. Você e seus funcionários ficarão surpresos com o que eles conseguem fazer quando desafiados. Ponha em prática uma variedade de novos projetos e empregue novas ferramentas. As pessoas desenvolverão novas habilidades para ficar à altura dos desafios.

- O treinamento diário de seu pessoal pelos líderes fortalecerá as habilidades de ambos. Isso é particularmente importante para pessoas novas na função. Você pode pensar em criar um Centro de Aprendizado de Transição para ajudar os novos contratados a integrar o corpo profissional.
- Ao selecionar seu pessoal de treinamento, além de procurar gente com experiência no ensino e treinamento corporativos, procure pessoas com passagem pelo teatro e com outros históricos diversificados. Cultivar seus próprios treinadores pela promoção do pessoal interno também pode ser muito eficaz. Lembre-se de oferecer treinamento contínuo também a seus treinadores.
- Invista nos recursos de treinamento de que sua empresa necessita — tanto em termos financeiros quanto de tempo. É um investimento de longo prazo do qual você não se arrependerá.

CAPÍTULO CINCO

Os Serviços São uma Atitude, uma Arte e um Processo

O filme *Um Golpe do Destino* (*The Doctor*), de 1991, ilustra a importância do serviço compassivo de modo bastante convincente. No filme, um médico desumano, mas mecanicamente muito hábil, fica gravemente doente e enfrenta as mesmas dificuldades que as outras pessoas têm que enfrentar quando recorrem a seus serviços: como a dor, o medo, o desrespeito por seu tempo ou sentimentos pessoais, e mesmo a possibilidade da morte.

Ele, então, se torna um novo homem graças a sua experiência. Depois de lutar consigo mesmo, ele percebe haver mais coisas na medicina do que a mera ciência. Para realizar sua operação crucial, ele escolhe um cirurgião que desprezara antes, sabendo ser ele uma pessoa compassiva. Ele começa a passar mais tempo com a família e a cultivar os relacionamentos que negligenciara. E aprende muito ao sentir o gosto de seu próprio remédio — o que serve para abrir os olhos de muitos de nós.

Estamos todos no ramo de serviços. Mesmo empresas do setor manufatureiro são companhias de serviços. Já ficaram para trás aqueles dias em que uma empresa podia simplesmente fabricar produtos e distribuí-los. Os consumidores querem um serviço junto com os produtos, e só farão negócio com quem proporcionar isso.

E não é fácil prestar bons serviços. Não existe uma maneira certa de fazê-lo. Todos temos de dar o nosso melhor para desenvolver fórmulas pessoais de serviços. Neste capítulo, compartilharei com você a nossa fórmula. Para isso, vou fragmentá-la e analisar seus componentes.

Atitude + Arte + Processo
Uma Fórmula para os Serviços

Nossa fórmula é: *Serviço = Atitude + Arte + Processo.*

A *atitude* engloba muitas coisas. Descobrir as pessoas certas — pessoas que se importem e que queiram ser as melhores — é o seu âmago. Mas as atitudes podem ser influenciadas por fatores externos. Se uma pessoa que se importa com as coisas é posta em um ambiente em que ninguém dá importância a nada, por exemplo, ou se seus esforços por ir além da média são frustrados ou desencorajados, sua atitude pode esmorecer. Por isso, a boa atitude é na verdade uma questão de termos a pessoa certa trabalhando no ambiente certo.

Em seguida vem a *arte.* Qualquer coisa feita com convicção, com estilo e com perspicácia é arte. Os serviços são — ou deviam ser — criativos. Há inúmeras coisas que podem ser feitas para melhorar uma experiência de serviços. Esse é um dos aspectos mais estimulantes do ramo. Há, literalmente, infinitas oportunidades de aprimoramento. E não existe nada 100%, mas apenas uma constante aproximação. Os serviços são um esforço criativo contínuo — uma arte.

Finalmente, vem o *processo.* Descobrir o melhor jeito de fazer as coisas é também uma atividade eterna, e incrivelmente importante. O processo torna tudo possível. Ele traz ordem às partes componentes dos serviços, de modo que as pessoas que os executam ficam livres para se concentrar nos detalhes e retoques que dão vida aos serviços. O processo possibilita a mensuração do progresso, que é a chave para o aprimoramento contínuo. Ele também possibilita a consistência em organizações de grande porte e, sobretudo, em crescimento.

Os serviços são uma atitude, uma arte e um processo, mas nenhuma dessas coisas é possível sem a felicidade no trabalho. Quando bem executados, os serviços exigem empenho, e por isso desmoronam se as pessoas que os prestam não estão felizes.

ATITUDE

Deixe o Pessoal à Vontade
Dando às Pessoas o Espaço para se Destacarem

As pessoas precisam de espaço para prestar um serviço realmente excepcional. Elas precisam da liberdade de criar e do apoio e incentivo necessários à feitura de grandes coisas. Gostamos de chamar isso de "rede de segurança mental".

Muitos gerentes pecam ao coibir seus funcionários, temendo os erros que eles podem cometer caso tenham liberdade. Mas, ao fazer isso, eles também estão perdendo oportunidades de alcançar resultados potencialmente excepcionais. Esse tipo de gerente não tem lugar na liderança deste milênio. Não há lugar para tal pessoa em nossa organização.

Todos cometemos erros. Qualquer pessoa disposta e determinada a lutar por algo especial provavelmente cometerá mais erros do que alguém que executa apenas serviços corriqueiros. Mas os erros são um preço pequeno a pagar pelo sucesso que muitas vezes se segue a tentativas fracassadas. Um verdadeiro teste para os serviços excepcionais pode ser encontrado nas ações que as empresas ou indivíduos adotam para converter os erros em experiências positivas. Mas, quando nós cometemos erros, mesmo que os compensemos depois, somos obrigados a senti-los no estômago — sim, no estômago.

Afirmo que prestar um serviço menos do que exemplar devia nos deixar fisicamente nauseados. O fato é que, depois que um cliente me diz que erramos, descubro-me planejando nossa estratégia de recuperação tomando um antiácido. Algumas pessoas ficam incontrolavelmente vermelhas quando embaraçadas; outras ficam com as palmas das mãos suadas quando nervosas. Eu fico enjoado quando trocamos as bolas — fisicamente doente, de fato.

Certa vez encontrei um cliente em um aeroporto e ele me contou de sua insatisfação com uma viagem recente, em que tudo parecera dar errado desde o começo. Passei o vôo inteiro entre o telefone do avião e a pia. E não sou a única pessoa a ser afetada dessa maneira. Muitos de meus colegas sofrem do mesmo mal em uma ou outra medida.

Mas, como no caso de atletas ou artistas que caem, o melhor a fazer é se recompor e seguir em frente. Ao prestar serviços, temos de nos disciplinar para continuarmos avançando apesar dos erros que viermos a cometer. Só podemos aprender com eles se os virmos como passos para o aprimoramento.

Permanecendo Ocupado
A Atitude de Serviço na Prática

O filósofo chinês Confúcio estava certa vez em uma jornada com seus discípulos por uma região seca. Um de seus seguidores descobriu uma poça oculta, encheu seu jarro de arroz e o ofereceu ao mestre. Confúcio estava prestes a levá-lo aos lábios quando percebeu o rosto de seus discípulos. Ele esvaziou o jarro no chão, dizendo: "Seria muito para um e pouco para todos. Vamos continuar caminhando".

Há muitos anos, aprendemos uma lição valiosa sobre o trabalho em equipe, que usamos como lembrete do poder dos esforços em grupo. É a história de um princípio que chamamos de "ocupado/desocupado".

Servimos nossa clientela em unidades de negócios que permitem que nosso pessoal e nossos clientes se conheçam. Quando um cliente liga para reservar uma passagem, a chamada é transferida para o primeiro membro disponível da equipe. Nosso sistema permite que os CCAs saiam do circuito caso precisem de uma pausa ou se sintam sobrecarregados, e chamamos isso de ficar "desocupado". Quando estão prontos para aceitar chamadas, eles, então, ficam "ocupados" e voltam ao circuito.

Há vários anos, começamos a atender um novo cliente cujo volume de serviços foi bastante subestimado. Nosso pessoal ficou atolado em chamadas. Eles se sentiam sobrecarregados, e o moral declinava.

Uma de nossas vice-presidentes passou algum tempo com a equipe para ajudar a assegurar um serviço contínuo até que pudéssemos transferir recursos adicionais àquele cliente. Em sua estada no local, ela desenvolveu uma teoria e pediu à equipe que a experimentasse por uma semana. Eles a experimentaram, e descobriram que já não precisavam de mais gente — e a produtividade e o moral foram às alturas.

Eis como a coisa aconteceu. Havia dez pessoas dedicadas a atender o cliente, e parecia que o telefone nunca parava de tocar. Cada pessoa atendia a diversas ligações em uma rápida sucessão, e então ficava desocupada para fazer uma pausa. Suponhamos que a qualquer momento metade delas estivesse desocupada, deixando cinco pessoas para dar conta das chamadas. Quando aquelas em pausa voltavam a ficar ocupadas, elas se viam novamente em um grupo de cerca de cinco pessoas, atendendo a chamadas por dez.

O que ocorria era que a tendência das pessoas a ficar desocupadas estava criando uma sobrecarga de trabalho para as que permaneciam, e quando as primeiras voltavam para atender às chamadas, viam-se oprimidas pelo mesmo fardo, gerado pelos colegas que então estavam desocupados. Era um círculo vicioso.

Nossa vice-presidente pediu aos membros da equipe que permanecessem ocupados o dia todo (com exceção dos intervalos, do almoço etc.), de modo que as chamadas fossem distribuídas entre dez pessoas, como se previa, e não entre cinco, como realmente ocorria. Em vez de criar um ciclo em que lidavam com uma sobrecarga de trabalho, desocupando-se em seguida, *todos* ficavam disponíveis para a quantidade certa de trabalho o dia inteiro.

A idéia é mero senso comum, mas, quando as pessoas ficam sobrecarregadas, é fácil que decaiam para um modo reativo em vez de passarem a um modo proativo. O princípio da ocupação instilou na equipe a confiança de que ela poderia dar conta daquela carga de trabalho.

O princípio da ocupação pode assumir proporções de vida ou morte entre os militares. Isso ocorreu no caso do famoso *Memphis Belle*, o primeiro bombardeiro B-17 que completou todas as suas vinte e cinco missões durante a Segunda Guerra Mundial. A tripulação da Oitava Força Aérea voou diretamente da Inglaterra para a Alemanha. Dez por cento de todas as vítimas da Segunda Guerra Mundial foram soldados que fizeram o mesmo.

Havia dez membros na tripulação — o piloto, o co-piloto, o bombardeador, o navegador, o engenheiro, o operador de rádio e os artilheiros de cauda, da torre inferior e das laterais esquerda e direita. Cada posição era fundamental. Todos tinham um trabalho a fazer, e, se uma única pessoa se desocupasse, a tripulação encontraria a morte ou seria capturada pelo inimigo. A vida de cada um caía não somente em seus próprios ombros, mas nos ombros de todos os membros da tripulação. E todos sobreviveram permanecendo "ocupados".

No mercado de trabalho, esse princípio não tem as mesmas conseqüências drásticas, mas pode significar a vida ou a morte de uma empresa se as pessoas relaxarem e deixarem que outras carreguem parte de seu peso. No setor manufatureiro, quando as pessoas se desocupam, a produção pode parar. No mercado de linhas aéreas, um avião permanece no chão até que tenha a proporção devida de tripulantes para passageiros. Assim, se um assistente de vôo não aparecer, os clientes devem esperar até que um substituto chegue.

Já ocorreu de você estar esperando em uma fila no supermercado ou no banco e a operadora de caixa fixar o aviso de "CAIXA FECHADO"? Você sabe o que ocorre em seguida. Você vai para uma outra fila e espera um longo tempo, assim como todo o mundo. No momento em que chegam à ponta da fila as pessoas estão furiosas, e, com freqüência, não são muito simpáticas com a pessoa que *de fato* as atende.

Também há esportes que ilustram bem a atitude de serviços que estamos descrevendo. Dois, em particular, são o remo e o cabo-de-guerra. Nesses, todo o mundo tem literalmente de arrastar o próprio peso. A confiança é indispensável. Você pode estar remando ou puxando com o máximo de sua força, mas, ao contrário do que ocorre em outros esportes, em que o esforço individual é mais visível, *como* saber se seus colegas estão realmente dando o máximo de si?

Você não tem como saber, e por isso precisa confiar, incentivando os outros a darem o melhor de si também, e mantendo suas metas em sincronia. Você deve escolher sabiamente seus colegas de equipe, e todos devem trabalhar juntos para que as forças de um compensem as fraquezas de outro.

O segredo é que todos permaneçam ocupados, especialmente a administração. É papel da alta administração estender a técnica da ocupação pelas linhas departamentais, de modo que empresas inteiras funcionem como uma equipe de remo.

ARTE

Frances Russell
A História de uma Heroína dos Serviços

Tive provavelmente a melhor experiência com serviços em minha vida em uma viagem para São Francisco, em 1989. A combinação entre uma experiência bela em sua simplicidade e o fato de ter sido completamente inesperada fez dela um ápice — e não creio que um dia eu a esquecerei.

Minha esposa e eu paramos em uma lanchonete para tomar um café da manhã antes de começar nosso dia, e não esperávamos muita coisa além de uma garçonete apressada e talvez rabugenta, servindo uns bons ovos e um ótimo café. Chegou então Frances Russell, do Sears Fine Food, a criadora de uma excepcional experiência de serviços. Ela era educada, amistosa e eficiente. Podia-se notar que se orgulhava muito de seu trabalho, e comecei a ver que o serviço seria bom. Mas o inesperado ocorreu quando ela veio me servir o café.

Normalmente, se 90% do seu café em uma lanchonete-padrão cair dentro de sua xícara, você estará com sorte. Mas, antes de servir meu café, Frances me perguntou se eu era destro ou canhoto. Vivendo em um mundo de destros, fiquei surpreso com a pergunta, e mais ainda por ter sido feita por uma garçonete em uma lanchonete. Quando respondi que era canhoto, ela reposicionou todas as coisas na mesa para a conveniência da mão esquerda, pondo inclusive a xícara de café à minha esquerda e afastando para o lado os demais objetos.

Antes disso, estava bastante habituado a mudar eu mesmo a xícara e tudo mais. Na verdade, estava tão habituado que, antes daquele dia, nem notava que o fazia! Mas agora Frances Russell mimou-me para o resto da vida. Sempre que vou a uma lanchonete, a um restaurante e o garçom ou garçonete pressupõe que sou destro ou nem liga para isso, movo eu mesmo os objetos e penso em Frances Russell.

O ponto disso tudo é que, quando você passa por uma experiência de serviços extraordinária, nada mais o satisfaz. As pessoas não deviam se contentar com nada menos que um serviço excepcional. Elas não deviam *prestar* nada menos que um serviço excepcional, mas o dilema é que na maioria das vezes elas prestam — o que faz com que apreciemos muito mais um serviço realmente de primeira quando o encontramos.

Quando se dedica a prestar um serviço de excelência, você se torna rígido a tal ponto que isso começa a interferir em sua vida. E tolera cada vez menos os serviços ruins, ou mesmo médios. Aí começa a analisar com um olho treinado os serviços que lhe prestam.

Meus colegas e eu nem sempre conseguimos relaxar em um restaurante, pois ficamos ocupados demais analisando o serviço — mas achamos isso ótimo. Por que não ter a mais alta expectativa com relação a um serviço? Por que nossos clientes não podem exigir o melhor? Esperamos que exijam, e esperamos estar à altura disso. Nossa meta é mimar nossos clientes até o ponto em que o serviço de ninguém mais os satisfaça.

Frances Russell é uma heroína dos serviços. Orgulho-me de dizer que também temos pessoas assim trabalhando conosco. Conseguimos com freqüência assentos para nossos clientes em vôos esgotados, quartos em hotéis lotados, passaportes e vistos de última hora. Tentamos, ainda, como cortesia para nossos clientes, transferências para a primeira classe em aviões e para suítes em hotéis.

Esses brindes podem parecer óbvios para uma companhia de viagens. Mas talvez você se surpreenda ao saber que também localizamos bagagens perdidas para nossos clientes; agimos como serviço de mensagens, ligando para cônjuges ou assistentes; recebemos no aeroporto os convidados especiais de nossos clientes; e, quando nossos clientes retornam do além-mar tendo em seguida um vôo de costa a costa, entregamos a eles a correspondência para que a leiam no vôo para casa. Além disso, providenciamos com freqüência para nossos clientes entradas para o teatro e para eventos esportivos, reservas em restaurantes, serviços de babá e horários em campos de golfe. Recebemos até mesmo pedidos para despertá-los pela manhã.

Há ainda aquelas situações incomuns que nos dão a chance de realmente servir nossos clientes. Em dois desses casos fizemos literalmente um serviço de cachorro.

O diretor de um time da Liga Nacional de Hóquei, cliente nosso, comprou um cachorro como presente para o diretor de outra equipe. O cliente nos pediu que tomássemos as providências para o vôo de seu cão. O que fizemos? Alugamos uma casinha de cachorro e enviamos o animal com uma escolta pessoal para assegurar sua chegada com segurança. Nosso associado o entregou pessoalmente e retornou no vôo seguinte.

Outro cliente teve de fazer uma viagem de emergência. Quando ligou para fazer sua reserva, ele comentou que não arrumaria ninguém a tempo para tomar conta de seus cães enquanto estivesse ausente. Um associado nosso passou a semana toda cuidando dos cães.

Um cliente nos ligou às 3 da manhã em pânico porque estava na estrada e sua esposa se encontrava em trabalho de parto. Nós, então, fretamos um avião para ele, que chegou em casa a tempo para o nascimento de seu primeiro filho.

Uma de nossas clientes, que sofre de severa asma, ligou-nos quando uma companhia aérea perdeu a mala que continha seu remédio. Nossos associados ficaram tão preocupados que, enquanto um procurava a mala e providenciava sua devida entrega no hotel, outro ficou o tempo todo com a cliente ao telefone, para ter certeza de que sua respiração continuava estável até o remédio chegar.

Provavelmente minha história favorita é uma ocorrida durante a Guerra do Golfo. Ela começa como um conto de amizade e, a meio caminho, transforma-se em uma história de serviços heróicos. Há vários anos, fomos para o Oriente Médio, e eu realmente não sabia o que esperar dessa expansão, particularmente no que se referia à recepção que as empresas das nações árabes dariam à Rosenbluth International como possível parceira de negócios. Mas eu descobri logo no nosso primeiro encontro com o pessoal da Kanoo Travel (uma divisão do grupo Yusuf Bin Ahmed Kanoo) que firmaríamos com eles uma amizade especial.

Sua empresa é, sob muitos aspectos, bastante parecida com a nossa. Ambas são empresas de propriedade familiar há mais de um século, e o compromisso com a excelência dos serviços e o nível de preocupação da Kanoo para com seus funcionários espelham os nossos. Mas não tínhamos idéia da dimensão que esse relacionamento tomaria ao longo dos anos.

Quando a Guerra do Golfo teve início, vários de nossos clientes se viram em circunstâncias difíceis, mas talvez nenhum mais do que a Chevron. Em meio ao caos que se seguiu ao início do conflito, alguns funcionários da Chevron não tinham como deixar o Kuwait. O Departamento de Estado Americano não conseguia fornecer informações a respeito, e nossos amigos da Chevron nos Estados Unidos estavam determinados a explorar todos os meios possíveis de garantir a segurança de seus associados. Eles nos chamaram para ajudar no que pudéssemos.

Ligamos imediatamente para nossos amigos da Kanoo. Eles mobilizaram uma equipe para consultar todos os contatos que possuíam no Kuwait em busca de informações sobre os executivos da Chevron. Em poucos dias eles foram localizados. O que ocorreu em seguida foi algo que somente um amigo, no sentido mais genuíno do termo, poderia fazer.

Uma equipe de associados da Kanoo foi formada para viajar em meio à guerra até o Kuwait, com o objetivo de ajudar os executivos perdidos da Chevron, os quais eles nunca tinham visto. Sua missão era encontrá-los, ajudá-los a deixar o Kuwait, levá-los para a Arábia Saudita e enviá-los a salvo para os Estados Unidos, juntamente com as suas famílias. Nossos amigos da Kanoo estavam dispostos a arriscar a própria segurança, e talvez até suas vidas, para garantir a salvaguarda de pessoas que eram importantes para nós.

No fim das contas, os executivos da Chevron no Kuwait ficaram em segurança sem que a equipe da Kanoo tivesse de viajar para a zona de guerra, mas o fato é que eles estavam prontos e dispostos a fazer isso. A preocupação com os outros pode triunfar mesmo em guerra.

Toda empresa tem suas histórias favoritas de serviços. Mas o segredo é fazer com que esse nível de serviços seja a norma, e não a exceção. Os ingredientes *atitude* e *arte* de nossa fórmula são vitais, mas sem o *processo* é muito difícil dominar um serviço e torná-lo rotineiramente excelente.

PROCESSO

Cozinhe com os Melhores Ingredientes
A Importância de Embutir a Qualidade desde o Início

Ter um processo não basta. Você precisa ter um processo de qualidade, e desenvolvê-lo é um trabalho difícil. Para que sua empresa funcione com o máximo desempenho, é necessário que haja um processo de qualidade em tudo o que você faz.

Deploro o uso excessivo da palavra *qualidade*, mas não há outra que signifique a mesma coisa. Há palavras que se aproximam, mas que não descrevem acuradamente aquilo que todos procuramos atingir. Acho que é por isso que o termo *qualidade* tem sido usado praticamente por todas as empresas para descrever seus produtos e serviços. Eu o usarei, de qualquer modo, porque é o melhor de que dispomos.

A qualidade deve ser embutida logo na largada. Não adianta tentar injetá-la no fim. A qualidade embutida desde o início em qualquer produto, processo ou serviço custa menos, por mais que se possa pensar o contrário. Temos exemplos para prová-lo.

Não há nada que substitua a realização de uma tarefa bem-feita logo na primeira vez. Em uma empresa que presta serviços de qualidade, a necessidade de um departamento de assistência ao cliente deve ser mínima, se existir. Ao longo dos anos, reduzimos significativamente o nosso, transferindo seus recursos para propósitos mais produtivos. Para produtos e serviços de qualidade, os problemas e as queixas são a exceção, e não a norma.

Há uma campanha publicitária americana que pinta um bom quadro do que estou dizendo. Talvez você a conheça: o técnico de determinados aparelhos lamenta sua solidão, pois nunca ninguém solicita seus serviços. A mensagem: os aparelhos da empresa funcionam, e, se você tiver um deles, poderá usá-lo por anos e anos sem precisar se preocupar em chamar a assistência técnica. A qualidade devia ser sempre assim tão boa nos Estados Unidos.

Uma pessoa que almoce em um restaurante cujos pratos são preparados com os melhores ingredientes normalmente apreciará a comida sem temperos ou condimentos adicionais. Por outro lado, quando se usam ingredientes insossos ou inferiores, os fregueses recorrem ao sal e à pimenta ou, ainda, à mostarda, ao catchup e a quaisquer outros condimentos que melhorem o sabor — ou a falta de sabor — da comida.

O mesmo pode ser dito dos serviços. Quando a qualidade vem embutida desde o início, os clientes têm pouca necessidade de pedir correções após o fato, o que diminui a necessidade de um departamento de assistência ao cliente. No fim das contas, há certos ingredientes que são necessários para compor um serviço. Por que, então, não usar os melhores logo de início?

Controle de Qualidade
Um Paradoxo

Acho que "controle de qualidade" é um paradoxo. A verdadeira qualidade não precisa de espaço para respirar. Se a qualidade vier embutida, qual a necessidade de controle? Por que afinal você deveria controlar a qualidade? Ela devia fluir livremente.

Dê aos seus associados as ferramentas certas e a liberdade de usá-las, e, na atmosfera correta, eles criarão e perpetuarão a qualidade.

O Direito de Ser Pigmalião
Ajustando um Programa de Qualidade a Sua Empresa

Na mitologia grega, Pigmalião é o rei de Chipre que talhou uma estátua em mármore da jovem de seus sonhos. Ele se apaixonou por sua criação e pediu a Afrodite, a deusa do amor e da beleza, que lhe insuflasse vida. Ela atendeu a seu desejo, e a estátua se tornou Galatéia, a amada de Pigmalião.

Todos somos Pigmaliãos em certa medida. Todo mundo, ao namorar, já deve ter se flagrado desejando que fosse possível tomar a personalidade de uma pessoa e combiná-la com a aparência de outra, acrescentando-lhe ainda o ritmo de um terceiro relacionamento. Nesse processo tentamos criar nosso ideal.

Quando estamos procurando um lar, uma casa possui aquela sala especial, outra está no bairro em que gostaríamos de morar, e há sempre o problema do preço. Queremos a casa ideal pelo preço ideal.

Claro que nem tudo isso é possível em nosso mundo, mas tenho boas novas. Descobrimos que você *pode* moldar seletivamente sua própria filosofia de serviços e de qualidade — aquela que reúne os melhores atributos de cada filosofia e os conjuga para formar o modelo ideal para sua organização. Foi exatamente assim que elaboramos nossa estratégia de qualidade na Rosenbluth, e descobrimos que ela funciona perfeitamente.

Nossa abordagem eclética da qualidade nos permitiu compreender e utilizar o controle de processos estatísticos sem sermos controlados por ele. Algo de muito importante que aprendemos foi não deixar que o processo fique no caminho do progresso. Um elemento essencial em nossa abordagem é o senso comum.

Pesquisas Extensivas no Laboratório da Qualidade
Cumprindo Seu Dever para Tomar uma Decisão de Qualidade

Depois de uma experiência bastante humilhante, começamos a ver a qualidade sob uma novíssima luz. Nossa empresa sempre adotou princípios qualitativos. Há muito que mantemos os mais altos graus de precisão em nosso mercado. Nossos clientes sempre estiveram satisfeitos com nossos serviços. Por isso julgávamos ser uma empresa de "qualidade". Até que tivemos uma surpresa.

Há muitos anos, quando um de nossos clientes conquistou o prestigioso Prêmio Nacional de Qualidade Malcolm Baldrige, ele incentivou seus fornecedores a adotarem uma administração total da qualidade e a se candidatarem também ao prêmio. Pedimos um formulário pensando em nos candidatar imediatamente. Quando lemos o formulário, nos colocamos em nosso lugar.

Para aqueles que nunca tiveram o prazer de ler tal formulário, saibam que ele exige mensurações estatísticas de praticamente tudo o que uma empresa faz. Ele espera que cada pessoa da organização esteja usando essas mensurações como ferramentas para o aprimoramento contínuo. Deve-se provar por meios estatísticos um histórico de aprimoramento consistente.

Esse era um novo tipo de qualidade. Sabíamos que trabalhávamos com os princípios da qualidade, mas não tínhamos as ferramentas para demonstrá-lo — aquelas ferramentas que ajudam uma empresa a se aperfeiçoar. Cumpria-nos tomar uma decisão sobre o tipo de programa que desejávamos ter. Achamos que nosso nível de qualidade merecia mensuração. O aprimoramento contínuo era uma de nossas metas mais importantes. E decidimos lutar por ele.

A primeira coisa que fizemos foi estudar os processos de qualidade de nossos clientes e pesquisar todo o corpo de gurus da qualidade. Chegamos a uma idéia muito boa daquilo que esperávamos de um programa da qualidade, e à constatação de que não conseguiríamos alcançá-lo sozinhos. Por isso, depois de uma busca exaustiva, contratamos um consultor de administração total da qualidade.

Escolhemos o consultor não somente com base em seus conhecimentos de estatística, embora isso seja essencial. Era importante encontrar alguém que tornasse o assunto interessante e divertido, para que todos tivéssemos entusiasmo em aprendê-lo e em adotá-lo em uma base diária. Isso porque, para a maioria de nós, a sofisticada estatística aplicada era intimidadora.

Com nosso parceiro a postos e nossas expectativas lá em cima, estávamos prontos para adotar uma administração total da qualidade. A qualidade estava para se tornar algo sério em nossa empresa.

Construindo um Programa da Qualidade
Por Onde Começar

Concluímos que uma abordagem séria da qualidade exigiria recursos dedicados. Criamos um pequeno departamento para analisar as necessidades qualitativas da empresa, desenvolver treinamentos e programas de implementação e avaliar continuamente nosso progresso. Essa equipe cuidou para que todos os nossos programas da qualidade funcionassem juntos em busca dos resultados que nós, como empresa, queríamos atingir. Definimos metas novas e mais desafiadoras, e elas nos ajudaram a mensurar nosso caminho para o sucesso.

Montamos essa equipe no interior de nossa organização. Em vez de contratar especialistas em qualidade e instruí-los sobre nossa empresa, contratamos pessoas que viviam na empresa e as treinamos para serem especialistas na qualidade.

Nossa equipe passou por um treinamento rigoroso sobre princípios e ferramentas da qualidade. Em seguida, fez um curso de uma semana e meia que a preparou e a certificou para que instruísse seus colegas associados por toda a empresa.

No primeiro ano de treinamento da qualidade, cerca de metade de nossos associados havia concluído o programa, e, no segundo ano, toda a organização estava treinada. Com todos os associados instruídos nos fundamentos da qualidade, nós a incorporamos em nossos programas centrais de aprendizado.

Por exemplo, quando os novos associados ingressam na empresa, eles são expostos aos princípios da qualidade durante nosso programa de orientação. Nós abordamos o assunto durante a sessão de enfoque no cliente, discutindo as expectativas de nossos clientes quanto a um serviço de qualidade e o modo como devemos excedê-las. O tema é abordado novamente quando falamos das ferramentas tecnológicas de que dispomos para nos ajudar a embutir a qualidade já no início dos processos. E tratamos de ferramentas de qualidade usadas com freqüência por nossos associados em campo.

Nos anos transcorridos desde sua adoção, nosso programa de qualidade evoluiu até se tornar de fato um estilo de vida. Essa tinha sido nossa meta inicial, e nossos associados a atingiram. Quando, no início dos anos 90, embarcamos em nossa jornada pela qualidade, dissemos a nossa equipe de qualidade que, se ela cumprisse bem sua função, ficaria sem serviço, pois a qualidade se integraria ao cotidiano do trabalho.

Ela cumpriu sua função com perícia e, logo que o treinamento inicial foi encerrado e nossos associados se habituaram a usar as ferramentas da qualidade, foi desfeita; seus membros puseram suas requisitadas habilidades em ação em todas as áreas da empresa. Uma integrante da equipe da qualidade passou para o setor operacional e desenvolveu métodos para mensurar nossas metas e objetivos na empresa como um todo. Hoje ela tem um cargo de liderança em uma de nossas principais linhas de negócios.

Nossos postos de operação na Europa embarcaram recentemente em uma iniciativa de qualidade muito similar à que implementamos nos Estados Unidos. Uma equipe interna de "campeões da qualidade" disponibiliza seus conhecimentos quanto ao uso das ferramentas, técnicas e processos da qualidade. Seus membros prestam consultoria, treinam, aconselham e compartilham as melhores práticas por toda sua região. Reuniões mensais monitoram os indicadores de desempenho mais importantes e ajudam a cerrar lacunas por meio de um processo de resolução de problemas em seis passos, que os analisa, descobre suas causas originais, desenvolve soluções, formula planos de ação e acompanha o seu progresso. Na Europa, como em todas as regiões do mundo onde nos empenhamos nessa jornada, nossa estratégia é encarar a qualidade não como nossa meta, e, sim, como uma ferramenta para atingir nossas metas.

A verdadeira qualidade não é um acessório, mas uma parte indissociável da vida diária. Entendemos a qualidade como "a definição das expectativas do cliente, o desenvolvimento de processos para atender a essas expectativas, a mensuração de nosso desempenho com relação a elas e a capacitação dos associados para o aprimoramento dos processos". Se esses princípios estiverem entrelaçados na tapeçaria de nosso negócio, então estamos "fazendo" qualidade.

Em qualquer dia que seja, não é incomum andar por algum de nossos escritórios no mundo e encontrar gente analisando gráficos de Pareto e diagramas de causa e efeito, fazendo sessões de *brainstorming*, discutindo nossos principais métodos de ação ou utilizando quaisquer outros princípios ou ferramentas da qualidade.

Nossos processos atuais estão sendo estudados por equipes em toda a empresa, todas elas lançando mão de ferramentas da qualidade. Os recursos humanos vêm trabalhando para reduzir o tempo de ciclo dos currículos. A contabilidade está revendo seus métodos de recebimento. Nosso grupo de relações com o mercado está estudando o processo de negociação com os fornecedores. Usamos a qualidade em nossos programas de aprendizado, compilando dados sobre o conhecimento dos participantes antes e depois dos cursos, de modo a verificar o que foi aprendido e se as novas técnicas estão sendo adotadas em campo.

O uso que fazemos da qualidade abrange todo o espectro do científico ao divertido, sempre com propósitos consistentes e resultados mensuráveis. Para ser eficaz, a qualidade deve permear uma organização, e começar e finalizar com as pessoas. É igualmente importante que mensuremos tanto os serviços internos quanto os externos, e que nunca paremos de melhorar.

Recompensando a Qualidade
Um Programa de Incentivo

Em 1997, instituímos em nossas unidades de negócios um programa de incentivo à linha de frente, buscando sustentar a meta de nossa empresa de ser a maior provedora de qualidade ao menor custo. Cada unidade pode instituir o programa como melhor entender, e pode personalizá-lo para atender às necessidades únicas de seus clientes ou negócios.

Nosso *Plano de Incentivo ao Desempenho dos Associados de Atendimento ao Cliente* é ministrado trimestralmente, e destina-se a atingir três metas: o desempenho da unidade de negócios, o aprimoramento de categorias eletivas e a produtividade individual.

A primeira meta — o desempenho da unidade de negócios como um todo em relação a determinados objetivos — baseia-se tanto na satisfação do cliente quanto na saúde financeira da unidade de negócios. Esses critérios só terão sido atendidos se os resultados da pesquisa sobre a satisfação do cliente alcançarem ou excederem um nível de 4,5 em uma contagem até 5.

Para a segunda meta, cada unidade de negócios seleciona uma área de aperfeiçoamento específica que gostaria de enfocar durante o trimestre, como o serviço telefônico ou a qualidade das transações. A meta deve refletir alguma área com necessidades de aprimoramento ou algum fator crítico de sucesso para a unidade de negócios.

A terceira meta — a produtividade individual — exige que o líder determine metas diárias para cada associado, como o número de transações por dia. Também incentivamos todas as unidades de negócios a incluir seus líderes de equipe nessa meta, recompensando-os por ajudar cada indivíduo a atingir as próprias metas.

Não conferimos incentivos a menos que as duas primeiras metas sejam atingidas. Nossos clientes devem estar satisfeitos e as unidades de negócios devem se aprimorar continuamente. Se essas duas metas forem atingidas, todo associado na equipe recebe um bônus pelo trimestre, independentemente de sua produtividade individual. Os associados que atingem suas metas individuais recebem prêmios adicionais de incentivo individual.

Em nossos Centros de Inteligência (grandes centros de atendimento ao cliente), temos um programa de incentivo à linha de frente guiado primeiro pela qualidade e depois pela quantidade. Os associados devem alcançar uma faixa qualitativa todos os meses para se qualificarem, e então podem receber pagamentos adicionais como incentivo por excederem as expectativas de qualidade e produtividade, por trabalharem em equipe e por irem além da média em prol de nossos clientes. Os associados de linha de frente que não interagem com os clientes podem ganhar incentivos com base no apoio que dão aos que interagem.

Programas como esse são um estímulo para nosso pessoal. Eles melhoram os serviços prestados a nossos clientes, ajudando nossa empresa a atingir suas metas. Isso é qualidade.

De Que Maneira Você Sabe como Está se Saindo? A Importância e os Métodos de Mensurar a Qualidade

O segredo de ser uma verdadeira organização da qualidade está em estabelecer metas mais e mais altas, sempre seguindo em frente. "Ponha a barra mais para cima", como dizem os atletas de salto em altura.

Usamos barômetros internos e externos para mensurar nossos serviços. Internamente, nossa empresa mensura coisas tais como a velocidade média de atendimento ao telefone ou de consulta a e-mails, a data do e-mail pendente mais antigo, o tempo médio de resposta em bate-papos, a duração média dos bate-papos, o grau de eficácia na obtenção de passagens mais baratas, o tempo de demora ao telefone, a entrega pontual de passagens e assim por diante. Também mensuramos fatores que têm efeitos de longo prazo nos serviços, como os desligamentos, a satisfação dos associados, a conclusão do treinamento necessário e o suporte a colegas associados, unidades de negócios e linhas de atividade.

Cada departamento tem seus próprios serviços para mensurar. Usamos a mensuração como uma ferramenta para o maior aprimoramento. E a levamos muito a sério. Os bônus de nossos líderes dependem de resultados favoráveis nessas áreas.

Um componente importante de nosso programa de qualidade é o acesso de nossos associados às ferramentas que lhes possibilitam mensurar seu desempenho. Não é somente a administração que está envolvida no aprimoramento contínuo. Cada associado assume uma responsabilidade pessoal pelo desempenho da empresa.

E quanto a nossos clientes? Ficamos muito atentos ao modo como eles vêem nossos serviços, e usamos para isso uma variedade de ferramentas. Como muitas empresas, temos duas clientelas diferentes: nossos contatos de *business-to-business* (em muitos casos os gerentes de viagens das empresas clientes) e os usuários finais (os viajantes individuais dessas empresas).

No que se refere a nossos parceiros empresariais (os gerentes de viagens), promovemos o encontro de grupos de enfoque à clientela, sessões de planejamento empresarial, avaliações trimestrais com o cliente e um processo extensivo que chamamos de diagnósticos (a respeito do qual você lerá no Capítulo 12, que trata de parcerias abertas). Mensuramos nosso desempenho com relação a parâmetros predeterminados que estabelecemos com cada cliente, levando em conta suas necessidades, metas e prioridades de negócios, sua cultura corporativa e tudo o que torna cada empresa única. Essas mensurações personalizadas são descritas em acordos de prestação de serviços, determinados por nosso processo de diagnósticos. Então comparamos nosso desempenho com tais expectativas básicas.

Para mensurar a satisfação do viajante, temos um processo automático de avaliação com o usuário. Por muitos e muitos anos, entrevistamos nossos clientes para conhecer sua satisfação com nossos serviços, mas recentemente automatizamos o processo com uma ferramenta da Internet. Depois de estudar ferramentas externas, decidimos desenvolver a nossa própria, para podermos adaptá-la a nossas necessidades reais.

Cada empresa cliente determina o número de viajantes que deseja consultar, e enviamos por e-mail um convite a viajantes escolhidos aleatoriamente para que participem da pesquisa (embora cuidemos para que nenhum deles seja consultado mais de três vezes ao ano). O convite inclui um hiperlink para o questionário on-line, que pode ser preenchido rapidamente e enviado a um ponto automático de reunião de dados. O sistema fica disponível vinte e quatro horas por dia, sete dias por semana; assim, os viajantes podem responder como e quando melhor lhes convier.

A pesquisa pede aos viajantes que avaliem nosso desempenho em áreas como a facilidade de acesso até nós, a cortesia e o profissionalismo, o conhecimento dos produtos e dos princípios dos clientes, o reconhecimento de preferências individuais, a comunicação, a precisão e os serviços em geral, pedindo comentários abertos ao final.

Os resultados de cada cliente são consolidados semanalmente, sendo enviados por meio eletrônico à equipe de administração responsável por servir o cliente em questão. Os questionários com os piores resultados são assinalados automaticamente para exame e ação imediatos, embora a equipe de administração leia os comentários de todos os questionários. Uma grande vantagem do formato eletrônico é que ele não somente proporciona a oportunidade de tomar medidas rápidas nas áreas que pedem melhorias, como também permite o reconhecimento do serviço de excelência de nossos associados.

A segurança é uma prioridade para nós e para nossa clientela, e, como preferimos projetar nosso próprio sistema em vez de assinar um serviço de terceiros, podemos garantir que os endereços de e-mail de nossos clientes não são compartilhados com ninguém, nem usados para nenhum outro propósito. A pesquisa não é enviada como anexo (o convite guia o cliente até o questionário), por isso as barreiras de proteção — as firewalls — não impedem os viajantes de acessá-la. Somos donos do processo e dos dados, e podemos garantir sua segurança.

O sistema também foi projetado para conhecer a opinião dos viajantes sobre o desempenho de fornecedores específicos (como linhas aéreas, hotéis e empresas de aluguel de veículos). Essas informações podem ser usadas para melhorar os serviços, bem como para os propósitos de negociação. Tal dimensão extra leva o processo de melhoria dos serviços a um novo nível.

Para completar esse quadro, também recorremos à avaliação de auditores terceirizados. Mensuramos cuidadosamente nossos serviços e nossos níveis de precisão, mas, quando terceiros avaliam nosso desempenho, ficam garantidas a imparcialidade e a objetividade. Temos no mínimo duas auditorias em curso a todo o momento, e orgulho-me em dizer que nossos resultados médios nas auditorias têm excedido consistentemente os 99% de precisão. Incentivamos nossos clientes a consultar essas empresas e reafirmamos que fizeram a escolha certa ao nos selecionar para servi-los.

Os Serviços Não São Mera Propaganda
Garantindo os Serviços

Para muitos, os serviços são apenas uma propaganda — palavras astutamente enfileiradas que proclamam a excelência em sua prestação. Porém, longe disso, os serviços devem ser um estilo de vida. As empresas que os levam a sério precisam ser capazes de agir mais que falar. E gostamos de fazer isso em grande estilo.

As pesquisas nos dizem que temos o mais alto grau de precisão em nosso mercado — consistentemente acima de 99%. Estamos seguros de que esse índice pode ser mantido em qualquer mercado, em qualquer parte. Queremos que nossos clientes saibam disso. Gostamos de mostrar a nossos associados quão orgulhosos estamos de seu trabalho duro e de seu nível de sucesso, e de proporcionar-lhes meios de demonstrar isso para o mundo. Um meio que provocou bastante alarde foi nossa "Garantia Biztravel".

O Biztravel.com era uma empresa da Rosenbluth Interactive — um empreendimento de sucesso até que as viagens chegaram a uma virtual parada após os eventos que mudaram o mundo em setembro de 2001. Uma das vítimas feitas pelo terrorismo foi esse negócio promissor. Não tivemos escolha senão fechá-lo, pois já não havia mercado para ele; contudo, durante os anos em que existiu, esse negócio foi uma fulgurante estrela.

Foi a garantia de serviços do Biztravel.com que virou nosso mercado de cabeça para baixo. Imagine uma garantia de serviços tão incomum que seja divulgada pelo programa *Today*, pela rede Fox e pela MSNBC, e também pelo *Wall Street Journal*, pelo *New York Times* e pelo *USA Today*. O que tornou essa promessa de serviços tão inovadora foi o fato de que ela sustentava não somente os *nossos* serviços, como também garantia o desempenho de nossos principais fornecedores.

Em 2000, anunciamos que ofereceríamos 100 dólares para os vôos que chegassem trinta minutos atrasados; 200 dólares para os vôos atrasados uma hora; e um reembolso completo para os vôos atrasados duas horas ou cancelados. Sim, incluindo os atrasos causados pelo mau tempo e outros fatores fora de nosso controle. Também oferecemos reembolso por bagagens perdidas, reservas de assentos não cumpridas e outras inconveniências com as quais os viajantes freqüentemente se deparam.

O programa se baseava naquilo que os viajantes apontavam como mais irritante. Mais de mil viajantes furiosos responderam a um questionário on-line que lhes pedia que expressassem suas frustrações, e o resultado foi uma enxurrada de comentários (muitos hilariantes, mas todos sérios) que pintavam um quadro não muito agradável de nosso mercado. Eis aqui alguns que recebemos.

Um viajante escreveu: "Gostaria que as companhias aéreas criassem uma 'seção da família, para que os moleques pudessem se chutar sem acertar meu assento médio de tarifa plena número 42B!". Outro disse: "O que os hotéis têm contra tomadas? Como esperam que eu me vire com um único terminal quando viajo com um laptop, um zip drive, um CD-ROM externo, uma impressora e um carregador de PalmPilot?". Outro ainda escreveu: "Odeio quando um avião deixa o terminal e a assistente de vôo anuncia: 'Mais uma partida pontual da XYZ Airlines' — para informar em seguida que somos o 86º na ordem de decolagem".

Queríamos minimizar as frustrações de nossos clientes, mas também queríamos fazer uma declaração veemente da qualidade e da confiabilidade de nossos próprios serviços, e por isso oferecemos pagamentos por ligações não respondidas em dez minutos, e-mails não respondidos em duas horas, demoras de mais de cinco minutos para se conectar a um bate-papo on-line, problemas de serviços ao cliente não resolvidos em quarenta e oito horas, clientes esperando na linha por mais de noventa segundos (vinte segundos, por contrato, no caso de nossos clientes corporativos) e outros métodos de mensuração dos serviços.

Em muitos ambientes corporativos, é possível ouvir resmungos como "Isso é que é fazer pressão!" ou "Quer dizer que se eu cometer um erro terei de pagar por ele?". Nossa intenção certamente não foi a de aumentar a pressão sobre a vida de nosso pessoal. E seu nível de precisão era tão espetacular que seria injusto pedir-lhes que pagassem pelos pouquíssimos erros que cometiam. Nossa meta para o programa era incentivar nossos clientes a prestar atenção no trabalho que nosso pessoal fazia, pois tínhamos muito orgulho dele.

Nossos funcionários não tiveram medo do programa — aliás, o adoraram, como também nossos clientes do Biztravel.com. Depois que o implementamos, o movimento em nosso site aumentou mais de 400% e o número de reservas mais de 50%; isso é ótimo, mas o que realmente importava era que podíamos orgulhosamente garantir nossos serviços. Esperamos poder reimplantar o programa algum dia.

A garantia dos serviços obriga as empresas a observar atentamente seu índice de precisão e a instar para que seus fornecedores e clientes façam o mesmo. É um excelente modo de se manter na linha. É melhor gastar dinheiro reembolsando clientes que não estão satisfeitos do que perdendo clientes pela mesma razão.

Aspirando à Perfeição
99% Parece Bom, mas Temos de Continuar Tentando

Nenhuma empresa jamais será perfeita, mas a verdade é que mesmo os menores erros não são aceitáveis. Esse é um monstro com o qual temos de lidar. E o setor de serviços apresenta provavelmente o terreno mais difícil de todos, devido ao perecimento dos produtos oferecidos pelas empresas do ramo. Não é possível devolver uma viagem a uma fábrica para que seja consertada. Uma vez deficiente, ela se encerrou de vez — consumiu-se instantaneamente, para a duradoura insatisfação do consumidor.

Os serviços não são somente perecíveis, são também pessoais — eles envolvem ativamente as pessoas. Afetam vidas. Se uma empresa de serviços tem um índice de erros de 1%, isso é considerado ótimo, pois significa uma precisão de 99%, ou somente um erro a cada cem transações. Muitas empresas se orgulhariam desse fato.

Vamos transferir isso para outro cenário. Se um cirurgião tem um índice de precisão de 99% e opera quinhentos pacientes por ano em estado de vida ou morte, isso significa que cinco pessoas morrerão por causa de seu fator de erro de 1%.

Você acha que suas famílias apreciarão pacificamente o fato de ele ter um índice de precisão de 99%? É evidente que não, e o mesmo vale para qualquer outro serviço. Quem gostaria de ser a vítima do erro? Qualquer alternativa à satisfação total dos clientes é inaceitável.

Lidando com o Reino do Possível
Reconciliando-se com um Sonho Inatingível

Certa vez aprendi algo em uma aula de matemática no colégio que serve como um paralelo dos serviços. É uma ilustração da infinidade: se você ficar a qualquer distância de uma parede e avançar metade da distância, e então metade da distância restante, e então outra metade, você nunca chegará de fato a cruzar a sala[1].

1 N. do T.: Trata-se de uma variação de um dos paradoxos do filósofo grego Zenão de Eléia.

Nos serviços, sempre haverá espaço para o aprimoramento. Mesmo que você consiga implementar com sucesso seus elementos fundamentais, haverá um número literalmente infinito de aprimoramentos que poderão ser feitos a uma experiência de serviços para torná-la melhor. Essa é para nós uma das melhores coisas em ser uma empresa de serviços. E, de qualquer modo, o que faríamos se chegássemos até a parede?

Sempre Há Espaço para Aprimoramentos nos Serviços

Resumo

- Examine seus serviços como uma atitude, uma arte e um processo. A atitude tem início com as pessoas certas no ambiente certo. A arte é importante porque alguns dos aspectos mais memoráveis dos serviços são aspectos criativos. O processo traz ordem aos serviços, de modo que as pessoas podem se concentrar nos retoques que lhes dão vida.
- Lembre-se de criar um ambiente em que as pessoas se sintam estimuladas a buscar o excepcional. Elas não o farão se temerem perseguições pelo fracasso.
- Verifique aplicações potenciais da teoria da "ocupação" em sua empresa. É o mesmo princípio que rege uma equipe de remadores — distribuir o fardo entre muitos, e não entre poucos.
- Congratule seus heróis dos serviços. Procure as pessoas com toques especiais — não deixe que elas passem despercebidas. Frances Russell deu a seu serviço um toque de carinho que chegou muito longe.
- Para elaborar seu próprio programa de qualidade, comece estudando os muitos gurus da qualidade, bem como seus clientes, empresas que sejam admiradas pela qualidade e até mesmo seus concorrentes. Uma abordagem ao estilo da lanchonete pode ser eficiente em determinar o programa correto para suas necessidades particulares.
- Uma iniciativa de administração total da qualidade exige investimentos de tempo e de recursos — tanto humanos como financeiros. Mas compensa bem os investimentos. Custa menos fazer a coisa certa na primeira vez. Pense em trabalhar com um profissional que faça da estatística algo divertido. Uma vez estabelecida, a qualidade se torna um estilo de vida, e não uma iniciativa à parte.
- Considere a adoção de um programa de incentivo que recompense a qualidade, e não só a produtividade. Molde-o para que ele atenda às

metas específicas de sua empresa. Nosso programa concentra-se em três fatores: desempenho das unidades de negócios, aprimoramento e produtividade individual. Esse tipo de programa recompensa as pessoas por seu empenho, melhora os serviços para os clientes e ajuda a empresa a atingir suas metas.

- Defina metas mensuráveis de qualidade e serviços para sua empresa, e aumente-as continuamente. Mensure seu progresso tanto interna quanto externamente, com ferramentas separadas para clientes *business-to-business* e usuários finais (se você possuir ambos). Ferramentas de mensuração automática podem ajudá-lo a dar conta de problemas nos serviços e a recompensar os desempenhos excepcionais de modo mais regular.
- Pense em garantir seus serviços. É reconfortante para seus clientes e motivador para seu pessoal. Custará menos reembolsar um cliente insatisfeito do que perdê-lo.
- Nunca se satisfaça com os serviços que você presta. Nunca sinta que finalmente "alcançou a parede", pois, se o fizer, não haverá para onde ir, exceto para trás.

CAPÍTULO SEIS

A Criação de uma Cultura

A grande lei da cultura é: permita que cada um se torne tudo aquilo para o que foi concebido.

– Thomas Carlyle (1795-1881)

A maioria das organizações está impregnada de uma cultura, seja positiva, negativa ou não assumida — mesmo uma aparente falta de cultura é, em si mesma, uma cultura. O melhor modo de descrever a nossa é dizer que se trata de uma cultura em que as pessoas se sentem protegidas e envolvidas pela empresa. Mas nem sempre foi assim.

Quando me uni à empresa, eu teria descrito sua cultura como demonstrando a mais alta preocupação com seus clientes, com a integridade e com a tradição. Era uma cultura certamente admirável, mas muito diferente da atual. E foi em grande parte a transformação dessa cultura que nos trouxe onde estamos hoje.

Arquitetamos uma mudança estudada que colocou *nosso pessoal* na dianteira. E houve um surpreendente nível de interesse externo na formação de nossa cultura. Muitos de nossos clientes, bem como de empresas não clientes, nos solicitaram um treinamento para a "mudança cultural". Eles passaram algum tempo em nossos escritórios conversando com nosso pessoal e estudando nosso ambiente. Conversaram conosco sobre as medidas que tomamos para construir a cultura que temos hoje.

Buscamos a contribuição de nosso pessoal, pois eles "vivem" a cultura. Passamos muito tempo naqueles primeiros dias sonhando acordados, como um grupo. Não conhecíamos o nome técnico daquilo que queríamos vir a ser, mas elaboramos um plano assim mesmo. Considerando as coisas nessa retrospectiva, talvez tenha sido melhor desse modo. Não moldamos nossa cultura a partir de princípios em que *devíamos* acreditar, mas a partir de princípios que adotáramos *naturalmente*.

Eu não creio, por exemplo, que algum de nós já tivesse ouvido falar do estilo de administração da "pirâmide invertida", mas sabíamos que teríamos de apoiar nosso pessoal de linha de frente. Sabíamos que sua contribuição era essencial, pois eles é que estavam mais próximos do cliente no dia-a-dia. Eles eram os "donos do saber".

Éramos então muito menores, mas sabíamos estar construindo algo especial. Queríamos descobrir um meio de preservar esse algo conforme crescêssemos. O crescimento parecia assegurado. Nossos clientes começavam a nos dizer que queriam que lhes prestássemos serviços nacionalmente. Conforme os comentários foram se espalhando de cliente em cliente, começamos a receber pedidos para administrar suas viagens nacionais, e hoje administramos suas viagens globais.

Nossos clientes mostravam-se ansiosos para conversar com nossos funcionários, porque estes eram felizes e tinham orgulho de seu trabalho. Diziam que nossos associados demonstravam um senso de propriedade da empresa. Eles tinham uma atitude de "deixe a bomba comigo", e nossos clientes gostaram do resultado.

Isso representou para nós um desafio imenso, pois nossa cultura não estava formalizada. Conforme fomos nos convertendo rapidamente de uma empresa então regional em uma empresa nacional, à qual se integravam esquadrões de pessoas, como preservaríamos o que nossos clientes haviam passado a prezar?

Viva o Espírito
Captando uma Cultura

Já não podíamos esperar que nossa cultura fincasse raízes naturalmente em novas localidades e novos associados. Era hora de formalizá-la. Chegamos mesmo a lhe dar um nome ("Viva o Espírito"), cores corporativas (azul e branco) e uma mascote (o salmão).

O primeiro passo foi captar o que havíamos construído e colocá-lo em palavras que pudéssemos compartilhar universalmente. Criamos uma missão institucional e um conjunto oficial de filosofias e valores. Cunhamos nosso próprio idioma de serviços: a "linguagem elegante". Essa linguagem é parte de nossa abordagem geral de serviços, que chamamos de "serviços elegantes".

O princípio por trás dos serviços elegantes é criar uma experiência de serviços muito além da esperada. Todos a conhecemos quando passamos por ela. A elegância, por sua própria definição, significa refinamento, polidez, graciosidade. Igualmente, procuramos passar por meio dos serviços uma elegância que tenha para nossos clientes esse mesmo significado quando interagem com nosso pessoal.

A linguagem elegante é um modo de falar que reflete genuinamente a maneira como nos sentimos acerca de nós mesmos, de nossos clientes e do que estamos fazendo. É fácil incorrer em um falar preguiçoso que, quando bem considerado, não traduz o que temos em mente tão eficazmente quanto o fariam palavras mais expressivas.

Atender ao telefone com um "Alô?" não diz nada. Pessoas que se orgulham de si mesmas e de seu trabalho devem querer identificar-se e oferecer ajuda à pessoa na linha. Uma saudação melhor seria: "Bem-vindo à Rosenbluth International. Aqui fala Hal Rosenbluth. Em que posso ajudar?" Isso leva um pouco mais de tempo. Exige um esforço maior. Mas significa muito mais tanto para a pessoa que liga como para a que atende.

O desfecho que você esperaria da maioria das ligações seria um "Até mais". Que inexpressivo! Que terminante! Que falta de inspiração! Essa despedida deixa vazia tanto a pessoa que liga quanto a que atende. A frase a seguir não diz muito mais? "Obrigado por ligar para a Rosenbluth International. Foi um prazer ajudá-lo."

Nunca designamos nosso pessoal como *empregados*. Se consultar um dicionário de sinônimos, você encontrará esse termo listado junto a palavras duras e humilhantes como *mercenários, serventes* e *subordinados*. Tais palavras estão longe de refletir o modo como consideramos nosso pessoal. Nós os designamos por *associados,* que o dicionário define como *colegas, parceiros* e *amigos.*

Quando uma pessoa conhece as vantagens de se expressar de maneira mais elegante e significativa, não há mais como voltar atrás. Mas não se trata somente da linguagem; trata-se da atitude. Nosso pessoal tem de sentir essa linguagem genuinamente. É isso que dá significado às palavras.

Pentimento
As Cores Verdadeiras Aparecerão

Existe um fenômeno em artes plásticas chamado *pentimento*. Ele ocorre quando um artista pinta uma tela e então "apaga" a imagem pintando por cima dela. Anos mais tarde, a imagem original começa a aparecer. Assim, o pentimento é o aparecimento de uma pintura ou de um desenho feito anteriormente.

Por exemplo, se um artista pintou um vaso de frutas e concluiu que esse não o agradou, ele pode apagá-lo com uma demão de preto ou branco e então pintar uma cena de jardim. Conforme o tempo passa, o vaso de frutas começará a aparecer no jardim.

As cores verdadeiras das pessoas aparecem, assim como as das empresas. Não basta que nosso pessoal atenda ao telefone com as palavras certas. Qualquer empresa sem tipo pode ensinar seu pessoal de atendimento telefônico a usar uma linguagem especial. Muitas empresas pararam de chamar seu pessoal de *empregados*. O que faz com que isso funcione?

Chamamos de trabalho sincero aquele dotado de suficiente força para dar realidade a uma ilusão.

– Max Jacob (1876-1944)

É fácil oferecer palavras prestativas sem oferecer ajuda. O que dá significado à linguagem elegante é o fato de que as pessoas que a usam estão prontas para sustentá-las com ação. As palavras e as atitudes com as quais nos comunicamos fazem com que nossos clientes se sintam especiais, acalentados. O serviço que acompanha tais palavras é que dá valor a elas. Para instilar em nossos clientes a confiança de que estamos qualificados para servi-los, nosso pessoal precisa possuir boas técnicas de comunicação, ser positivo, usar uma gramática e um vocabulário corretos, e ter um conhecimento completo de nossos produtos e serviços.

Mas é mais do que isso. Nosso pessoal precisa entender nossos clientes — ser capaz de se pôr no lugar deles, conhecer seus princípios, necessidades e desejos. É importante que cada cliente sinta ser nosso único cliente. E precisamos nos comportar de acordo com isso.

O que torna a palavra *associado* significativa é o fato de que nosso pessoal é tratado com respeito e carinho, hora após hora, entra dia, sai dia. A atitude de um indivíduo com relação a sua empresa é um reflexo direto das experiências que ele tem dentro da organização.

É a profundidade por trás do comportamento que conta. Essa profundidade vem dos indivíduos que compõem a organização e do compromisso da organização para com eles. Não há como simular isso. O estado verdadeiro de uma empresa aparecerá durante suas interações diárias com seus clientes.

Reputações não são destinos, são jornadas. Todo e qualquer encontro entre o pessoal de uma empresa e seus clientes tem o poder de aumentar ou diminuir o prestígio da empresa.

Qual é Afinal o Montante?
Nossa Resposta para uma Pergunta Freqüente

Já nos perguntaram por repetidas vezes qual tipo de incentivo financeiro oferecemos para que nosso pessoal seja consciencioso como é. A resposta é que, na maioria das vezes, não é assim que agimos.

Perguntei a nossa equipe de recursos humanos o que nossos funcionários dizem motivá-los, e por que eles se sentem comprometidos com a empresa. A resposta é que eles ficam ansiosos por vir trabalhar de manhã. Eles não tremem de medo do tratamento que receberão nem ficam acordados à noite se preocupando com isso. Muitas pessoas em outras empresas vivem temendo por seus empregos.

Nosso pessoal diz que se sente feliz e bem à vontade, e esse tipo de tranqüilidade mental tem um imenso valor para muitas pessoas. Não são as recompensas financeiras que deixam impressões indeléveis no comportamento das pessoas. É a qualidade de vida.

As conseqüências são significativas — e não ligeiras. A maioria das empresas pode calcular o impacto econômico de um desligamento equiparando-o a seis meses de salário da pessoa demitida. Isso corresponde aos custos de recrutamento, contratação e treinamento de um substituto. E esses são custos em que a maioria das empresas não pode se dar ao luxo de incorrer.

Difundindo a Cultura
Comunicando uma Cultura

Nenhum dos elementos formalizados de nossa cultura é imposto a nossos funcionários. Nós não os inventamos. Somente olhamos à nossa volta, vimos quais as coisas que as pessoas vinham fazendo melhor e cuidamos para que todos tivessem o benefício de saber que coisas eram essas.

Quando, há mais de vinte anos, nos dispusemos a "captar" nossa cultura, uma equipe de cinco associados visitou todos os nossos escritórios e observou as pessoas no trabalho. Eles definiram os elementos de nossos serviços que faziam com que fôssemos como éramos. Em seguida, conversamos com o executivo-chefe de treinamento dos hotéis Ritz-Carlton, pois admirávamos muito seu estilo de serviços e procurávamos aprender com ele.

Então elaboramos programas de comunicação para esclarecer nossa abordagem de serviços e compartilhá-la com todos aqueles que a punham em prática. Por exemplo, a linguagem elegante já vinha sendo usada pela maioria de nosso pessoal. Mas, para assegurar que as pessoas que se uniam à empresa entendessem a idéia e sentissem orgulho com ela, imprimimos cartões com exemplos de frases elegantes, que cada pessoa manteria em sua mesa. Muitos associados levaram os cartões para mostrar a suas famílias, as quais gostavam do que ouviam quando ligavam para nossa empresa e, assim, queriam aprender mais.

Houve cartões laminados de apresentação contendo nossa missão institucional e nossas filosofias e valores; mensagens diárias em rede (antes de haver e-mails); e programas de treinamento por acompanhamento, para assegurar que houvesse uma mensagem unificada. Para dar o arremate nisso tudo, divulgamos nossa cultura recém-cunhada em um encontro geral da empresa. Algo de tamanha importância exige um encontro cara a cara entre todos os funcionários.

Hoje nossa cultura encontra-se firmemente estabelecida, sendo reforçada por meio de diversos programas e veículos em vigência. Eis aí um processo sem-fim. Mas nossa ferramenta mais valiosa é o protecionismo de nossos associados no que se refere a nossa cultura. Eles a protegem ferozmente.

Uma Única Cara
Mantendo a Sinceridade da Cultura

A raiz da palavra *sincero* é fascinante. Ela vem do latim *sine* (que significa *sem*) e *cera* (que significa *cera*, mesmo). Nos dias do Império Romano, possuir mármore era um sinal de riqueza e prestígio, e, quanto mais liso fosse o mármore, mais valor ele tinha.

Os comerciantes do ramo tapavam fissuras em suas peças de mármore com cera, para fazê-las parecer impecáveis. Mas quando o novo proprietário voltava para casa com as peças, a cera se derretia no calor do verão e a forma verdadeira do mármore se revelava. Assim, a palavra *sincero* deriva de *sem cera*. Afinal de contas, são as fissuras que tornam o mármore tão bonito.

Um segredo para fazer com que uma cultura funcione é a sinceridade. Damos a mesma ênfase a "Viver o Espírito" entre nós mesmos assim como entre nossos clientes. Claro que os identificadores de chamada nos permitem saber se uma ligação é externa ou interna, mas respondemos do mesmo modo sempre que o telefone toca.

Creio que todos julguem desconcertante ver alguém tratar um cliente com cortesia e em seguida "desligar" o charme ao falar com um colega. O comportamento deve ser consistente para ser sincero. As pessoas devem tratar umas às outras como aos clientes. Devemos nos esforçar e muito para alcançar a antítese absoluta do complexo do médico e do monstro.

O código de ética tem de ser tão forte quanto a ética do trabalho. A felicidade no trabalho deve ser recriada dia após dia. Em nossa empresa, temos um código de ética não declarado segundo o qual nunca abandonaremos uns aos outros. Acreditamos que, se o seguirmos, jamais abandonaremos nossos clientes. Se nossa equipe de vendas dissesse a um cliente que temos um produto tecnológico que na verdade não temos, eles estariam deixando ao léu seus colegas da área de tecnologia, que teriam de fazer do produto uma realidade em um prazo irreal.

A confiabilidade das pessoas de uma empresa em que haja respeito mútuo é uma boa medida de quão confiáveis elas são para seus clientes. No fim das contas, no exemplo anterior, o cliente é que seria abandonado. Quem garante que o produto pode ser desenvolvido no prazo prometido? Além disso, um produto desenvolvido às pressas não seria tão eficaz quanto outro cuidadosamente planejado.

Acreditamos que, quando os associados abandonam uns aos outros, eles afetam negativamente as vidas uns dos outros. E, quando fazem isso, excedem seus limites. Por aqui, um associado que colocar outro em uma situação comprometedora assinará sua demissão da empresa.

O Salmão Corporativo
A Escolha de uma Mascote da Empresa

I shall be telling this with a sigh
Somewhere ages and ages hence:
Two roads diverged in a wood, and I —
I took the road less traveled by,
And that has made all the difference.[1]
– Robert Frost, "The Road not Taken" (A trilha não percorrida)

Nossa empresa prospera por ser atípica. Gostamos de ser diferentes, de desbravar novas trilhas, de induzir à comoção. Nossos heróis são aqueles que ousaram fazer coisas diferentes. Se a corrente flui em um sentido, é quase certo que nadaremos no outro. Houve épocas em que, ao fazer isso, parece que conseguimos até inverter a corrente.

Por sermos um grupo de opositores que sempre insistiu em nadar contra a corrente, selecionamos o salmão como nossa mascote corporativa. Nosso pessoal adora ter uma mascote. É um grande estimulador do moral e um grande formador de equipes. E as pessoas têm um apreço particular pelo salmão.

Ganhei salmões de muitos tipos desde a adoção de nossa mascote. Associados, clientes e fornecedores de todo o mundo enviaram certas espécies bastante incomuns. Tenho uma estátua de um salmão sobre rodas em meu escritório, além de uma almofada em formato de salmão, um salmão de chocolate e, claro, o salmão empalhado que projetamos e produzimos para nossos clientes. Disponibilizamos recentemente para nossos associados bonecos de salmão, e, no dia em que foram apresentados ao público, servimos salmão de almoço no refeitório de nossa sede mundial.

Sabemos que aqueles que viajam por uma trilha diferente podem ter uma jornada mais difícil. Mas podem experimentar aí coisas que os que seguem por caminhos tradi-

1 N. do T.: "Hei de contar isso com um suspiro / Em algum lugar daqui a eras e eras: / Duas trilhas se abriram em um bosque, e eu — / Eu tomei a trilha menos percorrida, / E isso fez toda a diferença."

cionais talvez nunca cheguem a ver. E, o que importa mais nos negócios, eles terão chegado às novidades primeiro.

As pressões externas do mundo e do clima de nosso mercado entram em conflito com o modo como trabalhamos. Mas nós nos atemos a nossas armas, pois sabemos que criamos uma cultura capaz de resistir a modismos e tendências. Acima de tudo, ela oferece a felicidade, que é chave do sucesso.

Um Ambiente Único
Preparando o Palco para a Criatividade

É possível dizer muito sobre a cultura de uma empresa meramente caminhando por suas instalações. Sua "personalidade" é fácil de captar. Vou conduzi-lo em um passeio mental por nossa sede, só para lhe dar uma idéia do que quero dizer. Nossa recepção contém grandes bandeiras representando cada um dos muitos países do mundo onde há unidades nossas. A riqueza e a influência positiva de cada uma das culturas representadas e o trabalho árduo e a grande contribuição de nossos associados em cada um desses países estão entre as coisas que mais valorizamos.

Nosso refeitório é animado e descontraído, com uma cabine de música e baias grandes e confortáveis. É um ponto de encontro celebrado. Nós o fizemos assim para que as pessoas pudessem compartilhar idéias, desenvolver amizades e ter um local para espairecer, relaxar e sentir-se recomposto. Quando nossos clientes nos visitam, sempre almoçamos ali, e não em restaurantes. Queremos que eles se sintam parte de nossa família e conheçam nossos associados.

Nossa biblioteca corporativa tampouco é o que você esperaria. Nós a chamamos de "The Gathering" (O Conclave), e ela tem assentos superestofados sobre os quais as pessoas se sentem livres para pôr os pés. Nossos associados a visitam para ler jornais em diversas línguas, para passar algum tempo on-line ou para fazer reuniões casuais. Há também uma estação com materiais e recursos para ajudar os associados a alcançar o equilíbrio entre o trabalho e a vida.

Além disso, tem o lado *high-tech* de nossa personalidade. Nosso Centro de Operações em Rede possui um painel de vídeo que exibe nossas estatísticas de qualidade, a atividade de nosso sistema telefônico, as últimas previsões de tempo, os eventos mais recentes, os atrasos em vôos e outras informações, rastreadas por nossos especialistas, passíveis de afetar nossos clientes. Parece um centro de controle da NASA. Você voltará a ler sobre a área de alta tecnologia no Capítulo 12, "Parcerias Abertas". Trata-se de nosso centro futurista, o *Continuum*, cuja entrada parece o leme de uma espaçonave.

Nossa sede mundial tem um nome: Riverplace. Chamamos nossas salas de reunião de "centros de pensamento", nome que reflete precisamente o que ocorre ali. Temos uma política de reuniões abertas. Toda reunião encontra-se aberta a todos os associados (com a exceção de avaliações de desempenho e outras reuniões que possam trair o sigilo dos associados). Para facilitar o comparecimento das pessoas, as reuniões são divulgadas, de modo que todos saibam onde e quando elas ocorrerão, sobre o que versarão e quem as estará comandando.

Tais coisas não são meros chamativos. São parte do que somos. Elas não funcionariam para todos. Cada empresa precisa se conhecer intimamente para descobrir o que a torna única, e moldar tudo o mais em função disso. O resultado é uma cultura que permeia a organização, e da qual as pessoas sorvem força.

Deve Ser Divertido
Celebrando o Sucesso

Sempre sustentei a teoria de que podemos medir a extensão de nosso sucesso pelo nível de diversão que experimentamos. Pense sobre isso — alguém já se divertiu fracassando? Normalmente não. Por outro lado, vencer é divertido, e as vitórias acirradas são ainda mais divertidas.

Veja o caso da Disney. Uma das empresas mais respeitadas e mais bem-sucedidas de todo o mundo, ela fez da "diversão" um negócio, e se tornou lendária por ser um excelente local para trabalhar. Por exemplo, a empresa abre seus parques uma noite por ano para uma festa comemorativa para seus empregados (ou, como os chamam, "membros do elenco") e suas famílias. A administração, até as mais altas esferas, comanda o parque naquela noite.

Você verá nas páginas seguintes a que extremos chegamos para assegurar que nossos associados se divirtam. Aqui estão uns poucos exemplos para começar. Temos um "Dia dos Cinqüenta", quando todos os associados de nossos centros de atendimento que conseguiram atingir sua meta de redução de custos vêem cair em seus colos uma nota de cinqüenta dólares. Incluímos uma sessão de karaokê em praticamente todas as reuniões que fazemos em nosso rancho executivo (sobre o qual você lerá mais no Capítulo 13, "Desbravando Novas Trilhas").

Sempre tentamos incorporar a diversão em nossos eventos de aprendizado, pois sabemos que, quando as pessoas aprendem por meio de experiências inesquecíveis, elas tampouco esquecem as lições ensinadas. Com esse fim, promovemos gincanas por toda a cidade, concursos de talentos e outras extravagâncias de aprendizado. Duas particularmente memoráveis foram uma Olimpíada e um Decatlo.

A Olimpíada foi um encontro de líderes que durou dois dias, nos quais a meta era conquistar negócios. Os líderes seniores desempenhavam o papel de clientes, enquanto as equipes compostas de gerentes-gerais, associados de vendas e outros líderes tinham de vender seus serviços aos pretensos executivos. Eles representavam departamentos de suporte com a função de proporcionar recursos (como fazem na realidade), e as equipes competiam por esses recursos.

Cada equipe organizou uma sala de guerra e trabalhou unida para elaborar apresentações personalizadas para os clientes. Só haveria um ganhador para cada um deles. A equipe vencedora ganhou medalhas, e uma avaliação das melhores práticas aprofundou o aprendizado. Durante esse exercício intenso e competitivo, todos aprenderam muito sobre o processo de vendas e sobre o valor e a relevância de cada departamento dentro da organização.

O Decatlo do aprendizado foi um evento de acompanhamento da Olimpíada, e mostrou-se tão eficaz que fizemos dele um acontecimento anual. Esse encontro reúne a liderança da empresa (gerentes-gerais, diretores, vice-presidentes), que compete em dez eventos. Um deles era uma competição de narrativas, em que fornecíamos informações sobre eventos hipotéticos desconexos e lhes pedíamos que as entrelaçassem em uma história. Por exemplo, uma ofensiva aérea em Israel, uma guerra em Kosovo, um surto de crescimento no número de quartos de hotel no Japão. Os eventos aparentemente não têm relação, mas todos têm certo efeito uns sobre os outros. A equipe que melhor explicasse a corrente de eventos venceria. O sentido disso é que, caso não ligue os pontos para formular pareceres nem se valha das informações para prognosticar e se preparar para o futuro, você não estará agregando nenhum valor.

Outro evento foi uma variação incomum da dança das cadeiras. A pessoa que ficasse sem assentos ao fim da música tinha de responder a uma pergunta sobre nossa proposta de valores. Se não soubesse respondê-la, teria de cantar alguma música para as demais. Os participantes podiam marcar pontos de "carisma" desviando a atenção dos juízes das pessoas ainda no jogo, desde que soubessem responder às perguntas corretamente. A lição é que alguém pode chegar na última hora e arrebatar o prêmio. Isso certamente acontece nos negócios.

Outros eventos incluíam a escalada de rochedos, o "Pôquer de Contato Total", o "Golfe Virtual", a "Excursão do Terror", "Paz, Amor e Apresentações" e muito mais. O encontro teve início com uma gigantesca palestra introdutória e chegou ao fim com um encontro de meio dia com os executivos do topo. Foi um evento definitivamente memorável, em que todos aprenderam muitas coisas verdadeiramente úteis.

Para mim, a diversão e o sucesso encontram-se tão entretecidos que não sei dizer qual dos dois vem primeiro. As pessoas que apreciam o que fazem e se divertem em seu trabalho são as bem-sucedidas? Ou as que por acaso são bem-sucedidas são as que mais parecem se divertir? Não tentarei decifrar essa. Minha filosofia é justamente seguir ambos. Diversão garantida, sucesso garantido.

Quando você se diverte, sua alegria fica em evidência. Você já conversou com alguém que tem o talento de "sorrir ao telefone"? É um prazer fazer negócios com pessoas assim, e as melhores organizações estão cheias delas. É algo que não pode ser simulado.

De fato, fazemos da diversão parte de nossa estratégia oficial. Falo sério. Garantir que nosso pessoal aprecie seu trabalho e se divirta é sempre uma alta prioridade para nós. Queremos que as pessoas gostem de sua jornada; pois, quando chegam lá, isso fica evidente em seus rostos e em seu serviço.

Feliz como um Salmão
Programas de Reconhecimento

Soubemos de nossos amigos da Federal Express que eles tinham um programa de reconhecimento chamado "Bravo Zulu". Quisemos então saber mais a respeito, e criamos um programa próprio com base em nossa mascote corporativa, o salmão.

O programa congratula os associados que vão além da média para ajudar colegas e clientes. Queríamos que o programa funcionasse no dia-a-dia, por isso criamos materiais temáticos baseados no salmão que nossos associados usam para cumprimentar uns aos outros. Por exemplo, quando recebemos uma carta elogiando um associado, seu chefe lhe envia uma cópia com um adesivo de um salmão. E os associados enviam uns aos outros cartões com salmões contendo mensagens de agradecimento ou incentivo.

A maior honraria de nossa empresa é o broche do salmão. Também temos broches de serviços para congratular o tempo de casa, mas o broche do salmão é reservado para aqueles associados que excedem em muito até as expectativas de um salmão.

O Mês de Agosto É dos Associados
Um Evento Anual para Dizer Obrigado

É importante tirar um tempo todos os anos para reconhecer as contribuições de nosso pessoal, mas estamos sempre ocupados, e o tempo parece voar. Em agosto, porém, nunca nos esquecemos disso. É o *Mês de Apreciação dos Associados* em nossa empresa, época reservada todos os anos para eventos e atividades especiais de agradecimento a nosso pessoal.

Todo mês de agosto ocorre algo de especial a cada dia. Algumas atividades são planejadas na sede e implementadas por toda a empresa, enquanto outras o são localmente, por associados voluntários. Cada escritório tem sua própria celebração. Incentivamos nossos fornecedores a patrocinarem cada qual algum prêmio, fornecendo gratuitamente a nossos associados viagens aéreas, estadas em hotéis e aluguéis de veículos, ou promovendo festas, cafés da manhã, almoços ou tratamentos especiais.

Um evento que todos aguardam com ansiedade é nosso churrasco da vice-presidência, em que nossos altos executivos preparam assados e os servem a nossos associados sob uma tenda no estacionamento de nossa sede mundial. Outro evento celebrado é a *open house* interna. Cada departamento comparece trajado de acordo com algum tema. Por exemplo, um departamento procurou imitar o seriado de TV *Survivor*. Uma nova subsidiária promoveu uma festa de aniversário para comemorar seu primeiro ano de operação. Nossos associados podem visitar todas as áreas, conhecer seus colegas e aprender sobre as diferentes áreas de responsabilidade.

Durante o Mês de Apreciação dos Associados, também estabelecemos o Dia do Voluntário da Rosenbluth International, quando os associados têm a oportunidade de contribuir com suas comunidades.

Alguns dos eventos tratam de conhecer e julgar melhor as outras pessoas. Por exemplo, temos um concurso para adivinhar a história favorita que as pessoas têm sobre si mesmas. É um excelente método de saber mais sobre pessoas que você *pensa* que conhece.

Um de nossos associados apareceu com John F. Kennedy em uma foto publicitária quando criança. Outra foi animadora de torcida da Liga Nacional de Futebol. Uma pessoa era faixa marrom em caratê, enquanto outra, já com vinte e cinco anos de empresa, fora atriz-mirim e estrelara dezenas de comerciais de TV.

Nosso índice de acertos ao adivinhar as histórias das pessoas costuma ser muito baixo. Há muita coisa que não aprendemos sobre os outros durante o dia de trabalho, mas tais histórias são parte de nossas vidas. Elas nos tornam pessoas interessantes. E ajudaram — e vão continuar ajudando — a fazer de nós o que somos.

Sempre encerramos o Mês de Apreciação dos Associados com nossos líderes remetendo uma nota pessoal a cada um de seus associados, agradecendo por seus esforços e contribuições. Isso tudo exige algum tempo, mas é algo que nosso pessoal aguarda ansiosamente todos os anos. É uma idéia que todos podem adotar para o uso em suas empresas. O segredo está apenas em dizer obrigado, e isso é algo que todos devemos fazer.

Cara a Cara
Encontros Gerais da Empresa Fortalecem o Moral

Quando celebramos nossa cultura naquele primeiro encontro geral da empresa, descobrimos que ele era um investimento tão bom que o promovemos várias vezes desde então, a princípio anualmente, e depois, conforme crescíamos, a cada cinco anos. O encontro é educacional, motivacional, produtivo e, mais importante, agradável. Afinal de contas, ele precisa ser divertido.

Ele é um dos melhores propulsores do moral que conhecemos. De algum modo, reunir pessoas de todas as linhas de negócios, de todos os departamentos e de todas as regiões do mundo cria uma mágica difícil de reproduzir.

Os encontros ocorrem durante um fim de semana, e trazemos pessoas de todas as partes. No encontro de 1997, reunimos mais de quatro mil pessoas oriundas de vinte e cinco países, falando doze idiomas diferentes.

Há seminários educacionais e eventos sociais. Promovemos uma feira em que cada departamento e cada linha de negócios fazem exibições, ajudando os associados a traçar seus planos de carreira, a conhecer os desenvolvimentos mais recentes e a ver como as partes se encaixavam.

Um evento pouco comum ocorrido durante esse encontro foi um jogo de Rampas e Escadas em tamanho real (você lerá mais sobre nossa relação com esse jogo no Capítulo 8,"O Processo de Cultivo"). Para o encontro, construímos um tabuleiro de duzentos metros quadrados que se estendia sobre o piso de todo um salão no Centro de Convenções da Filadélfia. Tínhamos escadas e rampas em tamanho real, e dados com meio metro de aresta. Nossos associados agiram como peças, e 250 clientes se dividiram em equipes para jogar. Ao longo do tabuleiro havia dicas para reduzir seus gastos com viagens. O evento foi muito informativo, e se destacou como um dos mais memoráveis do encontro.

Convidamos nossos clientes e fornecedores a fazer discursos ante nossos associados. Também temos reuniões centradas em clientes específicos, nas quais pessoas que servem um determinado cliente por todo o mundo se reúnem com ele cara a cara. Falamos bastante do futuro e do que ele reserva, para garantir que estejamos todos voltados à mesma direção. É um grande foro para a comunicação. É um programa que nunca é demais ser recomendado.

Um Plano Global de Desenvolvimento Profissional
Uma Oportunidade de Aprendizado de Proporções Globais

Desenvolvemos recentemente um programa para incentivar a partilha do conhecimento em todo o mundo. Nosso *Programa Global de Desenvolvimento Profissional* proporciona aos associados a oportunidade de manifestarem seu interesse em uma região ou país específico (entre cinqüenta possíveis) e/ou em um departamento específico para uma transferência de curto prazo (na maioria das vezes de três meses a um ano). De modo similar, os escritórios indicam suas necessidades de curto prazo. As informações são cruzadas para alinhar os interesses dos associados com as necessidades empresariais.

Exige-se apenas que o associado esteja em seu cargo atual há no mínimo um ano, que ele seja plenamente proficiente na função e que tenha boas relações com a empresa. Pedimos aos candidatos que descrevam suas metas profissionais e seus objetivos de negócios com a participação no programa, e que apresentem um plano de ação abrangente e um currículo.

O associado trabalha junto com seu líder para determinar metas e objetivos programáticos. Um "líder adotivo" no novo departamento agirá temporariamente como chefe durante a estada do associado no local temporário. Muitos associados deixam sua casa disponível para outros associados de fora, no caso de estes desejarem ficar com um colega local.

O programa tem muitos benefícios. Por meio dele, as pessoas passam a entender melhor novas culturas, departamentos e responsabilidades. Ele representa um excelente foro para a partilha global das melhores práticas. Além disso, nos ajuda a atender a necessidades imediatas de curto prazo em locais variados. E, o mais importante, ele ajuda nossos associados a atingir metas em suas carreiras, ao mesmo tempo em que lhes proporciona o crescimento pessoal.

O Dia dos Serviços
Uma Celebração Simultânea dos Serviços

Em 1989, tivemos uma experiência única. Tom Peters considerou a Rosenbluth International a "Empresa de Serviços do Ano". Ficamos sem palavras (por cerca de uma semana).

Então resolvemos celebrar. Planejamos uma celebração geral na empresa, que ocorreria simultaneamente por todo o território dos Estados Unidos. Percorri um pequeno mapa e visitei tantos escritórios quantos me foi fisicamente possível em um único dia.

Havia quatro de nós viajando de cidade em cidade em um avião minúsculo. O dia foi um dos mais tempestuosos de que me lembro. No céu, havia trovões retumbando e relâmpagos rasgando à nossa volta. Nenhum de nós estava seguro de que sobreviveria. Havia pelo menos cinco sujeitos pálidos no avião — talvez mais, porém tive receio de olhar na cabine para descobrir.

Então, de súbito, como que do nada, a tempestade se desfez, e entramos em uma faixa de nuvens ondulantes raiadas de sol. Um de nós comentou: "Estamos salvos, ou isso é o céu?" Aquela foi a piada do dia, mas a verdade é que aquele dia lembrava um pouco o céu. Não foi somente um dos melhores dias de minha carreira, foi um dos melhores de nossa empresa. Que melhor ocasião para celebrar do que a ocasião de servir nossos clientes?

Garantindo a Felicidade no Ambiente de Trabalho

Resumo

- Toda organização tem uma cultura: a sua é a que você queria? Se não for, mude-a. Busque o auxílio de seu pessoal. Afinal, eles é que estarão vivendo a cultura.
- Formalize sua cultura. Identifique-a. Nomeie-a. Certifique-se de que ela resiste ao crescimento e às mudanças. Tenha programas organizados para reforçá-la — como um encontro geral da empresa. Se seu porte ou suas circunstâncias geográficas impossibilitarem um encontro geral da empresa, pense em programas que reúnam o máximo possível de pessoas que normalmente não têm a oportunidade de se verem cara a cara.
- Tente instituir sua própria forma de linguagem elegante — uma que se ajuste à personalidade de sua empresa. Você sentirá a diferença, assim como seus clientes. Divulgue o programa com bastante alarde, incentive seu pessoal a tomar parte e divirta-se.
- Incentive seus funcionários a tratarem uns aos outros como tratam os clientes. Os serviços e o profissionalismo devem começar no escritório e emanar para seus clientes. Fique atento a quaisquer traços da síndrome do médico e do monstro.
- Pense em adotar uma mascote da empresa. Se você tivesse de escolher uma hoje, qual seria? O que você gostaria que ela se tornasse?

- Trabalhe para fazer da diversão uma parte da vida diária de sua organização. A diversão promove a produtividade. Por exemplo, quanto mais memorável for um evento, mais as lições serão relembradas. O poder da diversão é em grande parte subestimado.
- Pense em um "programa de intercâmbio" que alinhe as necessidades de curto prazo de departamentos ou unidades locais com metas individuais de carreira. Programas como o nosso para o desenvolvimento profissional global podem ajudar a estimular a troca de idéias, a fortalecer o moral, a reduzir as despesas das contratações temporárias e a ensejar um maior entendimento de culturas variadas, dos departamentos da empresa e das pessoas.
- Celebrar o sucesso é essencial. Programas formalizados de congratulação podem ser eficientes, assim como a designação de uma época específica todos os anos para agradecer o seu pessoal.

CAPÍTULO SETE

O Nascimento e o Desenvolvimento de uma Idéia

Para cada idéia realmente brilhante que temos, foram necessárias muitas e muitas idéias ruins. Certa vez, tive uma má idéia que chegou a me custar um emprego. Quando estava na faculdade, estudei criminologia e fiz estágio no departamento correcional do Estado. Trabalhava com os detentos para ajudá-los a passar no teste de equivalência do ensino médio antes da soltura. Nas horas vagas, eu organizava para eles programas de atletismo, e tinha nisso grande prazer. Eu podia ver que tais atividades eram importantes para eles, e isso era muito gratificante para mim.

Um dia tive uma grande idéia, ou ao menos assim me pareceu: eu organizaria uma partida externa de *softball* contra uma equipe de detentos de outra prisão. Não preciso dizer que a idéia não agradou à administração. Eles concluíram que eu era crédulo demais para continuar respondendo pelos internos em tais programas. Existe uma linha tênue entre a criatividade e a ingenuidade, e até hoje não sei se a coisa teria dado certo.

Isso ocorreu há três décadas e há milhares de idéias. Algumas idéias merecem adoção, e outras não. O importante é mantê-las fluindo e encarar os fracassos como passos rumo ao sucesso. Mesmo os maiores inovadores por vezes se equivocam. O exemplo favorito do pessoal por aqui é a história de um encontro entre meu avô, Joseph Rosenbluth, e um representante de vendas de uma empresa aérea na década de 1930. Ao final da reunião, Joseph lhe disse: "Meu filho, procure outro ramo. Esse negócio de linhas aéreas nunca valerá muita coisa".

O significado que o dicionário atribui à palavra *idéia* é: "Aquilo que existe na mente, de modo atual ou potencial". As palavras-chave são *atual*[1] e *potencial* — porque sabemos que existe um mundo de diferenças entre pensar em algo e colocar esse algo em prática.

---

1 N. do T.: No sentido de "real".

Todo o mundo tem idéias, algumas melhores que outras. Mas elas vivem na mente das pessoas. Elas precisam ser exibidas, refinadas, testadas e implementadas. As idéias são o fluido vital de uma empresa. Elas cerzem o tecido de seu futuro, mas são frágeis.

As idéias ocorrem aos curiosos — àqueles que se perguntam: "O que melhoraria nossas vidas?" Mas elas devem ser desenvolvidas e cultivadas. A repressão das idéias começa quando somos jovens e nos dizem: "Faça isso e não pergunte por quê" ou "É assim que as coisas são". A criatividade e a inovação não são suficientemente incentivadas em nossas escolas, lares ou vidas profissionais, mas aqueles que procuram esses dons podem encontrá-los e os encontrarão nos ambientes corretos.

Seduza as Musas
Criando um Ambiente Que Inspire Idéias

Anos atrás, eu e mais três pessoas do nosso grupo começamos a nos reunir periodicamente na Amtrak[2] para desenvolver novas idéias. Começamos a tomar o "trem da criatividade" por acidente. Um dia nós quatro seguíamos da Filadélfia a Nova York para uma reunião. No trem, começamos a comentar algumas idéias. Acabamos com pelo menos uma dúzia que pensávamos implementar. Ao chegarmos a Nova York, hesitamos em deixar o trem, pois fizéramos mais coisas na viagem do que sabíamos ser possível na reunião.

Decidimos promover reuniões em trens para estimular novas idéias. Pode parecer loucura, mas alguma coisa acontece quando o grupo se reúne naquele ambiente, e estamos tirando proveito disso. A coisa não é tão estranha quando se pensa a respeito. Os grandes mestres da criatividade tiveram seus estilos próprios; por que não podemos ter o nosso?

Ernest Hemingway escreveu muitos de seus clássicos no sul da França e de Cuba, em seu antigo esplendor. Mas algumas de suas melhores obras vieram da Casa de Botín, um restaurante em Madri ainda hoje em atividade. Ele se sentava na adega para criar obras-primas tomando vinho. De fato, foi lá que ele escreveu boa parte de *O Sol Também se Levanta*, em que menciona o restaurante na cena final.

Quando Claude Monet decidiu criar uma representação impressionista da Catedral de Ruão, ele quis captá-la em diferentes momentos do dia, e por isso dispôs uma série de vinte e cinco telas lado a lado em uma loja que fazia frente ao belo edifício. Dali ele podia vê-lo pela janela e pintá-lo durante todo o dia. Ao nascer do sol ele trabalhava na primeira tela, passando algum tempo depois à segunda, em seguida à terceira, e assim por diante, até recriar a catedral esmeradamente em cada iluminação distinta.

2 N. do T.: Empresa ferroviária norte-americana.

Esse trabalho levou cerca de três anos, mas o resultado foram vinte e cinco obras-primas, todas com a mesma vista da catedral, mas todas completamente diferentes. A maioria dos pintores faria uma tela por vez, mas não Monet. Que modo engenhoso de fazer isso — o modo que fazia sentido *para ele*!

Por séculos os artistas se fizeram rodear de fontes de inspiração pessoal e insistiram em trabalhar como bem entendessem. As musas lendárias lançam melhor seu encanto quando não são reprimidas.

Manter um ambiente de trabalho criativo, enérgico e compenetrado ativa o espírito de inovação das pessoas. Incorporar a individualidade no ambiente de trabalho é essencial. Dar às pessoas a liberdade de criar é um início importante.

Comenta-se que Henry Ford contratou certa vez um especialista em eficiência para avaliar sua empresa. O relatório foi positivo, exceto por uma observação sobre um funcionário. "É aquele homem no fim do corredor", ele disse. "Toda vez que passo por seu escritório ele está lá sentado com os pés em cima da mesa. Ele está desperdiçando seu dinheiro."

Ford replicou: "Aquele homem certa vez teve uma idéia que nos poupou milhões de dólares. Na época, acho que seus pés estavam exatamente onde estão agora."

Idéias brilhantes só surgem em ambientes não burocráticos. Nada de criativo jamais surge de organizações morosas que reprimem o espírito empreendedor de seu pessoal. As idéias nunca devem ser suprimidas. Elas precisam ser fomentadas. Se seu fluxo deve ser contínuo, um meio organizado de solicitá-las pode estimular o pensamento das pessoas e manter afiados os talentos criativos.

Em 2000, começamos um programa que chamamos de *Renovação para o Ano Novo*, em que pedimos a todos os associados que reservem algum tempo para pensar em maneiras de aprimorar nossa empresa. Promovemos a Renovação antes do dia primeiro, e escolhemos um dia para a reflexão, incentivando as pessoas a deixarem livres seus calendários e suas mentes e a passarem um dia pensando em como fazer nossa organização melhor ainda no ano seguinte.

A maioria das idéias se refere a maneiras de eliminar processos, reduzir gastos, aumentar a eficiência e automatizar tarefas diárias de modo a ganhar tempo para atividades mais criativas. Como parte da Renovação, promovemos um concurso para recompensar as melhores idéias. Cada vencedor recebe duas passagens gratuitas de avião.

Um associado de Massachusetts teve a idéia de comprar jarros de tinta para reabastecer os cartuchos de impressão (gastando dois dólares) em vez de comprar novos cartuchos (que custam 26 dólares). Reutilizar os cartuchos não só poupa dinheiro, como é também melhor para o meio ambiente.

Outra idéia veio de uma filial do Arizona. Durante o ano de 2000, o cliente atendido por aquela unidade teve um aumento de 50% em seu volume de reuniões, e aumentamos nosso pessoal na mesma proporção. Todavia, a escassez de espaço no escritório exigiu alguma criatividade. Como nossos associados de planejamento de reuniões trabalham viajando ao local dos encontros, eles já estavam munidos de laptops. Decidiram então adotar um plano que incorporasse o trabalho a distância. Ainda assim, a natureza de seu trabalho requeria encontros com a equipe e tempo para conversar cara a cara.

A equipe formou pares em um sistema de camaradagem, em que dois associados partilhavam uma mesa equipada com duas linhas telefônicas. Cada membro da equipe tinha ainda uma linha telefônica em casa. Nas segundas-feiras todos compareciam ao escritório, e a maioria das reuniões era agendada para esse dia (embora todos concordassem em comparecer a reuniões quando necessário). Em seguida todos passavam dois dias no escritório e dois dias em casa. O plano maximiza o crescimento do departamento e minimiza a necessidade de expansão física. Os resultados foram excelentes, e tanto o cliente quanto os associados ficaram satisfeitos.

Para ajudar os associados de um de nossos escritórios no sul da Califórnia a buscar suas metas de carreira, um líder criou um programa chamado *Ponha-se no Meu Lugar*, que permite que os associados ajam como se estivessem na posição do chefe.

Cada líder enumerou as tarefas que podia delegar — coisas como planejar e conduzir uma reunião interna; analisar tendências de erro e prover soluções para erros recorrentes; designar pessoal para atividades; e examinar estatísticas de produtividade. Os associados então cumprem algumas tarefas da lista do líder.

O programa vai um passo além do sombreamento tradicional, dando aos participantes parte das responsabilidades do líder. Ele proporciona ao associado uma experiência valiosa e uma perspectiva mais ampla, ao mesmo tempo em que permite que os líderes se concentrem em problemas estratégicos e passem mais tempo com seu pessoal.

Tivemos algumas idéias excelentes com a Renovação, mas um número ainda maior resultou de nosso estilo aberto e estimulador e de nossa ênfase continuada na criatividade. Realmente, cada dia devia ser um dia da *Renovação*.

Quatro Origens Distintas
Identificando as Raízes da Inovação

Quando ouvimos uma grande idéia, dizemos a nós mesmos: "Por que eu não pensei nisso?" Algumas inovações são feitas por grandes cientistas, e outras por gente comum que fez uma pergunta e transformou a resposta em uma invenção.

As idéias podem advir de todas as fontes imagináveis. Só precisamos de treino para reconhecer as oportunidades à nossa volta. Estudar as raízes das boas idéias pode nos ajudar a identificar o potencial de uma inovação.

Escolhi quatro idéias de nossa empresa com origens bastante diferentes, e mostrarei de onde surgiu cada uma. Tratarei detalhadamente da primeira no Capítulo 13, e discutirei a segunda no Capítulo 10; assim, aqui só veremos como elas surgiram. As duas idéias finais pedem um pouco mais de detalhe.

Estes são apenas alguns dos trampolins de idéias que estão à nossa volta: (1) responsabilidade social; (2) descobrir um modo de fazer algo melhor; (3) atender a uma necessidade do mercado; e (4) criar uma solução para um problema existente.

Uma Empresa com Consciência
Origem N.º 1: Inovando pela Responsabilidade Social

Como você saberá no Capítulo 13, nosso hábito de abrir centros de atendimento ao cliente em comunidades rurais foi uma das idéias mais frutíferas na história de nossa empresa. A origem dessa idéia foi o desejo de fazer diferença — de fazer algo socialmente responsável. No esforço de auxiliar uma pequena comunidade agrária devastada pela seca em Dakota do Norte, abrimos ali um escritório. E, no processo, conquistamos recursos humanos excelentes em um local ideal para os negócios, onde a qualidade é alta e os custos de operação são baixos.

Nem todos os programas destinados a ajudar pessoas beneficiarão as empresas em termos tão tangíveis. Mas não há nada de errado em procurar meios de torná-los proveitosos também para sua empresa. Uma boa maneira de estimular o comprometimento de associados, clientes e partes interessadas é fazer com que tais projetos agreguem valor para sua empresa. Isso na verdade só ajuda a garantir a vida dos programas.

A origem de nossa idéia foi somente o desejo de ajudar, mas o modo como a implementamos é que nos levou a nossas descobertas sobre os recursos rurais. Se houvéssemos dado uma contribuição financeira em vez de abrir um escritório temporário, nunca saberíamos que as comunidades rurais podem ser locais fantásticos para fazer negócios.

Para tomar nossa decisão, procuramos uma maneira de beneficiar tanto a comunidade como nossa empresa. A idéia teve início com uma perspectiva que ia muito além de nossa própria empresa ou mercado, mas nós a utilizamos para ajustá-la ao plano. O resultado foi um benefício *permanente* para o povo daquela comunidade e de muitas outras, para a Rosenbluth International e para outras empresas que desde então seguiram nosso exemplo.

Como Podemos Fazer Isso Melhor?
Origem N.º 2: Criando pelo Auto-Aprimoramento

Se nos perguntarmos a cada dia: "Como podemos fazer isso melhor?", é fatal que encontremos maneiras de melhorar. Sejam grandes ou pequenas, tais melhorias podem levar a descobertas. Como discutirei no Capítulo 10, nosso software de ponto de venda, o Custom-Res®, foi a resposta para a busca de um meio de melhorar nossos processos e nossos serviços aos clientes.

Para explicar rapidamente, o Custom-Res® orienta nossos CCAs ao longo dos passos para agendar as viagens de nossos clientes, incorporando tanto as preferências individuais quanto a política de viagem da empresa em questão.

Há mais de quinze anos, associados de departamentos diferentes estavam dizendo: "Esse processo constitui a maior parte de nosso serviço cotidiano para os clientes. Precisamos dar um jeito de fazer isso mais rápido e com maior precisão". Sua busca por uma resposta acabou levando ao desenvolvimento de um produto que mudou nossa empresa.

É possível criar sistemas para facilitar qualquer processo em qualquer organização. Só precisamos nos perguntar o que gostaríamos de aprimorar, e a resposta se torna nossa inovação.

Sinais de Fumaça de uma Necessidade
Origem N.º 3: Atendendo a uma Necessidade do Mercado

Meu escritório parece uma porta giratória. Todos são incentivados a entrar e a apresentar sugestões. Uma dessas sugestões tornou-se um produto que preencheu uma lacuna no mercado e proporcionou um serviço de que muitas empresas se beneficiaram.

Em anos recentes, as linhas aéreas ampliaram seus descontos para grandes clientes corporativos, aumentando ao mesmo tempo o preço dos bilhetes para compensar os custos de tais descontos. O resultado afetou empresas de pequeno e médio portes, que têm pouco ou nenhum relacionamento estruturado com os fornecedores. Esse segmento de clientela tornou-se desproporcionalmente lucrativo para as linhas aéreas, que estavam em busca de meios econômicos de interagir com tal mercado. Paralelamente, as empresas careciam de um meio de negociar com as linhas aéreas. A resposta para essas necessidades: mytravelbid.com, um ambiente eletrônico de mercado.

A idéia surgiu quando uma associada que trabalhava com a nossa DACODA (um sistema de administração de receita para nossos clientes, sobre o qual você lerá no Capítulo 10) teve a idéia de divulgar eletronicamente pelo sistema as ofertas das linhas aéreas, de modo a estimar seu verdadeiro valor para nossos clientes corporativos. Essa acabaria se tornando uma das aplicações da idéia do mytravelbid.com. Seria, contudo, uma aplicação diferente da idéia que ganhou o enfoque inicial.

A associada da DACODA comentou a idéia com seu chefe, e este lhe sugeriu pormenorizá-la e apresentá-la na próxima reunião de vice-presidência, o que, de fato, aconteceu. Ela recebeu o aval para seguir em frente. Depois de pesquisas e planejamento extensivos, a associada e seu chefe descobriram a necessidade que o mercado tinha de uma bolsa on-line que intermediasse as transações de empresas de pequeno e médio portes. E foi essa a aplicação da idéia que aproveitamos.

No mytravelbid.com, as empresas podem divulgar gratuitamente seus planos anuais de viagem, e os fornecedores fazem ofertas para atendê-los. O site é hoje o centro de um mercado que conecta compradores e vendedores de viagens corporativas. Para as empresas, ele poupa tempo e dinheiro, dando-lhes poder de compra. (A média de descontos recebida é de 17,5%.) Para os fornecedores, ele reduz o custo de prospecção do mercado e oferece a oportunidade de captar uma fatia maior dos negócios de uma empresa recompensando sua lealdade.

Chegamos a essa poderosa ferramenta detectando e enfocando uma necessidade do mercado, embora isso significasse pôr de lado o plano original para abraçar a nova oportunidade. Esse tipo de flexibilidade e de proatividade permitiu a concepção de uma idéia inovadora. Havia necessidade desse serviço no mercado. Isso nos leva a cogitar quantas outras necessidades não existirão à espera de quem as atenda.

Resolução Criativa de Problemas
Origem N.º 4: Desenvolvendo uma Solução para um Problema Existente

Toda empresa sofre necessidades ocasionais e súbitas de recursos extras, e o auxílio temporário externo é inadequado para muitos tipos de tarefa. Nossas necessidades súbitas costumam ser causadas por dois fatores: nossa abordagem de crescimento e as demandas sazonais de nosso mercado.

Anos atrás, tomamos a decisão estratégica de que nosso crescimento devia ser orientado pelos clientes. Em vez de escolher um lugar e pendurar uma placa de "ABERTOS PARA NEGÓCIOS", nós cresceríamos quando e onde nossos clientes exigissem nossa presença. Essa abordagem nos serviu bem, mas apresentou seu número de desafios ao longo do caminho.

Há certos locais nos quais é importante termos um escritório, mas com um número reduzido de pessoas. Tais associados devem poder sair em férias e faltar em caso de doença, mas uma única pessoa que falte a um escritório desse porte pode afetar os serviços. Por vezes os clientes, ao menor aviso, necessitam de nossa presença imediata em um novo mercado — por exemplo, quando um cliente abre um novo escritório em uma cidade onde não estamos e deseja contar com serviços locais. Ou quando uma empresa consolida suas viagens e quer nossa presença em todos os seus principais mercados. Qualquer que seja o caso, a demanda por nossos serviços em um novo local costuma ser súbita.

Qualquer empresa tem seus períodos de pico e de calmaria, e esse é um dos desafios do controle do número de funcionários. Em nosso negócio, o verão é geralmente um período mais tranqüilo para as viagens corporativas, enquanto do outono até o início da primavera o mercado é frenético.

Onde encontrar pessoas que possam prestar auxílio a filiais pequenas porém importantes? Onde encontrar gente que possa "entrar na roda" e ajudar nossos novos escritórios, para os quais contratamos pessoas novas em nossa empresa? Como administrar o número de funcionários no inverno ativo e no verão moroso, e ao mesmo tempo oferecer plena segurança de emprego a nossos associados? A resposta a que chegamos foi o que denominamos de "corpo de reserva da Rosenbluth".

Essa idéia surgiu originalmente há muitos anos, durante uma sessão estratégica em que discutíamos exatamente tais problemas. Começamos a fazer piadas sobre pôr alguns de nossos funcionários mais experientes em uma casa móvel e fazê-los rodar pelo país, parando onde precisassem deles. Levamos essa idéia ao extremo, imaginando nosso pessoal em uniformes da SWAT, armados com pagers e laptops. Logo passamos a pensar em uma equipe de profissionais que estivesse pronta para ajudar ao menor aviso.

No passado, os reservistas viajavam para os escritórios que precisavam de ajuda; hoje, porém, transferimos eletronicamente as transações para onde estão os recursos, em vez de enviar as pessoas para onde está o trabalho. Para formar nosso corpo de reserva, pedimos aos associados interessados com experiência em reserva de viagens (que não estejam trabalhando como CCAs) que se inscrevam. No momento temos trinta reservistas. Esses associados extras devem estar prontos a largar tudo o que estiverem fazendo durante períodos determinados para receber chamadas nos horários de pico. Claro que devem se manter em dia com suas responsabilidades primárias. Só por concordarem em atender a chamadas por um mínimo de vinte horas, eles recebem um bônus de mil dólares e duas viagens nacionais de ida e volta.

Usar o pessoal existente de modo criativo para atender aos picos de demanda faz com que o serviço seja ininterrupto, reduz os custos e recompensa as pessoas dispostas a ajudar. Todos saem ganhando.

Fazendo piadas naquele dia sobre uma equipe de viagens da SWAT, criamos uma solução para um problema existente. Se não tivéssemos adotado a idéia, atualizando-a para o uso em nossos negócios hoje em dia, jamais saberíamos desses benefícios.

Quantos Caminhos Você se Permite Cruzar?
Uma Abordagem Ampla para a Geração de Idéias

Parece que pessoas com atividades variadas não somente extraem mais coisas da vida, como também contribuem mais com ela. Quanto mais amplos seus horizontes, mais amplo será seu escopo de entendimento e, por conseguinte, as áreas em que você pode fazer diferença. Se você ficar em um único caminho, estará limitando a possibilidade de cruzar muitos outros que poderiam levá-lo a novos lugares. Isso vale tanto para nossa vida pessoal como para a profissional.

Essa é uma das razões por que procuramos atrair uma grande variedade de pessoas a nossa empresa. E o ecletismo é incentivado em suas carreiras conosco. Para ter idéias, tentamos ver não somente o que está acontecendo em nosso mercado, mas também o que está acontecendo no mundo à nossa volta.

Um enfoque mais amplo ajuda as empresas a detectar tendências mais cedo e a descobrir necessidades do mercado. Isso pode ocasionar oportunidades de diversificação. Ou pode dar à empresa uma fatia maior do mercado, pela aquisição de um entendimento mais claro das pressões enfrentadas por clientes potenciais e pelo desenvolvimento de métodos para mitigar essas pressões.

Proteja-as, mas Não Cegamente
A Importância de Germinar Idéias

As idéias devem ser protegidas, mas não cegamente. Existe um equilíbrio delicado entre incentivar idéias e identificar aquelas que não serão produtivas. Um dos melhores métodos para avaliar e refinar idéias é a "germinação". Toda idéia é como uma semente que precisa ser cultivada, mas a planta tem de ser forte para sobreviver. As idéias devem ser postas à prova para sabermos se funcionarão.

O melhor meio de começar é examinar objetivamente toda e qualquer idéia junto à pessoa que a sugeriu, para assegurar-se de que ela pode e vai funcionar, e para determinar se ela deve ser modificada, ou mesmo expandida. Em um ambiente aberto, honesto e estimulante, isso será possível sem que as pessoas se sintam ameaçadas ou se ponham na defensiva. Deve haver um espírito de equipe em torno do desenvolvimento de idéias, já que estas se tornam mais fortes com a contribuição de outras pessoas.

Para testar minhas próprias idéias, gosto de "borrifá-las" entre associados de vários departamentos, regiões e níveis dentro da empresa. Gosto particularmente de apresentá-las a pessoas que sei que não terão por elas a menor reverência. Sua crítica construtiva melhora as idéias, pois todos temos uma tendência natural a nos envolver demasiadamente com nossas idéias para vê-las de modo objetivo. Quanto mais as idéias são postas à prova, mais poderosas se tornam.

É por isso que acho perigoso o "pensamento de fim de semana". A maioria das pessoas realmente dedicadas não consegue tirar a cabeça do serviço, nem nas horas livres. Oportunidades, problemas e soluções pipocam em suas cabeças, e sua reação natural é explorar esses pensamentos e voltar ao escritório com soluções. Essa dedicação é ótima, mas criar soluções dentro de nossas próprias fronteiras limita nossa capacidade de imaginar como as respostas a que chegamos arbitrariamente funcionarão. As soluções podem ter um efeito em cadeia por toda a empresa.

As pessoas voltam ao trabalho na manhã de segunda-feira em polvorosa com as idéias que tiveram no fim de semana. Elas as colocam em ação logo de início. Entretanto, sem a colaboração dos outros departamentos, suas idéias podem ser redundantes, contraproducentes e mesmo destrutivas. As idéias precisam ser compartilhadas para se aprimorarem. Caso contrário, ficarão limitadas à nossa própria criatividade. Devíamos nos rodear de pessoas imaginativas e ajudar a trazer à tona as idéias uns dos outros.

Além disso, as pessoas precisam do estímulo externo que o tempo fora do serviço pode proporcionar. Louis Brandeis, juiz associado da Suprema Corte Americana de 1916 a 1939, comentou certa vez: "Descobri que consigo fazer um ano de trabalho em onze meses, mas não consigo em doze".

Passos para Estimular Idéias em uma Empresa

Resumo

- Estimular seu pessoal a ter novas idéias é algo que começa com o ambiente certo — um ambiente enérgico, criativo e compenetrado, do qual se remova o temor de tentar coisas novas.
- Pense em um programa de Renovação para o Ano Novo que incentive as pessoas a refletir sobre maneiras novas e mais eficientes de fazer as coisas. A inovação é uma arte que deve ser praticada. Todo dia devia ser dia da Renovação, mas o programa ajuda a reservar um tempo oficial para as idéias.

- Mitigue sempre a burocracia em sua empresa, pois as organizações morosas acabam com o espírito empreendedor e reprimem as idéias.
- Reconheça o fato de que as idéias vêm de fontes variadas, como as quatro descritas neste capítulo: aceitar a responsabilidade social; descobrir um modo de fazer algo melhor; atender a uma necessidade do mercado; e criar uma solução para um problema existente.
- Examine a origem das inovações, dentro e fora de seu mercado. Estude os passos para o desenvolvimento de idéias bem-sucedidas e recrie-os.
- Nunca, nunca permita que uma idéia seja suprimida em sua organização. As pessoas apresentarão idéias e mais idéias se souberem que suas sugestões serão respeitadas e reconhecidas.
- Se uma idéia for implementada, dê o devido crédito e reconhecimento a seu criador, e permita-lhe envolver-se em sua implementação.
- Mantenha seu foco aberto, pois você nunca sabe de onde virá a próxima inovação. A melhor coisa que pode acontecer a uma idéia é seu compartilhamento pelo maior número possível de pessoas. Idéias bem pensadas e avaliadas são as mais poderosas.

CAPÍTULO OITO

O Processo de Cultivo

Todos nos tornamos editores do sofá. Em nossas mãos está o poder do controle remoto, e nós o usamos como uma arma. Sempre que não gostamos do que vemos na TV, simplesmente mudamos de canal. Quando vem o comercial, passeamos pelas emissoras, e, se não encontramos nada que nos agrade, emudecemos a TV. Quando alugamos um filme e ele avança bem devagar, aceleramos a fita até as partes que preferimos. Já cheguei a me flagrar em eventos esportivos ao vivo apertando o polegar contra um hipotético controle remoto, querendo acelerar os intervalos.

Há muitas situações na vida em que um controle remoto viria bem a calhar. A maioria de nós conhece gente que gostaria de emudecer. Eu gostaria de acelerar o desenvolvimento de produtos e serviços e editar nossos erros, como seria possível com uma fita de vídeo. Ainda não existe controle remoto para isso, e, assim, o melhor que podemos fazer é desenvolver processos para editar nossa organização e fazer dela a melhor para nossos clientes, pois eles tampouco possuem um controle remoto para isso.

O processo de seleção é um excelente início, porém, mesmo a seleção mais minuciosa não é infalível. As empresas precisam fazer um esforço contínuo para preservar as pessoas certas e incentivar aquelas que não estão puxando sua carga a irem embora. Isso pode parecer incompatível com nossa filosofia de colocar em primeiro lugar os funcionários.

Pelo contrário. Devemos a nossos funcionários a criação de um ambiente em que eles estejam rodeados de pessoas que se importem tanto quanto eles, e que trabalhem com o mesmo afinco — que tenham uma atitude positiva. E devemos isso também a nossos clientes. Que cliente nós devemos escolher para ser servido por alguém que não atende aos requisitos? Não podemos fazer isso com nenhum cliente, e não faremos.

Comparamos isso ao cuidado atencioso com um jardim. Para que as plantas floresçam, as ervas daninhas devem ser arrancadas. Cumpre ter um olhar aguçado e uma mão firme para ceifar uma sem prejudicar a outra. Mas esse é um processo sem-fim, e essencial.

Rampas e Escadas
Criando Caminhos Visíveis para a Promoção e o Rebaixamento

Em minha infância, eu gostava muito do jogo Rampas e Escadas. Creio que se alguma coisa fizer sentido por uma vez, ela continuará fazendo. Mesmo hoje, esse jogo tem um papel invisível em nossa empresa. Na Rosenbluth International, temos nossa versão ao vivo das Rampas e Escadas. Eis como ela funciona.

No jogo, o objetivo é subir pelo tabuleiro até atingir seu topo. Todos os jogadores começam na base, e o giro de um disco determina quantos espaços eles podem avançar de cada vez. Há escadas no tabuleiro que permitem ao jogador avançar rapidamente. Quando cai em uma casa em que há uma escada, ele pode saltar outras casas. As escadas são atalhos para o topo. Por outro lado, os jogadores têm igual possibilidade de cair em uma rampa, que os manda de volta à primeira casa.

Embora não tenhamos tabuleiros em nossos escritórios, temos certamente rampas e escadas. Mas a diferença fundamental é que os passos que as pessoas dão são opcionais, não estando sujeitos ao girar de um disco. Além disso, todos na empresa sabem onde estão as rampas e as escadas.

Figurativamente falando, toda empresa tem suas modalidades de rampas e escadas. O segredo é ficar de olho no modo como elas funcionam. As pessoas certas estão sendo trazidas ao topo, ou são as erradas que vêm ascendendo?

Os sistemas de congratulação transmitem mensagens claras para as pessoas, e afetam seu comportamento. Pessoas que prosperam tornam-se modelos para as outras. Descobrimos que a avaliação freqüente do tipo de pessoa que vem progredindo em cada direção pode ser útil para assegurar que o sistema estimule os valores corretos.

No cenário corporativo, as pessoas costumam supor que a escalada até o topo exija que umas pisem nas outras. Talvez isso valha para algumas organizações. Mas na nossa torna-se uma rampa instantânea. Temos a regra de que ninguém é promovido à custa dos outros.

Em contrapartida, ser visto ajudando outras pessoas na empresa é uma escada instantânea. Não há melhor maneira de chegar ao topo. Nosso pessoal se regozija ao ver alguém subindo uma escada, pois entende que isso é merecido. As pessoas que recebem auxílio são as que costumam fazer alarde para que as outras sejam reconhecidas.

É Esse o Momento
Fique Atento às Contribuições das Pessoas, para Que Elas Não Precisem Ficar

Evitamos os estilos tradicionais de administração, e criamos o que chamamos de nosso estilo administrativo *Papai Noel*. Sim, você entendeu — sabemos quem foi travesso e quem foi comportado, e recompensamos cada um de acordo. Fazemos o melhor para eliminar a politicagem, criando um ambiente em que ela não funcione. Como de costume, as pessoas fazem jogos de poder para chamar a atenção daqueles que podem promovê-las. Em nossa empresa, as pessoas sabem que nem toda a exibição do mundo as levará tão longe quanto serem excelentes naquilo que fazem e ajudarem outras pessoas a brilhar.

É um modo divertido de administrar. Nossos líderes gostam de promover as pessoas que merecem de fato a promoção mas não a esperam, em vez de promover as que a esperam mas talvez não a mereçam. Mais importante, esse é um modo *eficiente* de administrar. As pessoas começam a passar mais tempo *fazendo* seu trabalho e menos tempo promovendo-o.

Infelizmente, a politicagem existe em certa medida em qualquer organização, e é uma tremenda desperdiçadora de tempo. Os esforços políticos internos não agregam valor. Na verdade, eles consomem o tempo de atividades que agregam. Se as pessoas passarem 25% de seu tempo promovendo seus interesses, 25% documentando o que fizeram e 25% imaginando como subir na carreira, só lhes restarão outros 25% para trabalhar. Isso não basta. Com margens de lucro tão estreitas como as nossas, precisamos de 100%.

As pessoas receiam que sem as poses seus esforços não serão notados. Cabe à empresa assegurar-lhes de que serão. A maioria das pessoas se comporta do modo como foi condicionada a se comportar. Descobrimos que elas comemoram a oportunidade de abrir mão da politicagem quando descobrem que isso não é necessário.

Normalmente leva algum tempo até que os novos associados aprendam a relaxar, a reduzir os memorandos e relatórios e a ter confiança. Mas quando isso ocorre, sua produtividade dispara. Se as empresas conseguissem reduzir a politicagem ao menos pela metade, pense nos ganhos de produtividade que poderiam obter.

Essa teoria administrativa, na prática, será tão boa quanto os líderes que a adotarem. Ela não passará de propaganda se, na realidade, o exibicionista for promovido. Para que funcione, os líderes têm de fazer o que proclamam. Mensurações objetivas de desempenho determinarão quem de fato está trabalhando. Os líderes devem procurar ativamente as pessoas que contribuem em silêncio, avaliando cuidadosamente o trabalho de fato levado a cabo por cada indivíduo.

Nossa empresa tem uma regra segundo a qual deve-se apresentar uma avaliação de desempenho escrita, com mensurações objetivas (as quais são previamente estabelecidas), antes que um aumento por mérito tenha efeito. Isso ajuda a garantir que as pessoas recompensadas mereçam a recompensa. Nosso sistema de avaliação de desempenho norteia-se pela descrição da função, sendo por isso altamente personalizada. Cada descrição inclui aptidões centrais específicas, responsabilidades, medidas de sucesso predeterminadas e prazos para a conclusão das ações. Todos os cargos incorporam nossa cultura, as metas de nossa empresa e o trabalho em equipe.

O trabalho em equipe deve ter um papel importante no processo de avaliação de desempenho. Para garantir isso, ele deve ser mensurado e recompensado. Descobrimos que a melhor maneira de saber quem está ajudando os outros é perguntando. Não adianta perguntar às pessoas qual ajuda elas prestaram aos outros. Para descobrir a verdade, devemos perguntar àquelas que receberam a ajuda como *elas* foram ajudadas e por quem.

Voltando à Base Zero
Reavalie Sua Empresa

Adultos nunca entendem nada sozinhos, e, para as crianças, é cansativo ter que explicar sempre as mesmas coisas para eles.

– Antoine de Saint-Exupéry, *O Pequeno Príncipe*

As crianças têm um jeito maravilhoso de ver o mundo. Elas sempre têm perguntas em mente — algo sobre o qual não pensamos durante anos. Tudo o que dizemos suscita um "por quê?". Elas não aceitam nada como certo, e vêem cada detalhe como novidade. De algum modo elas tomam um atalho para a verdade. E descobrem o caminho mais curto para o lugar aonde desejam ir.

Um amigo meu, executivo de uma empresa aérea, tem em sua mesa um desenho em que se vê uma equipe de futebol tentando descobrir qual é o seu gol enquanto se prepara para avançar em campo. Ele pediu que fizessem essa ilustração para não esquecer uma lição que aprendera com seu filho.

O time de futebol do menino, então na primeira série do ensino fundamental, passava por uma fase de derrotas, e o técnico lhes perguntou o que os ajudaria a vencer. Eles, então, lhe disseram que às vezes não sabiam direito qual era o seu gol. Algo tão simples, tão fácil de remediar, mas tão essencial para o sucesso. Seu técnico prometeu à equipe que na temporada seguinte ele ficaria nas laterais e apontaria o caminho para o gol em todos os jogos. Adivinhe o resultado: eles ficaram invictos naquela temporada.

Esse é o tipo de lição que pode parecer simplista para um adulto — mas quantas empresas não perdem o rumo de suas metas? E com que freqüência não há membros da mesma equipe correndo em direções diferentes? Acreditamos haver muito a aprender dando uma olhada com um toque infantil à nossa volta.

Pelo menos duas vezes por ano voltamos à base zero para garantir que nossa empresa não fique estagnada. Quando constrói algo a partir do zero, você não incide em hábitos. E simplesmente pensa: "Do que precisamos para o sucesso?" Você define objetivos, identifica barreiras potenciais ao sucesso, elabora um plano para removê-las, determina o que é necessário para sustentar o negócio, identifica o que criar e o que comprar, e segue em frente.

Nosso primeiro experimento com a base zero resultou na mudança mais avassaladora e eficiente na história de nossa empresa. Em 1992, desmantelamos totalmente nosso negócio, dividindo-o em unidades menores e convertendo o que se tornara uma organização gigantesca em um conjunto de empresas pequenas, ligeiras e empreendedoras, provendo serviços personalizados a seus clientes.

Nossa meta era chegar a uma configuração que colocasse nossos clientes no centro e se ramificasse a partir daí. Antes disso, nossa estrutura era semelhante à da maioria das empresas, com áreas funcionais similares a ilhas. O fluxo de informações era vagaroso, e nossa estrutura parecia uma daquelas bolas com correntes.

Na nova estrutura, combinamos uma série de áreas funcionais centrais. Não há cargos de tarefa única, e essa diversidade de papéis permite que todos mudem seu foco para acomodar o que quer que precise ser feito. Tais unidades de negócios conseguem se virar em qualquer aperto, e nossos clientes e associados adoram isso.

Uma mudança tão avassaladora exigia novos cargos em praticamente todo o conselho, bem como novos programas de aprendizado, sistemas de compensação e sistemas financeiros. Todas as áreas da empresa tiveram de ser redesenhadas para atender às necessidades das unidades de negócio.

Hoje, passada uma década, trabalhamos tranqüilamente no modelo das unidades de negócio, mas nunca descansamos, pois sabemos que, a menos que estejamos sempre desmantelando mentalmente uma organização e reconstruindo-a a partir do zero, nunca teremos a certeza de que ela será tão boa quanto pode ser.

Li um artigo maravilhoso na edição da *Harvard Business Review* de julho/agosto de 1990, sobre a necessidade de se aplicar a reengenharia nas empresas. Ele continha uma passagem que ficou em minha mente: "No coração da reengenharia está a noção do pensamento descontínuo — de reconhecer e evitar as regras e premissas fundamentais caducas que jazem sob as operações. A menos que mudemos essas regras, estaremos meramente arrumando as espreguiçadeiras no convés do *Titanic*".

Avaliações dos Líderes
Pergunte como Você Está se Saindo

Qual foi a última vez que você pediu às pessoas que comanda que o avaliassem honestamente? Que fizessem sugestões sobre como você poderia melhorar? Temos uma ferramenta que nos ajuda a fazer exatamente isso: a *Avaliação dos Líderes por Relatórios Diretos*. Ela funciona de baixo para cima, mas sua origem deve ser no topo.

Essas avaliações dos líderes surgiram na Rosenbluth International há muitos anos, quando, ao fim de uma entrevista com uma vice-presidente, eu lhe pedi que me avaliasse honestamente. Devo admitir que naquele dia fui humilhado. Ela me disse uma porção de coisas. Uma delas foi que eu não ouvia quando estava de cabeça cheia. E esses são normalmente os momentos em que mais devo ouvir. É quando há algo que me preocupa ocorrendo na empresa.

Ela acrescentou que, quando não dou ouvidos, as pessoas tiram as conclusões erradas, e isso afeta as decisões que tomam. As conseqüências de tal falha podem ser desastrosas. Descobri-me revirando situações hipotéticas em minha cabeça, e isso me incomodava muito.

Assim, pedi a nosso diretor de aprendizado e desenvolvimento que trabalhasse comigo para aprimorar minha capacidade de atenção. Criamos um programa com encontros mensais para avaliar meu progresso e praticar técnicas que me ajudariam a me concentrar na conversa em pauta. Uma das melhores sugestões desses encontros foi dar fim a uma reunião antes de começar outra. Ele me disse ter notado que, como eu não fazia pausas entre uma reunião e outra, minha cabeça estava sempre na reunião anterior. Agora tiro alguns minutos para anotar idéias ou pôr planos em ação antes de enfrentar o assunto seguinte. Os comentários que ouvi das pessoas a meu redor são grandes motivadores. Acho que ainda tenho muito a progredir, mas é ótimo saber que estou melhorando.

Depois da experiência inicial, fiquei ansioso para que todos os meus vice-presidentes me avaliassem, e hoje o processo é espontâneo e contínuo. Mas pelo menos uma vez por ano tenho uma sessão de Avaliação dos Líderes com cada pessoa que se reporta diretamente a mim.

Às vezes agrupo todas as avaliações que recebo e as leio em voz alta durante uma reunião com meus avaliadores. Peço-lhes que me cobrem o aprimoramento em cada uma das áreas sugeridas. Eu realmente sinto o calor da coisa, e isso é bom.

As avaliações dos líderes são difíceis de fazer e de aceitar. A princípio as pessoas foram cautelosas. Elas só me faziam uma ou duas sugestões, complementando-as rapidamente com elogios. Mas a cada Avaliação do Líder as críticas construtivas aumentaram. Não acho que seja porque eu esteja perdendo terreno. É porque as pessoas começaram a se sentir mais confortáveis com o processo, sabendo que podiam ser francas. Hoje, elas entram em meu escritório à vontade para me dizer como estão se sentindo com o que estou fazendo, e é isso o que quero que aconteça.

A verdade, sem dúvida, dói, mas ouvi-la ajuda um pouco. Você sabe que está aberto ao auto-aprimoramento quando encara a crítica construtiva como um presente de um amigo. No meu caso, deve ser Natal todos os dias em meu escritório.

Quando nossos associados perceberam como eram eficazes as avaliações dos líderes, o processo começou a se difundir pela organização. Hoje, os vice-presidentes são avaliados por diretores, que são avaliados por gerentes-gerais, e assim por diante. É um processo recíproco.

As atuais avaliações dos líderes são mais estruturadas do que as primeiras. Os associados preenchem um questionário padronizado (seja eletrônico ou em cópia impressa) e o enviam a uma empresa externa que reúne e consolida as informações, para assegurar o anonimato. Os dados são então enviados a nosso departamento de recursos humanos, que elabora relatórios para cada líder. Uma cópia é enviada ao líder e outra ao líder *dele*; ambos analisam juntos os resultados e desenvolvem um plano de ação para continuar com o desenvolvimento da pessoa avaliada.

A ferramenta avalia os líderes em oito categorias de habilidade: comprometimento com nossos valores, preocupação com os associados, compreensão do ambiente de negócios interno e externo, enfoque no cliente, orientação de resultados, impacto e influência, flexibilidade e, por fim, trabalho em equipe. As perguntas específicas tratam de coisas como acessibilidade, capacidade de atenção, reconhecimento, mente aberta, cumprimento de compromissos, justiça e respeito. No final, é possível fazer comentários por escrito.

A Avaliação dos Líderes é um bom barômetro do moral, das habilidades de liderança e, em última instância, da satisfação do cliente. Todos devem ter a oportunidade de avaliar seu líder. Para dar curso ao processo inicial, enviamos uma equipe especial a todos os nossos escritórios para ajudar a incentivar a plena participação e oferecer às pessoas uma chance adicional de dizer o que têm em mente. Esse é também, por acaso, um excelente meio de semear idéias por toda a empresa.

Lipoadministração
Um Processo para Manter-se Enxuto

Mesmo os melhores planos têm de ser adaptáveis o bastante para tolerar pressões externas. As reduções de porte do fim dos anos 80 e do início dos anos 90 foram um curso intensivo sobre como trabalhar com uma organização mais enxuta. Os especialistas em administração proclamaram por anos que o jeito era enxugar, mas isso é mais fácil falar do que fazer. Nenhuma empresa quer dispensar pessoas. E isso se torna um jogo de azar em que algumas pessoas realmente boas podem sair perdendo.

Um método mais justo é manter a organização em forma com base no mérito. Descobrimos, na verdade, que em um ambiente como o nosso, que minimiza a politicagem, ocorre um atrito natural e os melhores ficam. É uma cultura diferente, em que as pessoas que não se ajustam acabam pedindo demissão. É só uma questão de tempo. Aqueles que não sabem trabalhar sem politicagem acabam frustrados. Aqueles que não estão puxando sua carga começam a se sentir deslocados, envolvidos pelos associados que estão ali, na batalha.

A meta de toda empresa é preservar o músculo e perder a gordura. Para consegui-lo, elas não devem ter pudor de dispensar programas ou pessoas improdutivas. Não podem hesitar nem por um segundo em abrir espaço para o músculo — os programas que funcionam, as pessoas que fazem as coisas acontecer e que se importam com isso. A"gordura"só faz uma empresa se mover mais devagar, e, no ambiente competitivo de hoje, quem é que pode se dar a esse luxo? É um desmotivador para aqueles que compõem o"músculo".

O atrito natural é útil, mas com freqüência não basta. O desempenho marginal faz a empresa soçobrar. Para ser justo, deve-se deixar muito claro desde o início que a marginalidade não será perdoada, e que a empresa não terá lugar para ela.

Comparamos isso aos preparativos para uma viagem. Aqueles que viajam com freqüência conhecem o segredo: levar pouca coisa. Somente os novatos arrastam metade de seus pertences em suas viagens. Eles levam tudo de que podem vir a precisar. Viajantes experientes sabem que, sendo necessário, podem encontrar qualquer coisa de que precisem ao chegar ao destino. Eles não se cansam carregando aquilo de que *podem* precisar. Eles levam o que *sabem* ser necessário.

O mesmo se aplica a empresas. Organizações enxutas não carregam excesso de bagagem. Elas mantêm um ambiente puro, com seu melhor pessoal. Elas não abrem espaço para gente que ficaria à margem, pois isso não seria justo.

Os líderes têm de ser fortes o bastante para fazer observações freqüentes e honestas a seu pessoal. Os que estiverem à margem precisam saber disso e devem ser estimulados a melhorar, pois a marginalidade é contagiosa. Ela desanima aqueles que dão o melhor de si, e são um meio certo de fazer com que a empresa fique para trás.

Fuja dos Dinossauros
Continue a Avançar como Empresa

Dois dinossauros deram uma pausa em seu repasto de saborosas copas de árvore para observar um homem das cavernas que tentava inutilmente arrastar suas posses em uma carreta que rodava sobre pedras quadradas. A cada girada, os dinossauros ouviam um estrondo e viam sua carreta capotar. Eles riram descomedidamente e disseram: "Nós dinossauros governaremos o mundo para sempre". Infelizmente para nossos amigos, sua avaliação não foi muito exata, e há milhões de anos não se ouve falar deles.

Para evitar tornarem-se dinossauros, as empresas precisam manter as coisas avançando; devem incentivar a mudança. Quando as pessoas têm a oportunidade de se mobilizarem, a complacência é substituída pela energia. A mudança é estimulante, e as mantém interessadas.

Quão apetitoso seria comer a mesma coisa em todas as refeições, todos os dias, ano após ano? Não muito. Quão inspirado ficaria um indivíduo preparando essa mesma refeição vezes e vezes sem fim? Nem um pouquinho. A variedade é o tempero da vida. Todos ansiamos por ela. Precisamos nos lembrar disso nos negócios.

Para manter as coisas renovadas, fazemos regularmente mudanças estruturais e reorganizamos regiões, linhas de negócios e departamentos. Embora nossas metas de longo prazo permaneçam as mesmas, aproveitamos tais oportunidades para rever nossas estratégias. Como resultado, testemunhamos alguns efeitos muito positivos em termos de criatividade e energia. Mas fomos um passo além de meramente mudar a estrutura da empresa. Também movimentamos os indivíduos dentro da organização, durante toda a sua carreira. Como resultado, vimos emergir uma nova safra de líderes — uma safra flexível, multifacetada e de experiências variadas.

Desmantelando Compartimentos
Incentivando a Coesão

A maioria das empresas tem departamentos de algum tipo. Nós também os temos. O perigo está no fato de que os departamentos podem facilmente se tornar *compartimentos*, cada qual com suas fronteiras bem definidas e domínios cerradamente vigiados.

Há certos avanços que podem ser alcançados mediante o compartilhamento de recursos e procedimentos entre áreas especializadas diversas. Mas existe uma tendência natural de que essas áreas sofram metamorfoses em territórios quando seus membros se tornam ocupados demais para olhar além de seu próprio nicho. Idéias novas não conseguem fluir nesse tipo de ambiente. Quando pessoas e idéias são segregadas, seu crescimento é sustado. Em contrapartida, idéias geram idéias, e, muitas vezes, a colaboração de pessoas de "fora" de nossa área específica dá às coisas uma nova perspectiva.

Os departamentos podem ser um mal necessário, mas as barreiras naturais que são erguidas precisam ser continuamente derrubadas. Uma maneira de fazer isso é basear largamente a compensação dos líderes no desempenho da empresa como um todo. O sistema de bônus de nossos líderes norteia-se pelo desempenho tanto do indivíduo quanto da empresa. Isso dá ênfase ao trabalho em equipe, e este transcende departamentos ou linhas de negócio.

Outro método para descompartimentar departamentos é incentivar o uso cruzado de recursos — tanto humanos quanto de capital.

O Princípio da Polinização Cruzada
Mantenha as Pessoas em Movimento

A polinização cruzada nos trouxe algumas das mais espetaculares variedades de plantas e flores conhecidas no mundo. É uma antiga ciência que está sempre criando novas maravilhas. Seu valor é a força resultante da exposição à diversidade. O mesmo princípio se aplica às pessoas.

Quanto mais uma pessoa souber sobre uma vasta gama de assuntos (ou, no caso de uma empresa, sobre departamentos diversos), mais ela se tornará um ativo. E o acesso a uma variedade de líderes também fortalece os indivíduos.

Há uma teoria acadêmica segundo a qual a pessoa atinge o auge da formação quando as disciplinas começam a se relacionar umas às outras. Quando conhecimentos de biologia deixam mais clara uma obra literária. Quando o entendimento da geometria nos permite apreciar uma obra de arte. Quando a erudição em geologia começa a pôr em perspectiva eventos da história.

A polinização cruzada enseja a variedade de experiências e alça o trabalho em equipe a níveis assombrosos. Quanto mais as pessoas souberem sobre a "visão panorâmica" e sobre as metas e objetivos da empresa, mais serão capazes de contribuir. Uma ferramenta que pode ser útil são os grupos de estudo, ou "equipes azuis". Eles não são nenhuma novidade, mas constituem um método altamente eficaz de polinização cruzada, pois oferecem um espectro completo de pontos de vista sobre os quais basear as decisões. Além disso, eles dão às pessoas envolvidas a chance de tomar parte no programa ou na política em desenvolvimento.

Gostando disso ou não, as pessoas costumam chegar à mesa de reuniões com propósitos pessoais, e estes podem influenciar decisões capazes de afetar muita gente.

Por exemplo, vamos imaginar uma empresa responsável por dirigir um refeitório para funcionários, no qual as pessoas responsáveis por preparar a comida são também responsáveis por selecionar o menu. As chances são de que elas prepararão pratos que (1) se ajustem a seu gosto pessoal e/ou (2) achem fáceis de preparar. Há uma grande possibilidade de o pessoal resolver evitar o refeitório e comer em um outro lugar.

As melhores decisões são tomadas com a colaboração de tantas pessoas quanto possível. É vital incluir uma vasta gama de indivíduos no desenvolvimento de processos, procedimentos e produtos.

Há muitos anos, quando formamos na empresa grupos de estudo para avaliar nosso programa de benefícios, soubemos que nossa política de "dias de enfermidade" era incompatível com as necessidades de nosso pessoal em um aspecto muito importante. Nossa antiga política garantia seis dias remunerados ao ano para casos de enfermidade pessoal. Mas soubemos que as pessoas precisavam mais de dias livres para eventos familiares importantes, tais como levar os filhos ou os parentes mais próximos a consultas médicas, ou comparecer a reuniões entre pais e professores.

O regulamento foi alterado; assim, cada um usa esses dias conforme sua real necessidade. Nossa política da "responsabilidade familiar" apóia nossos funcionários naquilo que é importante na vida *deles*. O plano se baseia na flexibilidade. O tempo pode ser tirado em dias integrais ou parciais, e o associado pode requerê-los em casos de doença, de obrigações familiares ou de consultas médicas. Se não tivéssemos perguntado às pessoas o que elas julgavam importante, seria improvável que tivéssemos feito essa mudança tão simples, que afetou positivamente suas vidas.

Administração ao Estilo Sanfona
Preparando Sua Organização para a Pressão Externa

Todos os mercados passam por fases boas e ruins. No caso da nossa empresa, há um perigo potencial nos programas de redução de viagens corporativas. Cortes de orçamento e pessoal em corporações do mundo todo nos afetam imensamente. Administramos as viagens de 1.500 corporações, e, quando os tempos são difíceis para elas, nós compartilhamos o fardo.

Quando os orçamentos são afetados por medidas de redução de custos, as viagens são uma das primeiras despesas a sofrer cortes. E, quando nossos clientes optam por reduzir seus programas de viagens, podemos vir a ter grandes prejuízos, uma vez que assumimos os recursos necessários para prover serviços para seus volumes originais. De fato, em 2001 nossos clientes reduziram em mais de um bilhão de dólares seu volume de viagens, e sofremos esse prejuízo sem perder um único cliente.

Tentamos de tudo para não sujeitar nosso pessoal a demissões, reduções de porte ou cortes. É inegável que em algum momento isso se mostra imperativo, mas nossos associados sabem que esse é o último recurso, só aplicado quando todos os outros esforços já foram feitos. Acreditamos sinceramente que criar o mais seguro ambiente possível é a coisa certa a fazer. E é também um bom negócio. Quando se sentem seguras, as pessoas são mais produtivas e mais capazes de resistir quando os concorrentes tentam arrebatá-las em tempos prósperos.

Todas as Sanfonas Vêm com Macacos?
Os Testes de Flexibilidade e os Passos para o Sucesso

Sim, todas os sanfonas vêm com macacos. Nesse caso, o macaco em nossas costas é a ameaça da redução iminente após expansões. Mas nossa administração de estilo sanfona significa manter uma organização flexível, capaz de se expandir rápida e eficazmente com a aquisição de um grande cliente, e de puxar as rédeas com a mesma rapidez e eficácia quando os tempos são difíceis. As empresas enfrentam continuamente crescimento e declínio, mas achamos que o segredo é minimizar demissões, cortes e reduções de porte drástico. E desenvolvemos um plano em quatro passos para nos ajudar a superar as quedas no volume de negócios.

O primeiro passo em nosso processo sanfona é fortalecer nossos esforços de vendas para manter o devido equilíbrio de produtividade. Então redirecionamos o pessoal subutilizado para servir os novos clientes. Você pode estar pensando: "Por que eles não fortalecem seus esforços de vendas o tempo todo?" Fazemos isso, mas planejamos nosso crescimento com grande cuidado para garantir a consistência sem pressionar nossos recursos.

Costumávamos direcionar os esforços acelerados de venda para a região ou para a cidade em que a redução ocorrera. Mas, anos atrás, surgiu uma oportunidade interessante. O volume de um cliente enorme caiu dramaticamente em função de um corte. Conseguimos ao mesmo tempo um grande cliente em outra cidade, onde nossa presença era mínima.

Assim, apresentamos ao nosso cliente a idéia de atendê-lo de outra cidade, na qual já tínhamos uma unidade funcionando como um relógio. Os custos iniciais já haviam sido absorvidos. O pessoal já constituía uma equipe.

Nosso cliente gostou da idéia. E, desde então, não limitamos nossas vendas de estilo sanfona a um local. Podemos prestar serviços a partir de qualquer ponto. Simplesmente mudamos os negócios para onde estão nossos recursos.

O segundo passo no processo sanfona é uma combinação entre as promoções internas e a eliminação do trabalho desnecessário. Em última instância, a meta é identificar posições não essenciais e transferir tais recursos para onde realmente são necessários, oferecendo nisso oportunidades de progresso.

Como método infalível de detectar recursos desperdiçados, nossos executivos seniores analisam rotineiramente os pedidos de contratação. Quando um cargo fica vago ou um outro surge, ele é analisado de acordo com seu valor para a empresa. Se o cargo for justificado, ele deve ser preenchido — internamente, se possível. Isso ocasiona outra vaga, que é então avaliada de acordo com sua contribuição para a empresa, criando um ciclo de avaliações objetivas de cargos por toda a organização. Por meio desse processo, identificamos um número significativo de funções que não eram vitais para a organização: cargos que vinham extraindo recursos de coisas realmente importantes.

O terceiro passo é dar a nosso pessoal um treinamento cruzado, o que lhe permite mudar com êxito de uma posição para outra. Esse é um híbrido entre o princípio da polinização cruzada e o desmantelamento de compartimentos, já discutidos neste capítulo. A estrutura de nossas unidades de negócios se beneficia do uso cruzado dos associados.

Em muitas empresas, uma reação comum nas épocas de carestia é a tentativa das pessoas de *parecer* ocupadas para justificar sua existência. As pessoas precisam da oportunidade e da segurança para procurar novos desafios. Nós nos esforçamos para manter um ambiente em que nosso pessoal não receie dizer: "Não estou ocupado. Encontre alguma coisa que valha a pena eu fazer".

Isso nos traz ao *quarto passo*: instilar em nosso pessoal a confiança de que todos terão um cargo desafiador, pleno e enriquecedor em épocas boas e ruins. Pode não ser o cargo que ele tem hoje, mas será uma posição vital para a empresa, já que não temos posições que não o sejam.

Um teste interessante de nossa teoria da administração ao estilo sanfona ocorreu no ano de 1991. A Guerra do Golfo e a recessão o tornaram um dos piores anos da história de nossa empresa. As viagens sofreram uma virtual parada.

Não teríamos conseguido atravessar a tempestade sem a dedicação de nosso pessoal. Primeiro nossos associados iniciaram um programa que chamaram de *Operação Tempestade Cerebral*, que gerou mais de duzentas idéias para cortar gastos. A segunda ação foi um congelamento dos salários (e *não* um corte). Em terceiro lugar, nossos executivos seniores adotaram voluntariamente uma redução salarial, o que levou ao quarto passo, em que associados de todo o país tiraram folgas voluntárias sem pagamento. Graças a essas demonstrações de apoio, sobrevivemos em boa forma.

Uma década mais tarde, em 2001, um de nossos anos mais difíceis, nosso pessoal mais uma vez mostrou-se à altura do momento, ajudando-nos a nos elevar acima das pressões externas e a avançar para um futuro promissor. Nosso estilo sanfona suportou o teste do tempo, e continua a provar que um enfoque genuíno nos funcionários e o comprometimento com fazer a coisa certa conquistam a lealdade das pessoas, e, assim, podemos enfrentar o que quer que seja.

Desenvolvendo um Processo de Cultivo

Resumo

- As rescisões são um fato da vida. Não devemos jamais nos habituar a elas, mas devemos nos preparar para elas. O preparo é a chave para minimizar o trauma e ajudar os associados desligados a seguir em frente.
- Certifique-se de que você tem caminhos bem claros para a promoção e o rebaixamento em sua empresa, e que esses transmitam as mensagens corretas a seu pessoal.
- Fique atento à contribuição das pessoas, para que elas não precisem perder tempo mensurando seu valor e tentando exibi-lo a você. Dê uma chance à administração Papai Noel.
- Recompense às claras as pessoas que ajudam outras — faça disso um requisito para as promoções e veja como seu trabalho em equipe melhora.
- Examine de maneira compenetrada sua empresa. Fragmente-a e reconstrua-a mentalmente, em uma base regular. Você pode descobrir quão boa sua organização é capaz de ser.
- Faça da Avaliação dos Líderes uma prática em sua organização. Ofereça a todos a oportunidade de avaliar a liderança que os guia.
- Incentive os líderes a abrirem espaço para o músculo (os programas que funcionam, as pessoas que se importam), eliminando a gordura (os funcionários marginais).
- Mantenha as pessoas em movimento. Incentive mudanças. Estas asseguram o interesse das pessoas, promovem o entendimento entre os departamentos e geram inovações e idéias novas. Ouse repensar de vez em quando sua estrutura.

- Evite que os departamentos se tornem compartimentos, associando a compensação dos líderes não só à contribuição individual, mas também ao desempenho da empresa.
- Incentive a polinização cruzada das pessoas. Generalistas entendem melhor a "visão panorâmica" — os objetivos gerais da empresa.
- Crie um plano "sanfona" de administração ajustado a sua empresa, que lhe permita transferir recursos e aumentar ou diminuir para os altos e baixos dos negócios.

PARTE DOIS
Inventando o Futuro

As pessoas influenciam todos os aspectos de uma organização, mas há sem dúvida fatores externos que afetam os negócios de modo muito real. À primeira vista, eles podem ser áreas difíceis de influenciar — forças móveis sobre as quais as organizações têm pouco controle. Você pode achar que os princípios pessoais se aplicam dentro da empresa, enquanto esses outros fatores afetam o restante, existindo em paralelo.

Não é verdade. Nossa abordagem com relação às pessoas nos ajudou a conquistar todas as forças externas e a usar as pressões do mercado em nosso benefício. Falamos de como as pessoas são fundamentais, e estudamos modos de encontrá-las e preservá-las, valorizá-las e desenvolvê-las. Agora é o momento de vermos como o princípio de "primeiro os funcionários" pode ser aplicado a outros aspectos de seu negócio — aspectos que você pode não ter considerado.

Na Parte Dois, você aprenderá a desdobrar o fundamento de "primeiro os funcionários" para ajudá-lo a:

- Projetar o futuro com um lugar de ponta para sua organização.
- Maximizar os benefícios da tecnologia.
- Desenvolver estratégias que o ajudem a desafiar pressões do mercado.
- Criar parcerias inabaláveis com seus clientes e fornecedores.
- Descobrir talentos latentes e novas abordagens de negócios.

CAPÍTULO NOVE
Inventando o Futuro

Em todo bairro há um garoto que está sempre no comando. Em meu bairro era o Billy. O que quer que ele dissesse imperava. Ele inventava as regras do jogo, e, por isso, claro, sempre ganhava. Billy era pequeno mas rápido, e assim, quando jogávamos futebol, era sempre um futebol de toque, não de corpo. Quem era o atacante? Ora, o Billy vivia dando um jeito de ser a pessoa que marcaria o gol.

Ele ainda era ambidestro, e, quando jogávamos queimada, acabava sugerindo que todos jogassem com a mão com a qual não tinham prática. Outra vantagem para ele. As pessoas raramente se perguntavam por quê. Mas todos queriam desesperadamente ser como ele, e ele sabia disso. Billy cuidava para que as coisas fossem assim.

Nunca esqueci o poder que as pessoas têm quando inventam as regras do jogo. Por essa razão nós nos empenhamos, como empresa, em inventar continuamente o futuro de nosso mercado. Desse modo, garantimos nele um lugar proeminente para nós e nossos clientes.

Vamos ilustrar algumas das maneiras como uma empresa pode redefinir-se drasticamente. Identificarei cinco decisões centrais que foram essenciais para nos transformar de uma empresa local em uma empresa nacional e na empresa global que somos hoje. Nossas aventuras em águas desconhecidas sempre nos mostraram que as viagens incertas compensam.

Primeiro — Ajustando-se à Desregulamentação
Convertendo as Mudanças em Oportunidades

As mudanças decorrentes da desregulamentação das linhas aéreas foram vistas por muitas ou mesmo pela maioria das agências de viagens como uma porta fechada. Elas viram a incerteza de seu papel no futuro como uma sentença de morte para suas empresas, e para muitas foi mesmo. Mas nós vimos a desregulamentação como a oportunidade de uma vida.

Sabíamos que, dali em diante, já não nos limitaríamos ao papel de fazer reservas e entregar passagens. Estávamos prestes a ingressar no negócio da administração de informações. O céu aberto significava que tudo era válido, e isso, por sua vez, provocou mudanças rápidas em horários e tarifas. Sabíamos que as pessoas precisariam de muita ajuda. Dissemos: "Faça-se a balbúrdia!" E então nos oferecemos como a solução.

Um pequeno grupo nosso costumava trabalhar até tarde e então ir a um lugar chamado "The Top of the Two's" ("O Topo do Dois"). Acredite ou não, sentávamos e falávamos sobre como o novo mundo das viagens seria emocionante. Comentávamos, rodeados de copos de cerveja, nossos sonhos para o futuro. Do nosso ponto de vista, a mudança de regras abrira espaço para um nível superior de serviços. O jeito era se ajustar à nova realidade da desregulamentação e transmiti-la a nossos clientes como uma sólida vantagem.

Foi nesse ponto que percebemos que as viagens corporativas seriam as mais afetadas pela desregulamentação. Agora as empresas tinham oportunidades de economia até então inexistentes. Antes da desregulamentação, as opções de vôos entre cidades americanas limitavam-se entre primeira classe e classe econômica. De súbito surgiram novas rotas, novas empresas aéreas e, quase diariamente, novas tarifas. Havia muitas opções para os viajantes em negócios nesse novo clima, e assumimos a função de descobrir as melhores para nossos clientes.

Entramos em ação e providenciamos computadores para todo mundo em nosso departamento de viagens corporativas, dispondo-nos a extrair algum sentido do caos. Fizemos nossas pesquisas e mostramos às empresas que as viagens agora eram uma despesa controlável (a qual estávamos preparados para administrar por elas). Nossa proposta foi aceita, e nosso negócio de viagens corporativas disparou.

Antes da desregulamentação, as viagens corporativas representavam menos de um quarto de nosso negócio. Hoje representam mais de 95% dele. Como estávamos famintos por mudanças, e não temerosos delas, aproveitamos a oportunidade de redefinir completamente nosso negócio.

Mudanças em regulamentos, o surgimento de um novo produto do concorrente — qualquer remodelação que ocorra à sua volta abre possibilidades de capitalização para você. Às vezes as mudanças que tememos podem ser a melhor coisa para nós. Elas nos obrigam a encarar o futuro.

Segundo — Força em Números
Remodelando para o Crescimento

A demanda por nossos serviços de administração de viagens corporativas cresceu, e esperávamos que esse crescimento fosse explodir. Apostamos nessa projeção, e, em 1981, abrimos o primeiro centro de reservas de todo o mercado de agências de viagem, contratando mais de cem pessoas para fazer reservas corporativas.

Esse foi para nós um grande investimento. Ele exigiu substanciais recursos humanos e de capital. Muita gente em nosso mercado achou que estivéssemos nos amarrando a um "elefante branco". Mas estávamos mesmo é convencidos do contrário.

Investimos em uma tecnologia avançada que nos permitiria captar dados sobre os padrões de viagem de nossos clientes corporativos. Usamos tais informações coletivamente para negociar com as linhas aéreas em nome de nossos clientes.

Enquanto recolhíamos e analisávamos essas estatísticas, um grande número de outras agências deixava que isso fugisse por entre os dedos, em meio à tempestade que se seguira à desregulamentação. Era fundamental ter um sistema central para captar essas informações, o que nos deu uma vantagem competitiva sustentável.

O centro de reservas nos permitiu compartilhar perícia, informações e recursos para melhor servir nossos clientes. Ao mesmo tempo, estávamos nos preparando para o crescimento futuro. Hoje, temos centros de reservas por todo o mundo (você lerá sobre nossos Intellicenters nos capítulos 11 e 13).

O planejamento da estrutura para o rápido crescimento foi para nós uma profecia auto-realizadora. Assim como a maioria dos projetos arquitetônicos inclui ampliações potenciais, os planos de crescimento ajudam uma empresa a se preparar para a expansão. Eles também podem *proporcionar* a oportunidade de crescimento, já que é reconfortante para os clientes potenciais saber que uma empresa está pronta para cuidar de seus negócios.

Terceiro — Cresça ou Desista
O Crescimento sem Trapaças

Em 1984, éramos de longe a mais forte empresa regional de administração de viagens corporativas, mas então ocorreu algo que nos impulsionou ao status nacional. A companhia Du Pont confiou à Rosenbluth a administração de suas viagens nacionais. Naquela época, esse foi o maior programa de administração de viagens corporativas da história.

Aceitar esse cliente significava que teríamos de nos expandir nacionalmente. Isso era algo que desejávamos fazer, mas concluíramos ser perigoso demais especular em novos mercados sem reconhecimento nacional. A conquista desse cliente nos permitiu, então, crescer em todos os principais mercados da Du Pont, já que tínhamos um negócio que o garantia. A partir daí, conquistamos novos clientes em todas as localidades.

Até o momento, poupamos à Du Pont mais de 500 milhões de dólares; quase metade disso só nos últimos cinco anos. Não surpreende, assim, que nossa parceria com a Du Pont tenha promovido no mercado a tendência de as corporações consolidarem nacionalmente suas contas de viagem. E nós éramos os líderes da consolidação. Começamos a compartilhar nossa perícia e nossos recursos com corporação após corporação, consolidando seus programas de viagem. Continuamos a crescer com nossos clientes, ingressando em seus principais mercados. Então atraímos negócios adicionais em cada uma dessas cidades.

Nossa abordagem de crescimento guiada pela clientela assegura que nosso enfoque esteja sempre em nossos clientes, mas ao mesmo tempo assegura nossa expansão. Como toda nova unidade existe para servir um cliente, assumimos um risco mínimo em nosso investimento de capital e de recursos humanos. Isso garante que estejamos por perto para servir os clientes para os quais nos expandimos. Assim, às vezes, ser conservador ou avesso a riscos é, na verdade, o que define o futuro.

A massa crítica pode ser importante para uma empresa, e, para alcançá-la, existe um certo número de barreiras. Mas descobrimos que a abordagem de crescimento guiada pelo cliente não somente faz mais sentido para negócios como também representa um serviço melhor para o cliente.

Quarto — Independência Completa
Rompendo Elos Que o Constrangem

Os melhores relacionamentos se dão em um estado de equilíbrio. Ambos os parceiros trazem valor à mesa e têm a liberdade de manter sua própria identidade. Isso parece se aplicar especialmente a empresas como a nossa — decididas e um tanto incomuns.

Nossa empresa funciona melhor em um ambiente de total independência, onde nossa criatividade e nossa disposição de correr riscos calculados não são cerceadas. Conforme continuamos a crescer, descobrimos rapidamente que precisávamos proclamar a independência de nossa tecnologia de sala dos fundos para dar a nossos clientes um atendimento melhor que o de qualquer outra empresa.

A maioria das empresas tem algum tipo de sistema de sala da frente e sala dos fundos. No nosso mercado, as agências de viagem costumam depender de uma empresa aérea para seus sistemas. O sistema de sala da frente providencia as agendas de vôos, as tarifas e o acesso ao processo de reserva. O sistema de sala dos fundos providencia a contabilidade, o banco de dados e as possibilidades de programação.

Proclamamos nossa independência na sala da frente em 1983, quando criamos o software proprietário chamado READOUT, que usa dados tarifários de todas as principais linhas aéreas em um único sistema (explicado no Capítulo 10, "A Tecnologia como Ferramenta"). Temos todas as informações de que precisamos sobre horários e preços ao alcance da mão.

Mas, na sala dos fundos, onde os dados são armazenados e analisados, a independência era uma outra história — e ainda o é para a maioria das agências. A prática comum era a de utilizar um sistema de sala dos fundos procedente de uma empresa aérea. Mas precisávamos ter o nosso próprio sistema. (Esse também será explicado mais detalhadamente no Capítulo 10.) Criar nosso próprio sistema de sala dos fundos foi uma das decisões mais custosas e mais importantes que já tomamos. Por que ele custou tão caro? Porque esses sistemas multimilionários de sala dos fundos são subsidiados pelas empresas aéreas para as agências que os utilizam. Eles são ou fornecidos gratuitamente ou alugados a um preço bastante reduzido.

Fugir a esse padrão significava que teríamos de construir nosso próprio sistema e arcar com todos os custos. Por que isso era tão importante? Pela mesma razão de ser caro: o subsídio das empresas aéreas significava dependência da empresa que o concedia, e uma certa distância daquelas empresas das quais não se era assinante.

Concluímos que a informação era a chave para administrar efetiva e proativamente os programas de viagens de nossos clientes. Só teríamos controle sobre a informação e só seríamos livres para usá-la em benefício de nossos clientes se construíssemos nosso próprio sistema de sala dos fundos. O exemplo hipotético a seguir ilustra o valor dessa independência.

Suponhamos que uma agência de viagens assine o serviço de sala dos fundos da companhia aérea ABC. Um cliente importante tem um alto volume de viagens entre duas cidades determinadas, e pode percorrer essa rota ou pela companhia aérea ABC ou pela companhia aérea XYZ. O cliente e a agência concluem ser mais vantajoso consolidar essas viagens com uma única linha aérea, com a qual possam negociar os melhores acordos para descontos de tarifa e melhorias nos serviços. O fato de a agência depender do sistema de sala dos fundos da companhia aérea ABC ocasiona algumas complicações.

Complicação um: para terem poder na mesa de negociações, a agência e o cliente precisam dispor de todo seu histórico de viagens na rota em questão. Para tanto, eles precisam pedir esses dados à companhia aérea ABC. O propósito disso seria evidente para essa última. Por que ela forneceria tais informações, sabendo que seriam usadas em negociações avessas a seus interesses?

Complicação dois: se conseguir recuperar os dados e se a companhia aérea XYZ fizer uma oferta melhor que a da ABC, poderá a agência pedir a essa última que crie um programa redirecionando sua fatia de mercado para a companhia aérea XYZ, permitindo-lhe tirar proveito da melhor oferta? Claro que ela pode pedir, mas você acha que a companhia aérea ABC porá em sua lista de prioridades um projeto que *desvia* negócios de sua empresa? Claro que não.

Quando obtém munição da pessoa com quem está negociando, você não goza de uma posição forte. Embora as linhas aéreas sejam nossas parceiras na criação dos mais eficazes programas de administração de viagens para nossos clientes, o equilíbrio das negociações é arruinado se dependermos delas.

Por meio da independência e de parcerias em três vias, podemos assegurar resultados triplamente lucrativos — para nossos clientes, nossos fornecedores e nossa empresa. Nossos clientes reduzem seus custos de viagem, nossos parceiros das linhas aéreas preenchem mais assentos e nós podemos oferecer nossa habilidade de proporcionar tais economias a clientes potenciais.

É sensato avaliar com atenção seu nível de dependência de fontes externas. Embora as parcerias possam multiplicar nossas capacidades, é perigoso ter um nível de dependência que nos impeça de servir nossos clientes no máximo de nossas habilidades. A independência pode ser alcançada sem prejuízo para nossas parcerias.

Emancipar-nos e proclamar nossa independência tecnológica nos anos 80 foi um marco, mas, desde então, muitos outros avanços tecnológicos moldaram nosso futuro. Você poderá ler mais sobre eles no Capítulo 10, sobre tecnologia.

Quinto — Abarcando o Globo
A Expansão Global por Meio de Alianças Estratégicas

Foi nosso histórico na administração de viagens consolidadas nacionalmente que nos levou ao passo lógico seguinte no processo de expansão — o nível global. Também aqui nossa abordagem norteava-se e norteia-se pela clientela. Nossos clientes multinacionais começaram a nos perguntar se poderíamos atendê-los mundialmente, e resolvemos descobrir qual seria a melhor maneira para isso.

Naqueles primeiros anos, estudamos se seria exeqüível abrir escritórios internacionais e comparamos o estudo com a praticabilidade de conhecer cada mercado individual com um especialista local — concluindo ser essa última uma estratégia melhor para iniciarmos nossa expansão global. Embora nossa estratégia hoje seja muito diferente, na época a abertura de escritórios próprios no além-mar não teria sido um investimento muito bom de capital. Desenvolvemos, então, a Aliança Internacional Rosenbluth (RIA, *Rosenbluth International Alliance*), projetada para ser flexível o bastante para tirar proveito de oportunidades de negócios surgidas em qualquer parte do mundo a qualquer momento. Depois de pesquisas extensivas, formamos alianças com aquelas que considerávamos ser as melhores firmas de administração de viagens em mais de quarenta países do mundo todo. O que procurávamos eram a similaridade em filosofia e valores, a dedicação aos serviços, o viés tecnológico e a estabilidade financeira.

Por algum tempo, nos beneficiamos da posição forte que cada membro tinha em seu mercado, bem como de seu conhecimento da cultura local, dos regulamentos do governo, dos fornecedores e do clima dos negócios. Então pudemos nos concentrar nos serviços. As agências membros de todo o mundo se beneficiaram dos negócios que lhes trouxemos, e negociaram em rede umas com as outras.

Essa estratégia funcionou bem por alguns anos, mas então começamos a ver suas fragilidades inerentes e reconhecemos que tínhamos superado nossa estratégia inicial. O método da aliança atendia às necessidades básicas dos clientes que viajavam para o exterior, mas, quando conquistamos uma fatia de negócios de fato multinacional, as expectativas mudaram. Nossos clientes queriam nossos padrões de serviços, nossas informações consolidadas e nosso nivelamento com os fornecedores em todo o mundo.

Um dos conflitos mais críticos que descobrimos era que os fornecedores favoritos de nossos clientes nem sempre se alinhavam com os de nossos parceiros da RIA. Negociávamos preços favoráveis para nossos clientes junto às principais linhas aéreas, mas os membros da RIA tinham seus próprios fornecedores, e não queriam perder os acordos de comissão que tinham com as companhias concorrentes.

Precisávamos de escritórios globais para termos nossas sofisticadas possibilidades de negociação com fornecedores, nossas ferramentas para relatórios e os produtos e serviços de suporte de que dispúnhamos. A inconsistência das capacidades das outras agências chegou ao limite, e compreendemos que uma aliança é tão forte quanto o for seu elo mais fraco. Assim, nos propusemos a redesenhar nossa estratégia global.

Em primeiro lugar, passamos um tempo considerável com nossos clientes determinando suas exatas necessidades e estratégias globais. Então nos reunimos com os principais fornecedores para compreender plenamente suas metas e desafios no globo. A partir do conhecimento obtido, traçamos planos para oportunidades de triplo benefício. Delineamos os planos globais de nossos clientes e os comparamos para obter um quadro claro de onde precisaríamos estar presentes. Formulamos os requisitos dos clientes em cada mercado e combinamos essas informações com os planos dos fornecedores. A partir daí, criamos nosso plano de implementação global, e começamos a mudar de alianças para escritórios próprios ou de propriedade conjunta ou em rede.

Tão logo passamos da RIA para nossa abordagem atual, os serviços melhoraram consistentemente, os relatórios foram mais precisos e pontuais e nossa habilidade de provocar mudanças vigorosas nas participações de mercado para apoiar nossos programas de fornecimento preferidos produziram economias significativas para nossos clientes.

Chegamos a implementar aproximadamente 200 milhões de dólares em negócios pela RIA, e, em 1993, reimplementamos tudo isso sob nossa nova configuração. Fico feliz em dizer que preservamos todos os clientes, e até hoje mantemos integralmente esses negócios. De fato, mais de 65% de nossos clientes norte-americanos fazem negócios conosco em todo o mundo.

Enquanto houver futuro, continuaremos a aprimorar nosso modelo, sabendo que é fundamental ter "epicentros de pensamento" em áreas essenciais do mundo, com raios que alcancem os centros periféricos. Tijolos e argamassa não são as medidas da presença global, mas, sim, idéias, conhecimentos, criatividade e amparo ao cliente. É por essas coisas que nossos clientes nos contratam, e não por pontinhos em um mapa. O essencial é identificar os principais mercados que têm importância para nossos clientes e para suas estratégias de crescimento, e determinar a melhor maneira de fazer negócios em cada uma dessas localidades.

No início de 2002, possuíamos e controlávamos escritórios em vinte e sete países, e começamos o processo de adquirir participação acionária em outros vinte e nove. A RIA se transformou em nosso grupo de Mercados Estratégicos, e nossa liderança de tecnologia e pensamento foi distribuída pelo mundo. Hoje, a Rosenbluth International tem a segunda maior presença global do mundo.

Qualquer que seja a forma que os negócios assumam (escritórios próprios, *joint-ventures*, parcerias), há passos essenciais a seguir. Em primeiro lugar, determine os componentes essenciais dos serviços e produtos por você fornecidos que necessitem de padronização global, e imponha com rigor esses padrões. Em segundo lugar, reconheça e honre as variantes locais e culturais, e mantenha-se em harmonia com as comunidades locais nas quais pretende fazer negócios. Em terceiro lugar, seja flexível sempre que isso não comprometer a credibilidade de seu programa. Muitas idéias brilhantes serão geradas localmente.

Com grandes pensadores espalhados pelo globo, sempre estaremos um passo adiante na curva por nossos clientes. Do local para o regional, para o nacional, para o global e, no futuro, talvez para além de global, o crescimento é uma questão não somente do porte da empresa, como também de seus serviços. Há numerosos passos para a prestação de serviços excepcionais: descobrir o pessoal certo para prestá-los, armá-los com treinamento e tecnologia para que dêem o melhor de si, e, é claro, ter um viés de serviços que expresse a linguagem de sua empresa.

Decisões Críticas

Resumo

- Procure as oportunidades que acompanham as mudanças — em seu mercado, na legislação e mesmo nas estratégias de seus concorrentes. A desregulamentação das linhas aéreas criou um mundo de oportunidades para nossa empresa.
- Desenvolva um plano de crescimento. Ele não só assegura que você esteja pronto para a expansão, como também pode lhe dar a chance de crescer pelo fato de os clientes gostarem de saber que você está preparado para servi-los. Nosso plano sustenta nossa abordagem de crescimento, guiada pela clientela.
- Examine continuamente seus modelos de negócios para saber se você não os superou, como nós superamos nossa estratégia global. Disponha-se a evoluir conforme necessário. Embora o desafio seja grande, as recompensas podem ser maiores.
- Dê uma boa olhada em seu nível de dependência de fontes externas. Parcerias são ótimas, mas deixarão de ser caso elas o impeçam de servir seus clientes com o máximo benefício para eles.

CAPÍTULO DEZ

A Tecnologia como Ferramenta

Você não pode dar um martelo a um carpinteiro e lhe pedir que construa uma casa. Um médico não pode oferecer tratamento aos pacientes munido de um mero estetoscópio. Todo artesão precisa ter à disposição as ferramentas corretas para dar o melhor de si.

A tecnologia é uma ferramenta essencial em praticamente qualquer negócio de hoje. Não há provavelmente nada que um computador consiga fazer que uma pessoa também não consiga. E, de qualquer modo, são as pessoas que dão aos computadores sua inteligência. Mas o segredo está no tempo.

É possível fazer cálculos, desenhar formas geométricas e produzir documentos, mas, sem os computadores, aquilo que fazemos hoje exigiria uma quantidade impensável de homem/horas — recursos que não podemos desperdiçar.

A tecnologia nos permite fazer mais coisas com o tempo de que dispomos e automatiza tarefas que de outra forma seriam tediosas, liberando assim nosso tempo para a criação. É uma ferramenta estupenda. Para muitos, contudo, ela é intimidadora, traz insegurança, sendo talvez vista como uma potencial substituta para as pessoas. A tecnologia devia ser usada para fortalecer nosso pessoal.

Em seu boletim *On Achieving Excellence* (Sobre Alcançar a Excelência), Tom Peters disse: "A Rosenbluth redefiniu um negócio corriqueiro por meio de um conjunto impressionante de programas proprietários que ajudam os clientes a acompanhar e administrar seus custos". No mesmo artigo ele ainda escreve: "O 'serviço elegante' é tão significativo quanto os programas. Bater os Joneses na tecnologia da informação é essencial, mas implementá-la sem recurso às pessoas seria um desastre".

Estendendo-se sem Tocar em Ninguém
Aprendendo com um Produto Malsucedido

Nem todos os produtos tecnológicos entrarão no panteão da fama. Em 1983, criamos um programa chamado REACHOUT®, que malogrou. Ele transmitia horários de vôos e informações sobre hotéis e veículos para os computadores dos clientes. Fizemos investimentos significativos para criar o sistema, e nunca tivemos retorno.

O problema era que não entendíamos a dificuldade que nossos clientes tinham ao usar o produto. As pessoas que o desenvolveram e testaram estavam habituadas a usá-lo, mas não foi para elas que o desenvolvemos. Apoiamos cegamente o produto porque acreditávamos que o mercado precisava dele. Aprendemos nossa lição, e, desde aquela época, há vinte e tantos anos, temos usado mais os ouvidos ao desenvolver nossos produtos.

Naturalmente, temos hoje uma equipe de gestão de produtos que avalia os requisitos do mercado e projeta nossas ofertas com base nas necessidades do cliente (você lerá mais a respeito nas páginas seguintes). Também passamos da criação de soluções baseada em um único negócio ou na necessidade de um único cliente para o desenvolvimento de soluções universais, com parâmetros configuráveis que permitem estender seu alcance para atender a pedidos similares, embora únicos.

A nuvem negra do produto teve seu contorno prateado. O REACHOUT® foi um pioneiro em nosso mercado, e serviu como plataforma para o desenvolvimento de um produto que permitiu aos nossos clientes nos enviar pedidos de viagens por e-mail, e que acabou se transformando em nosso sistema atual de reservas on-line, o @Rosenbluth.

Para desenvolver os produtos corretos, temos de colar os ouvidos ao solo para saber o que vem por aí, e, ainda, dar atenção tanto a nossos clientes quanto ao nosso pessoal. Não precisamos necessariamente chegar ao mercado primeiro com nossos produtos, e não temos de inventar todos os seus aspectos internamente. Precisamos apenas ser os melhores e ficar um passo adiante. Ocasionalmente adotamos produtos ou conceitos aceitos no mercado e os ajustamos a nossas próprias necessidades.

Por exemplo, nosso REACHOUT® evoluiu e se tornou uma ferramenta de agendamento por e-mail, que ajustamos primeiro a um aplicativo para o servidor dos clientes e, em seguida, a um aplicativo da Internet. Todavia, nosso sistema não funcionava em tempo real e não era capaz de processar itinerários complexos, com múltiplos destinos, nem viagens internacionais. Queríamos um sistema que pudesse fazer essas coisas e integrá-las a todos os nossos demais sistemas. Devido ao tempo necessário para pô-lo em atividade e aos custos de seu desenvolvimento, decidimos fazer uma parceria com uma empresa de tecnologia aprovada. E foi o que fizemos. O resultado é o @Rosenbluth, e ele faz tudo aquilo que imaginamos. Não é um mau resultado final para um produto a princípio malsucedido.

Para apresentar um mapa de nosso panorama de sistemas de informação, vou dividi-los em três áreas primárias: a sala da frente, a sala do meio e a sala dos fundos. Discutirei produtos selecionados de cada uma. Embora em nosso caso eles digam respeito a viagens, o que oferecem pode ser aplicado em praticamente qualquer mercado.

A SALA DA FRENTE

Há muitas diferenças entre nossa tecnologia e a de nossos concorrentes, e isso fica claro quando estamos buscando clientes. Em anos passados, demos ênfase máxima aos investimentos e às potencialidades de nossa sala da frente, partindo de nossa filosofia de que fazer as coisas certas logo na primeira vez é mais eficiente, menos custoso e mais conveniente para nossos clientes. Tudo isso permanece válido, e continuamos a investir intensamente em nossa frente. Porém, conforme um número crescente de transações vai sendo feito por meio de ferramentas on-line, parte do processo escapa de nossas mãos, e a necessidade de automatizar o controle de qualidade e o preenchimento de passagens ganha uma nova relevância (trataremos disso ao falar da sala do meio).

Continua sendo importante investir na personalização e nos testes de qualidade já na frente, onde as reservas são feitas — seja pelos associados, seja, de forma on-line, pelos clientes. Vamos dar uma olhada nos principais produtos de nossa sala da frente — que nos possibilitam servir nossos clientes do modo como desejamos.

Aplicando Valores
A Evolução de um Produto Que Proporciona as Menores Tarifas

Em 1983, criamos um produto chamado READOUT, que mencionei brevemente no Capítulo 9. Houve momentos em que testemunhamos centenas de milhares de mudanças diárias nos preços de tarifas aéreas. Cada companhia aérea tinha seu próprio sistema de reservas, e, embora eles incluíssem os vôos de todas as companhias, havia certa demora até que as informações fossem atualizadas em todos os sistemas. Se uma empresa mudasse suas tarifas, ela atualizaria primeiramente seu sistema, e entre vinte e quatro e quarenta e oito horas depois os novos valores entrariam nos demais sistemas.

Percebemos que nossos clientes podiam perder as melhores tarifas em função dessa demora. Assim, alugamos todos os sistemas disponíveis, os colocamos lado a lado e comparamos as tarifas. A partir desse processo manual, criamos nosso próprio sistema privado, misturando as informações de todos os sistemas e listando as companhias em ordem ascendente de acordo com o preço. Por muitos anos, esse produto permitiu a nossos clientes tirar proveito das mudanças nas tarifas.

Hoje, as ofertas automáticas de vôos foram convertidas nos Sistemas de Distribuição Global (GDSs — *Global Distribution Systems*), que incluem um banco de tarifas centralizado no qual é possível registrar os descontos negociados pelos clientes. Mas não contamos somente com produtos de terceiros, por mais avançados que sejam. Nós mesmos desenvolvemos programas proprietários de sala da frente que nos permitem oferecer mais a nossos clientes.

Eliminadores de Estresse / Otimizadores de Serviços
Produtos Que Apóiam as Pessoas

O processo de reserva afeta diretamente um altíssimo número de pessoas nas organizações de nossos clientes. Ele ocorre 24 horas por dia, 365 dias por ano, e vem se tornando cada vez mais complicado desde a desregulamentação das linhas aéreas nos EUA nos anos 70. As reservas anteriores à desregulamentação envolviam uns poucos componentes; e estes eram tipicamente o nome de quem ligava, o nome do viajante, o endereço, o telefone e os planos de viagem.

Hoje, uma única reserva tem até cem componentes, incluindo desde os dados fundamentais até números designativos de viajantes freqüentes, requisitos especiais para as refeições e códigos sortidos para todos os tipos de relatórios de administração de viagens. Essa complexidade possibilita um serviço de nível superior. Mas também apresenta novas possibilidades de erros. O volume e a complexidade podem exercer uma pressão tremenda nas pessoas.

Uma década e meia atrás, dois associados — um de operações e outro de tecnologia — estavam discutindo o processo de reservas e se perguntando: "Como poderíamos fazer isso melhor?" O resultado foi um produto que automatizou a maior parte do processo de reservas, eliminando praticamente as possibilidades de erro e dando aos nossos CCAs tempo para personalizar os serviços. O produto evoluiu ao longo dos anos até se tornar o Custom-Res®, nosso produto de garantia da qualidade no ponto de venda.

Há três requisitos fundamentais que devem ser atendidos em qualquer reserva: (1) aderir à política de viagens da empresa do cliente, já que as políticas são inúteis se não as seguirmos; (2) honrar as preferências pessoais do viajante; e (3) captar informações para os relatórios do cliente. O Custom-Res realiza automaticamente esses três objetivos. Como a política de viagens de todos os clientes encontra-se programada no

Custom-Res, nosso CCA sabe que a empresa de um dado cliente lhe permitirá viajar para Londres na classe comercial.

Seu assento pode ser escolhido na asa, de acordo com seu gosto, seu número de viajante freqüente é automaticamente registrado, e ele recebe a refeição vegetariana de sua preferência. Entrementes, todas as informações importantes são recolhidas e armazenadas em nosso sistema para os relatórios de administração de viagem do cliente.

Esse produto economizou uma quantidade significativa de tempo. O processo de reserva é mais rápido e mais preciso. A qualidade ganha com isso. Os benefícios de tal ferramenta falam por si mesmos. Toda empresa tem seus próprios processos que se proclamam automáticos. Nossa empresa se beneficia dos ganhos em produtividade, mas o cliente é o verdadeiro ganhador.

É possível incluir no sistema perfis detalhados dos clientes, de modo a ajudar a empresa a personalizar seus serviços. E os funcionários são elevados das tarefas tediosas para as construtivas. Eis aqui outros produtos da sala da frente que auxiliam nossos funcionários e clientes.

O Res-Monitor®, nosso mecanismo de busca de tarifas econômicas, continua procurando tarifas mais baixas e itinerários mais convenientes até o dia da partida, incluindo tarifas especialmente negociadas e vôos e aeroportos alternativos.

O Res-Check é nossa tecnologia de pós-venda, e verifica automaticamente a exatidão de cada reserva, assegurando que todas condigam com os padrões de nossa empresa e do cliente em questão.

O RAPID™ identifica para os CCAs de ponto de venda as companhias de preferência. Afinal de contas, tarifas negociadas especialmente não terão valor para nossos clientes se os viajantes não se beneficiarem com elas.

A cada ano, os GDSs das empresas aéreas e os sistemas de nossos concorrentes ganham terreno, imitando recursos oferecidos por nossos aplicativos proprietários. Por essa razão, estamos sempre procurando e desenvolvendo novas maneiras de melhorar nossos produtos e aprimorar nossos serviços.

Levando a Coisa a um Novo Nível
Atualizando Continuamente as Ferramentas

A Internet tornou-se a nova plataforma de comunicação de nosso negócio e da maioria das organizações, e, por isso, é natural que nosso processo de desenvolvimento concentre-se como um todo em aplicativos da rede. Isso nos poupa tempo e dinheiro, uma vez que já não precisamos instalar aplicativos nos computadores de nossos clientes ou associados.

Sempre oferecemos ferramentas de relatório a nossos clientes, para ajudá-los a analisar seus históricos de viagens e despesas. Com ferramentas em rede, permitimos que nossos clientes e associados acessem e processem seus próprios relatórios sempre e da maneira que quiserem. (Esse era anteriormente um aplicativo para o servidor dos clientes, e tinha maior dependência de nós no dia-a-dia.) As ferramentas da Internet são mais fáceis de usar e mais eficientes, possibilitando-nos, além disso, a adição de recursos avançados, de informações mais extensivas e de gráficos.

Outro desenvolvimento positivo foi o avanço das ferramentas de administração das relações com o cliente (CRM, *Customer Relationship Management*). Elas nos permitem reunir informações adicionais sobre os viajantes que atendemos, além dos dados tradicionais de viagem. Usamos essas informações no desenvolvimento de aplicativos que melhorem nossos serviços a esses clientes. Por exemplo, digamos que um viajante está seguindo para Paris e que sabemos que essa é sua primeira viagem ao local. Podemos lhe oferecer informações úteis sobre direitos alfandegários, moeda corrente, transporte terrestre, restaurantes próximos ao hotel e assim por diante. As possibilidades são ilimitadas.

Nosso primeiro passo foi expandir a quantidade de dados recolhidos. Atualmente estamos trabalhando com a tecnologia de "disparo", que nos permite obter informações sobre acontecimentos determinados e enviá-las proativamente aos viajantes por e-mail ou telefone celular. Por exemplo: quando um horário de vôo é alterado, podemos "disparar" automaticamente um e-mail para os viajantes afetados. Até agora, quando recebemos notícias de mudanças, cuidamos manualmente das ligações e do envio de e-mails. Mas estamos a caminho de automatizar esse sistema. Digamos que uma forte tempestade esteja a caminho de uma cidade qualquer. Se quiséssemos avisar os viajantes que estivessem rumando na mesma direção, também poderíamos fazer isso automaticamente.

Sempre geramos grandes quantidades de informação, usando-a para proporcionar vantagens a nossos viajantes; mas agora podemos direcioná-la cuidadosamente para que haja um perfeito ajuste entre os serviços que prestamos e os viajantes que os utilizam. No passado, nossos CCAs recolhiam informações de nossos sistemas e as enviavam aos viajantes. A diferença é que hoje nossos sistemas podem dizer aos CCAs coisas que eles de fato não sabem — oferecendo-lhes informações que podem ajudá-los a melhorar seus serviços. E essa é uma tecnologia que vale o que pesa.

Essas ferramentas de CRM recolhem informações sobre nossas interações com os clientes; assim, qualquer pessoa pode se informar sobre os serviços. Sempre registramos os históricos das viagens, mas, até agora, nunca tínhamos registrado o histórico das interações. Outros mercados, como o financeiro e o varejista, já usavam tais ferramentas, mas elas são novas em nosso ramo. Estamos à frente de uma mudança na administração de viagens, do foco nas transações para o foco de fato no cliente. Ela promete elevar o nível dos serviços que prestamos, e é uma mudança que qualquer empresa de qualquer ramo pode implementar.

A evolução seguinte de CRM é eletrônica, ou eCRM. Essas ferramentas incorporam os mais recentes métodos de prestação de serviços, como o e-mail, o bate-papo e a telefonia IP. Elas nos permitem estender nossos serviços avançados de CRM para além do tradicional telefonema. As ferramentas de eCRM nos permitem reagir com mais eficiência. Por exemplo, ao enviar e-mails para confirmar reservas, podemos programar antecipadamente palavras-chave que os formulem, ou pelo menos construir a estrutura básica das mensagens de modo que nossos CCAs só precisem preenchê-la com os detalhes. Isso não só poupa tempo e melhora a precisão, como nos permite captar informações sobre os tipos de e-mails que recebemos e nossos níveis de respostas. E a mensuração é a chave para o aprimoramento contínuo.

As ferramentas de eCRM nos ajudam a atender nossos clientes por meio de bate-papos on-line, o método de serviços que mais vem crescendo. Nossos clientes clicam em um ícone para abrir uma caixa de diálogo, digitam sua pergunta e um de nossos CCAs responde quase em tempo real (diversamente do que ocorre com o e-mail, que é off-line).O bate-papo é hoje mais usado por consumidores do que por empresas, mas isso vem mudando. O segmento mais jovem de nossa população tem mais familiaridade com os bate-papos, e os está trazendo para o primeiro plano. Uma das melhores características dos bate-papos é o fato de permitirem a realização de multitarefas, algo hoje fundamental.

Na evolução da tecnologia, o e-mail já é largamente usado, o bate-papo vem crescendo e a estrela ascendente é a telefonia IP, uma tecnologia emergente que permite a comunicação verbal pela Internet. Por exemplo, se você tiver alguma dúvida ao usar um aplicativo, é possível fazer perguntas ao vivo pela Internet. É uma ferramenta notável, e estamos trabalhando em ritmo acelerado no desenvolvimento de aplicativos para ela.

Outra tecnologia emergente na qual estamos trabalhando ativamente é a colaboração pela rede, que nos permite visualizar exatamente o que outra pessoa está visualizando em sua tela. As vantagens de as pessoas poderem compartilhar os mesmos dados ao mesmo tempo são muitas. Essa tecnologia nos deixa ainda mais próximos de uma colaboração global em tempo real. Quaisquer que sejam as novas ferramentas após a telefonia IP e a colaboração pela rede, estaremos também com elas.

A Economia do Conhecimento
Captando e Compartilhando Conhecimentos pelo Mundo

O conhecimento e a experiência são mercadorias inestimáveis, e, historicamente, não tem sido fácil compartilhá-los nas organizações. Existem hoje soluções para captar esses ativos e proporcionar às pessoas o acesso ao conhecimento e à experiência de seus associados, para o benefício dos clientes. Estamos empenhados na implementação de tais ferramentas, cujos usos são ilimitados.

Por exemplo, quando um cliente liga para arranjar os preparativos de uma viagem a Nova York e solicita um veículo de aluguel, nós o dissuadimos de alugá-lo e sugerimos, em vez disso, um serviço de táxi. Muitos de nossos CCAs sabem, graças a anos de experiência, que é mais barato, mais fácil e mais eficiente ser conduzido do que dirigir e estacionar um carro em Manhattan. Esse conhecimento pode ser compartilhado por nossa população de CCAs, desde que a treinemos para disseminá-lo. Mas podemos ir um passo além, incluindo-o em nossa base de dados e vinculando-o a nosso sistema de reserva, de modo que ele fique automaticamente incorporado em nossos serviços.

O passo seguinte é oferecer a nossos clientes acesso direto a nossa base de conhecimentos. Tem havido um movimento acelerado pelo auto-atendimento e pelo agendamento on-line. Em 2000, menos de 2% de nossos agendamentos caía nessa categoria, mas, em 2001, esse número saltou para quase 20%. Esses sistemas são convenientes, mas não oferecem os conhecimentos que nosso pessoal adquiriu ao longo dos mais de cem anos que nossa empresa está no ramo. Por isso, consideramos uma alta prioridade a conexão entre nossa base de dados e nossas ferramentas de agendamento on-line. Poderemos com isso transformar nosso ativo mais importante — o talento de nosso pessoal — em algo que possa ser quantificado, compartilhado e cultivado.

Uma Via de Mão Dupla
Os Bons Produtos Não São Criados no Vácuo

Nossos mágicos da tecnologia não criam seus produtos no vácuo. Eles estão sempre em contato com nossos clientes e associados, procurando conhecer suas necessidades. Por exemplo, quando o Custom-Res foi desenvolvido, grupos de usuários determinaram o que esperavam que ele fizesse, e foi incorporado ao produto um mecanismo de avaliação que permitia aos nossos CCAs comentá-lo com seus criadores conforme o utilizassem. Essas avaliações levaram a contínuos aperfeiçoamentos.

Estamos sempre procurando alinhar os requisitos dos clientes e do mercado com inovações e serviços de inteligência competitivos. Quando alinhamos todos esses fatores, as lacunas, as áreas de sobreposição e as bordas ficam muito visíveis, e isso direciona nossa estratégia e nossos planos de desenvolvimento.

Um de nossos programas mais requisitados é a Consultoria de Diagnósticos, que ajuda nossos clientes a determinar quais são suas verdadeiras necessidades. Trataremos desse programa revolucionário no Capítulo 12, "Parcerias Abertas".

A SALA DO MEIO

A sala do meio serve como um filtro por meio do qual nos certificamos de que as necessidades e solicitações dos clientes foram atendidas. Embora nossos sistemas de sala da frente garantam a precisão logo de início, nem todas as preferências dos clientes se encontram disponíveis no momento da reserva, e não podemos parar por aí. Precisamos de um sistema que continue tentando. Chegamos a nossa sala do meio, e ela desempenha diversas funções.

Criar ou Comprar? Em Busca do Melhor Programa Automático de Garantia da Qualidade

Na velocidade em que a tecnologia evolui, a melhor solução de hoje pode empalidecer frente à novidade de amanhã. Por isso estamos sempre investigando o mercado com mente aberta, em busca da melhor solução, independentemente de ela ser criada por nós ou não. Usamos por anos, na sala do meio, nosso próprio programa automático de garantia da qualidade, mas agora o aposentamos e mudamos para uma parceria que nos proporciona as melhores soluções.

Seu primeiro recurso é a garantia automática da qualidade. Além de verificar se os dados fundamentais das reservas estão corretos, ele também verifica se não houve nenhuma mudança de horários e, no caso de ter havido, envia uma mensagem a nossos CCAs para que entrem em contato com os clientes e os informem. Essa tecnologia, juntamente com nossas ferramentas de eCRM, nos permite manter nossos clientes atualizados sobre quaisquer condições que afetem suas viagens.

Mais de 90% das passagens que vendemos são eletrônicas. Mandamos a documentação por e-mail a nossos clientes, e eles simplesmente imprimem seu recibo e itinerário, após o que estarão a caminho. Quaisquer mudanças são notificadas automaticamente por e-mail.

Outra função essencial da sala do meio é assegurar a compra das tarifas mais acessíveis. Se, por exemplo, a tarifa mais barata estiver esgotada no momento da reserva, o cliente é incluído automaticamente na lista de espera até que a tarifa esteja disponível.

O mesmo se aplica aos assentos. Todo mundo tem seu assento favorito — na ponta ou próximo a alguma saída, janela ou asa. Ninguém quer um assento no meio. Essa pode ser uma grande frustração para os viajantes. O sistema faz checagens automáticas para assegurar que o assento favorito de cada cliente seja obtido, e, em caso de não o ter sido, o cliente fica na lista de espera por seu assento especial até que o vôo decole.

Nossa sala do meio também disponibiliza aos clientes informações prévias sobre a administração da viagem, extraindo-as de nosso banco de dados de itinerários futuros. Nossos clientes usam essas informações com três finalidades.

A primeira é a administração de riscos. Por exemplo, as empresas podem acessar os registros das pessoas que têm viagens planejadas para locais que por alguma razão foram incluídos em alerta de segurança, por exemplo, e, com isso, fazer planos alternativos.

A segunda é a observância da política de viagens da empresa. Informações sobre quaisquer preparativos feitos à revelia das regras do cliente podem ser analisadas pelo administrador de viagens da empresa e suscitar medidas antes que a viagem ocorra.

A terceira finalidade do acesso a informações antecipadas da viagem é a negociação, com os fornecedores, do preço de viagens em grupo. Sempre que dez ou mais passageiros da mesma empresa viajam pela mesma companhia para o mesmo destino, eles costumam ter direito a tarifas mais baratas. Porém, só é possível requerermos esse benefício se ficarmos sabendo que o número necessário foi atingido.

Além dessas funções, nosso programa de sala do meio possibilita o acompanhamento das passagens eletrônicas, o preenchimento automático e a administração de perfis (que são os dados de cada viajante). Esses são apenas alguns exemplos do que pode fazer uma sala do meio. Ela desempenha uma série de funções que, no passado, envolvia muita gente e muito tempo. A automação da garantia da qualidade pode elevar a qualidade, personalizar os serviços, aumentar a produtividade e fortalecer a confiança do cliente, qualquer que seja a empresa. É outra ferramenta que direciona o estresse para uma máquina, de modo que as pessoas fiquem livres para fazer aquilo de que as máquinas não são capazes.

A SALA DOS FUNDOS

Mencionei nossa independência da tecnologia de sala dos fundos no Capítulo 9, bem como nosso salto estratégico, há duas décadas, de investir em nossos próprios sistemas e programadores. Isso nos deu a liberdade de usar informações de uma maneira jamais vista em nosso ramo — e que trouxe benefícios imensos a nossos clientes.

Estávamos limitados com o sistema das companhias aéreas. Havia limites bem definidos para o que podíamos e não podíamos fazer com um sistema e com um pessoal de programação que não nos pertenciam. Quando um cliente nos pedia que fizéssemos alguma coisa única, tínhamos com freqüência de dizer "não", e isso era algo que sentíamos na pele. Preferimos dizer ao menos "talvez" e, normalmente, "sim".

Nosso pessoal sempre se mostra ansioso e orgulhoso quando vem me contar de reuniões com clientes nas quais diversas agências estavam representadas. E isso porque, quando a conversa versa sobre tecnologia e o cliente pergunta qual agência poderia atender a uma certa meta tecnológica por ele estabelecida, é comum que nossos funcionários sejam os únicos na sala a dizer inequivocamente "sim". Eles gostam disso, assim como nossos clientes.

Visão
Os Fatos Nus e Crus

Chamamos nosso sistema de sala dos fundos de VISION®. Ele catalisa e esmiuça dados, mantendo um banco com informações oriundas de todas as nossas divisões pelo mundo afora. O sistema armazena durante mais de um ano informações sobre todas as atividades relativas a viagens. Esses dados são vitais para negociarmos com fornecedores em prol de nossos clientes.

Usando tais informações, também podemos ajudar nossos clientes a escolher, em suas viagens, as alternativas que proporcionem a suas empresas o melhor custo/benefício em termos de companhias, hotéis, locadoras de veículos, horas do dia e dias da semana para viajar. O sistema é sustentado vinte e quatro horas por dia e sete dias por semana por uma equipe de operações e engenharia. Ele conta com backups contínuos, armazenamento diário de informações em meios externos e um sistema de senhas sucessivas para fins de segurança.

Temos um grande arquivo de informações (um imenso banco de dados destinado a auxiliar no processo decisório), que armazena todos os dados sobre nossos clientes. Integramos esses dados com nosso sistema de Planejamento de Recursos para Empreendimentos (ERP, *Enterprise Resource Planning*), da Oracle, mesclando informações operacionais e financeiras. Entre os primeiros segmentos a integrarem suas informações financeiras, contábeis e de inventário esteve o das manufaturas, o que não deixa de fazer sentido.

A maioria das empresas ainda tem sistemas separados, mas nos beneficiamos profundamente da combinação entre eles. Nosso sistema de ERP acessa os dados do VISION, o que nos permite visualizar um quadro completo da situação ao tomar decisões ou fazer projeções. A análise que podemos fazer então é mais sofisticada e abrangente, sendo por isso significativamente mais eficaz.

Conforme nos expandíamos rapidamente pelo globo, atingimos um ponto em que precisávamos aumentar a funcionalidade de nosso arquivo de dados. Assim, nossa equipe de tecnologia da informação levou a cabo um projeto de ponta para melhorar tanto o conteúdo quanto as capacidades de garimpar dados (escavando camadas de informações em busca de tendências e oportunidades). Hoje oferecemos a nossos clientes o mais completo banco de dados disponível, possibilitando-lhes maior excelência na tomada de decisões proativas com relação a seus programas de viagens.

A expansão de nosso arquivo de dados concentrou-se em aprimorar ainda mais nossas capacidades de importar e exportar dados de diversas fontes (como fornecedores e clientes) e alinhar todas as nossas plataformas de relatórios para uma única fonte, incluindo relatórios financeiros e outros afins. A meta era nivelar todas as informações que recebíamos e enviá-las a partir de um único repositório, grande o bastante para acomodar nosso crescimento mundial. Tenho uma dívida para com os notáveis associados que compõem nosso time de tecnologia da informação.

Nossa estratégia é oferecer a nossos clientes as ferramentas de Internet de que necessitam para acessar e analisar seus próprios dados. Eis aqui alguns serviços atualmente desempenhados por nosso arquivo:

O VISION Consolidator permite que dados de múltiplos provedores de serviços pelo mundo sejam reunidos em uma única fonte consolidada de informações.

O VISION@Rosenbluth™ é nossa ferramenta de relatórios on-line, contendo vinte modelos padronizados de relatórios, os quais são programados antecipadamente e disponibilizados em rede de acordo com uma agenda predefinida.

O iVISION@Rosenbluth™ possibilita o preenchimento via navegador de relatórios em forma de questionário, destinando-se a clientes com necessidades mais dinâmicas de expressão, e permitindo-lhes estabelecer seus próprios parâmetros. Os clientes podem enviar relatórios conforme a necessidade do momento, ou de acordo com uma agenda regular.

O Casamento Corporativo em Sua Melhor Forma
Integrando Sistemas de Informação com os Clientes

O conceito de "casamento corporativo" é discutido no Capítulo 12, "Parcerias Abertas". O termo designa a união entre os funcionários de uma empresa e os de seus clientes, travada entre vários níveis. A mesma união pode ocorrer na tecnologia. Dois exemplos em que engrenamos nosso sistema com os de nossos clientes são as atualizações da folha de pagamentos e a reconciliação de cartões de crédito.

Em 1991, fizemos uma reunião com um grande cliente, à qual compareceram trinta e quatro divisões de sua empresa. Cada uma tinha uma estrutura e um conjunto de regras para viagens e de requisitos para relatórios totalmente diferentes, e queriam que nos familiarizássemos com todos eles, servindo como devia cada viajante de cada divisão. Era um pesadelo logístico.

Depois de cinco horas, chegamos a uma solução que deixou a vida muito mais fácil e os serviços muito melhores. Desenvolvemos junto ao cliente um programa para interagir com seu banco de dados de recursos humanos, que incluía as informações mais atuais sobre todas as áreas envolvidas.

Hoje, para acessar a política de viagem, os requisitos para relatórios, o número departamental e uma série de outras informações sobre cada viajante, nossos CCAs só precisam do número de seguridade social da pessoa à linha. Isso reduz o tempo em ponto de venda tanto para o CCA como para o cliente, e garante que estejamos trabalhando com informações de último minuto. Ao longo da última década, instituímos esse programa com inúmeros outros clientes.

Em linhas similares, interagimos com os sistemas contábeis de nossos clientes para efetuar reconciliações corporativas de cartões de crédito, no que se refere a gastos com viagens. Isso economiza muito tempo para nossos clientes, já que elimina a necessidade de seu pessoal precisar reconciliar manualmente suas declarações todos os meses.

Produzimos relatórios indicando cobranças em cartão de crédito que correspondem a viagens, cobranças para as quais não temos nenhum registro de viagem e registros para os quais não há cobranças. Os relatórios servem como contadores e auditores para nossos clientes; assim, eles podem dispensar tais serviços.

Compartilhando Nossas Capacidades
A História de um Produto do Tipo "ou Vai ou Racha"

Temos um cliente na Califórnia que confiou 60% de seus negócios a nossa empresa e 40% a uma agência local. Esse cliente tinha necessidades tecnológicas muito sofisticadas, às quais a agência menor era incapaz de atender. Há cerca de dez anos, desenvolvemos uma solução que mexeu com nosso mercado.

Propusemos consolidar as informações de viagem da agência menor com as nossas, para oferecer a nosso cliente dados abrangentes sobre todas as suas contas de viagem. Não foi uma tarefa fácil. Em primeiro lugar, é arriscado se responsabilizar pelas informações de outras empresas — por preparativos de viagens que não fizemos. Em segundo lugar, é vital que tais dados não caiam em nossa própria contabilidade geral.

Conseguimos solucionar esses problemas, e isso abriu um mundo de oportunidades para o atendimento de clientes que preferem confiar seus serviços a várias agências. Hoje, consolidamos em grande escala os dados de agências múltiplas por meio de nosso VISION Consolidator, e, graças a uma taxa de transação que cobramos das agências cujos dados administramos, pudemos recuperar o investimento inicial.

O Corretor de Informações
Reconhecendo o Poder da Informação

Informação é poder, e todos somos corretores de informações. Só precisamos reconhecê-lo. Precisamos saber quais informações captar e como analisá-las. Temos de descobrir meios de converter essas informações em compreensão e, finalmente, em benefícios para nossos clientes.

Nosso sistema VISION destina-se, de forma geral, ao fornecimento de informações a nossos clientes. Os relatórios por ele gerados apresentam as economias de custo feitas, mas, o que é mais importante, mostram também oportunidades de economia que estão sendo perdidas. Isso nos permite trabalhar junto a cada empresa no desenvolvimento de um plano de ação que aproveite tais oportunidades.

Há inúmeras maneiras de as empresas usarem a tecnologia para afetar positivamente a vida de seus funcionários e clientes. O segredo está em se aproximar suficientemente de seus clientes para descobrir o melhor modo de apoiá-los. O hardware ou software mais eficiente não ajudará um cliente se não se dirigir a suas necessidades.

As pessoas podem se deixar levar pela tecnologia e perder de vista o fato de que, para compensar o investimento, ela precisa oferecer benefícios estratégicos ou financeiros. Só porque uma coisa é tecnologicamente possível não significa que ela beneficiará a empresa. É fundamental que as empresas experimentem benefícios em seus negócios, e não que só saiam à caça da tecnologia mais recente.

Também é crucial avaliar tudo o que se faz, recorrendo a aperfeiçoamentos antes de se aplicar a tecnologia. Muitas empresas cometem o erro de meramente acelerar as coisas que já fazem. A combinação entre o processo *e* a tecnologia é o que proporciona os maiores benefícios.

Traduza, Por Favor
Especialistas em Tecnologia Que Falam a Sua Língua

Temos um departamento com um pessoal excelente dedicado a criar soluções para as necessidades tecnológicas específicas de nossos clientes. Esse departamento, que chamamos de Arquitetura de Soluções Globais, avalia as necessidades tanto internas quanto externas dos clientes, documenta os requisitos de negócios e leva as solicitações ao processo decisório.

Além disso, uma Equipe de Administração de Produtos melhora a posição competitiva, a aplicabilidade atual, a promoção, o planejamento e a situação do produto ou serviço. Nossa sala eletrônica de Desenvolvimento de Produtos oferece a nossos associados uma fonte unificada para que eles verifiquem a situação de cada projeto.

O interessante em nossa equipe de Arquitetura de Soluções Globais é que ela consegue chegar ao âmago dos requisitos reais e alcançar uma compreensão profunda do que está por trás dos produtos, expressando-se, porém, em linguagem para leigos — algo pelo que lhes sou grato.

Essa equipe explica nossos produtos tecnológicos com tamanha eficiência que, certa vez, um cliente potencial que viera a nossa sede assistir a uma demonstração tecnológica comandou pessoalmente a apresentação. A gerente de viagens da empresa vinha estudando nossos sistemas de informação para compará-lo aos de nossos concorrentes. Quando trouxe sua equipe de seleção para uma análise final, ela se levantou e disse que conhecia tão bem nossos produtos que gostaria de apresentá-los pessoalmente a seus colegas. Conquistamos esse cliente, e a gerente é uma grande embaixadora de nossa empresa.

Todo Grande Inventor Precisa de um Laboratório
Recursos para Pesquisa e Desenvolvimento

Uma vez que nosso ramo não tem sua própria versão de laboratório por subscrição, criamos há muitos anos um "Laboratório de Automação", no qual um grupo seleto de nossos associados de tecnologia poderia desenvolver e testar novos produtos. O laboratório assumiu novas proporções em 1996, quando inauguramos o *Continuum*. Este se parece com um centro futurista, mas é na verdade um laboratório ativo de pesquisa e desenvolvimento, que demonstra como a tecnologia afetará nosso trabalho e nossa vida pessoal em um futuro próximo e em um futuro distante. (Falaremos sobre isso mais detalhadamente no Capítulo 12, "Parcerias Abertas".)

A maioria das empresas tem iniciativas de pesquisa e desenvolvimento, mas nem sempre reserva o espaço, as pessoas, o tempo e o capital necessários para fazer dessas empresas o que elas poderiam ser — o poder de modelar o futuro. É tentador aplicar os lucros diretamente na rentabilidade, mas é essencial reinvestir dinheiro em projetos que mantenham sua empresa adiante da concorrência. Sem esse investimento, as empresas ficam para trás.

No Horizonte
O Progresso Nunca Descansa

Temos diversos produtos empolgantes recém-lançados. Compartilharei com vocês três deles, cujas bases podem se aplicar a qualquer negócio. O *Rosenbluth Everywhere* (Rosenbluth em Todo Lugar) é um abrangente portal de viagens corporativas globais (um"supersite" da rede), que proporciona o acesso a uma grande variedade de produtos e serviços ligados a viagens. Ajustado a cada cliente corporativo, ele reúne em um único lugar as informações e o acesso aos produtos e serviços. Ele possui links para ferramentas de agendamento, acesso on-line a itinerários, informações sobre serviços aos clientes, políticas e procedimentos, informações úteis (como previsões do tempo, mapas, dicas de viagem, notícias etc.) e links para serviços adicionais. Ele oferece ainda informações sobre a situação dos vôos, um link para a administração de despesas e o acesso sem fio.

O *Rosenbluth Mobile* (Rosenbluth Móvel) oferece soluções de viagem com acesso sem fio aos clientes que desejam usar nossos serviços por telefone celular, Assistente Digital Pessoal (PDA) ou pager de duas vias. Os clientes do Mobile podem receber informações sobre vôos (inclusive sobre rastreamento e portões de embarque), veículos e hotéis, além de visualizar seus itinerários. Eles também podem rever análises de custo, fazer reservas, escolher assentos, atualizar-se sobre as linhas aéreas e acessar informações sobre seus destinos de vôo — tudo por meio de aparelhos sem fio.

O Rosenbluth Everywhere foi criado para facilitar a vida de nossos clientes, proporcionando-lhes um mundo de escolhas, e o Rosenbluth Mobile foi projetado para tornar o acesso a tais informações ainda mais conveniente. Um portal reunindo serviços e informações acerca de todos os aspectos de seu mercado, e a oferta de acesso sem fio a seus produtos e serviços — essa é uma combinação que promete aproximar ainda mais seus clientes de sua empresa.

Claro que a comunicação sem fio é apenas parte de uma linha interminável de tecnologias emergentes. Qualquer que seja a ferramenta, o segredo está em investir em todas as plataformas de comunicação, seja a Internet, seja o acesso sem fio, seja ainda qualquer outra tecnologia que emergir no futuro.

Nossa última oferta em tecnologia surgiu como resultado direto dos eventos de 11 de setembro. É nosso *Global Security Suite* (Pacote de Segurança Global), que enfatiza a importância das questões de segurança global para os viajantes e para as corporações que eles representam. O pacote é composto por três serviços: o primeiro é um banco de dados que oferece aos viajantes o acesso a uma variedade de informações sobre seu local de destino, inclusive condições políticas, moeda corrente, clima e exigências de visto ou passaporte. O segundo proporciona aos diretores de segurança e aos gerentes de viagens das empresas o acesso a nosso banco de dados global, que apresenta um gráfico do planeta com informações sobre a quantidade e os nomes dos funcionários da empresa que estão viajando para qualquer país em particular (ou seja, ele oferece informações sobre o itinerário de cada viajante). Esse produto permite à empresa localizar seus viajantes durante situações de emergência. O terceiro é um produto da tecnologia de "disparo", que envia mensagens para PDAs, telefones celulares ou qualquer outro aparelho que permita ao viajante receber e-mails, informando-o de situações capazes de afetar seus planos de viagem (como conturbações políticas, mau tempo e greves). Além dos serviços que esses produtos oferecem, uma semana antes da partida dos viajantes uma mensagem é automaticamente enviada para as embaixadas e consulados dos Estados Unidos, informando-lhes a data em que um cliente nosso estará chegando e o local onde estará hospedado. Em um mundo em que perturbações políticas e militares podem ocorrer a qualquer momento, as empresas têm a responsabilidade de saber o tempo todo onde está seu pessoal, e precisam ter meios de contatá-los imediatamente. Elas devem isso a seus funcionários e a suas famílias.

São Proibidos os Motoristas de Banco Traseiro
Dando às Pessoas a Liberdade de Criar

A liberdade de criar produtos e serviços de tecnologia inovadora começa no topo e permeia a empresa. Se você puser as pessoas em uma sala com teto baixo e lhes pedir que saltem tão alto quanto possível, elas saltarão até o teto, sem nunca saber se conseguiriam chegar mais alto.

Eleve esse teto muito acima do alcance delas, e aí, sim, elas terão espaço para se esforçar e ir um pouco mais. Dê-lhes um trampolim, e elas excederão o humanamente possível. Dê-lhes uma vara para saltar, e elas irão ainda mais alto.

Essa é nossa visão da tecnologia. Tentamos criar um ambiente em que nossos funcionários possam dar vazão a seu pleno potencial. Nós lhes oferecemos ferramentas que lhes dão força para alcançarem as estrelas. E deixamos que escolham as ferramentas — como, por exemplo, nosso hardware Sun Solaris e nossa tecnologia de portal e banco de dados da Oracle, com as quais nossos associados já puderam realizar grandes feitos.

Damos a nossa equipe os recursos para fazer as coisas acontecerem rapidamente. Ninguém é barrado por restrições. Nem escravizado pela burocracia. Nossos associados são limitados somente por sua própria imaginação e pela capacidade da tecnologia mundial. Esse é um espaço imenso em que trabalhar, e os resultados nos proporcionaram uma vantagem sustentável.

Para ficarem adiante no jogo, os especialistas em tecnologia precisam ser donos de seus passos, mas, ao mesmo tempo, as empresas devem estar interessadas no que eles fazem. As pessoas deviam se esforçar para entender a tecnologia, tornando-se capazes de apreciá-la devidamente, de compreender as necessidades dos especialistas e de ter com eles conversas inteligentes sobre seu trabalho. Para me atualizar sobre o que vem ocorrendo com a tecnologia, leio o máximo possível sobre o assunto e me encontro freqüentemente com nossos associados da área, buscando um entendimento mais claro do que estão fazendo e como o fazem. Mas tento me sentar sempre no banco traseiro e deixar que eles dirijam.

Estive certa vez em uma reunião crucial com um possível cliente, durante a qual uma de nossas associadas demonstrou um novo produto tecnológico ainda em desenvolvimento. No final da demonstração, o cliente perguntou quando o produto estaria concluído, e nossa associada respondeu que ele provavelmente nunca estaria.

Por um instante, lamentei minha posição de banco traseiro. Ela acrescentou então ao cliente que tanto ela como seus amigos associados acreditavam que, por mais refinado e aperfeiçoado que estivesse um produto, sempre haveria espaço para aprimoramentos. Passei rapidamente de inquieto a orgulhoso, e o cliente em perspectiva (hoje cliente de fato) passou de confuso a impressionado.

DACODA
A Mais Recente Ferramenta de Compras para os Clientes

Desde a década de 80 as empresas aéreas vêm usando sofisticados sistemas de administração de receita para maximizar sua renda. Esses sistemas resultaram em um estabelecimento de preços tão complexo que se tornou quase impossível para as empresas identificar as melhores opções — até que veio a DACODA. O que, afinal, é essa DACODA? A sigla significa Discount Analysis Containing Optimal Decision Algorithms (Análise de Descontos Contendo Algoritmos para Decisões Otimizadas), e é nosso sistema patenteado de administração de receita *para os clientes*. Esse sistema aplica inversamente os princípios da administração de receita das companhias aéreas.

A DACODA ajuda os clientes a fazer economias maiores do que fariam se simplesmente comprassem as tarifas mais baratas, uma vez que o valor de uma passagem nem sempre é o que parece ser. Para cada duas cidades entre as quais o cliente trafega, podemos determinar, de fato, a opção mais barata, considerando todos os fatores capazes de influir na decisão.

A DACODA leva em conta os objetivos específicos, as políticas, os padrões e as necessidades de cada empresa. Ela considera fatores complexos como a capacidade da linha aérea, a presença no mercado, os requisitos de contrato, tarifas especialmente negociadas, mudanças de preço, descontos em ponto de venda, descontos de resgate e bônus condicionais. A partir da análise desses diversos fatores, fica claro quais os contratos a aceitar e em que proporção aceitá-los para fazer o máximo de economia.

Oferecemos quatro níveis de licenças da DACODA, que vão desde avaliações avulsas das oportunidades de contratação e sugestões para maximizar a economia até avaliações mensais de contratos, do desempenho com relação a metas e da adesão dos viajantes, incluindo ainda recomendações para otimizar a economia, avaliações situacionais para a otimização dos contratos e suporte a decisões em pontos de venda para ajudar a atingir as metas. A DACODA é interligada a nossa ferramenta interativa de auto-atendimento, o @Rosenbluth, de modo que os clientes podem economizar independentemente da maneira como fazem suas reservas.

Os clientes que utilizam a DACODA já economizaram até 20% de suas despesas totais de viagens, e cerca de 10% pelo uso da DACODA Car (que analisa os programas de aluguel de veículos). Já começam também a despontar no horizonte a DACODA Hotel e a DACODA para reuniões.

eCLIPSE
Desenvolvendo Soluções Brilhantes

Em 2001, inauguramos um novo negócio chamado eCLIPSE — *Empowering Customers to Leverage Information through Procurement Solutions Expertise* (permitindo aos clientes alavancar suas informações por meio da perícia em soluções de intermediação). O eCLIPSE combina nosso sistema patenteado de DACODA com serviços de consultoria na prática de administração de viagens comerciais, disponibilizando tal perícia para qualquer empresa — além de nosso cliente base.

Avaliamos o mercado e nossos conhecimentos e descobrimos aí uma oportunidade. Dentre as empresas da *Fortune 50*, 14% são nossas clientes e 18% já usaram a DACODA. Restam assim mais de 80% delas, que poderiam se beneficiar de nossa tecnologia patenteada sem ter de mudar para um novo fornecedor de administração de viagens. Assim, reunimos em um só pacote o sistema de apoio a decisões DACODA; o RAPID, um monitor automático de informações sobre fornecedores de preferência; o ROCS, nossa tecnologia de eRFP/RFQ; nossa ferramenta de Administração de Incentivos à Agência (AIM, *Agency Incentive Management*); e ainda outros produtos, criando com isso uma solução abrangente e completa de intermediação.

O eCLIPSE é uma entidade à parte que permite às empresas reduzir custos, assumir maior controle, aumentar a eficiência e acelerar processos no que se refere a intermediação, cumprimento e reconciliação de serviços relacionados a viagens. Ele traz soluções objetivas e científicas a um setor que tem contado sobretudo com análises subjetivas e manuais. O mercado se beneficia da possibilidade de acessar essa perícia compartilhada, enquanto nossa empresa e nossos associados se beneficiam com um negócio diversificado e novas oportunidades. Qualquer empresa em qualquer mercado pode e deve reavaliar o que tem a oferecer de realmente único, e procurar maneiras de comercializá-lo fora dos meios tradicionais.

A Felicidade: A Definitiva Ferramenta Tecnológica
Relevância Especial da Teoria de "Primeiro os Funcionários"

Nosso credo da felicidade no ambiente de trabalho tem uma relevância especial no que diz respeito à tecnologia. Sem dúvida, a tecnologia vem causando um impacto maior do que qualquer outro aspecto dos negócios atuais. Ela afeta praticamente todas as facetas da vida das pessoas.

O campo da tecnologia é de uma concorrência acirrada, e manter-se em dia com suas mudanças exige habilidades especiais muito procuradas por empresas de todo o mundo. Atrair e conservar talentos em tecnologia são um desafio intimidador para as empresas, mais ainda do que sua busca ardente por funcionários para sua organização em geral.

Os desligamentos em qualquer empresa são dispendiosos, tanto financeira quanto emocionalmente, mas talvez o sejam mais no campo tecnológico. O desenvolvimento de produtos exige tempo, e os desligamentos provocam atrasos em seu lançamento. Até que você tenha procurado, contratado e treinado uma pessoa para assumir o desenvolvimento de um produto abandonado, pode muitas vezes ser tarde demais. O produto já não é de ponta. Não somente você perdeu a oportunidade, como o trabalho inicial sobre o produto acabou sendo um completo desperdício.

Atrasos em desenvolvimentos tecnológicos podem ser devastadores. Desligamentos são desastrosos. O mundo compete vigorosamente por especialistas em tecnologia qualificados e criativos, e as empresas acabam envolvidas em custosas batalhas globais entre ofertas de emprego.

Acreditamos ter descoberto uma solução em nossa política de "primeiro os funcionários". Nossos associados de tecnologia são uma parte integrante de nossa empresa, diversamente do que ocorre em muitas outras onde o departamento tecnológico vagueia como uma ilha solitária em meio à organização. Envolvemos nossos associados de tecnologia em todos os aspectos de nossa empresa, e procuramos ter gente da área em cada canto da organização. Isso os ajuda a desenvolver os produtos *certos* para nossos associados e clientes. Com isso, a tecnologia se une ao restante da empresa, o que é um grande passo para a felicidade no ambiente de trabalho.

A Máquina dos Sonhos
A Tecnologia como Heroína da Empresa

Nossos funcionários saúdam nossa equipe de tecnologia, pois os produtos por ela criados nos permitem realizar um trabalho melhor, levar a cabo coisas impossíveis a nossos concorrentes e oferecer a nossos clientes serviços que eles jamais esperariam. Ela nos proporciona uma vantagem competitiva.

Um de seus segredos para o sucesso é a combinação correta entre estratégia e velocidade — reservar tempo para investigar, planejar e preparar, mas trabalhar rapidamente para aproveitar oportunidades em nichos cerrados. Eles sabem que a força da tecnologia começa quando ela passa a gerar novas possibilidades.

Nossa equipe de tecnologia ganhou o apelido de "Máquina dos Sonhos", pois desenvolve para nosso pessoal ferramentas que aliviam o estresse e melhoram os serviços. Isso é importante em qualquer negócio. Quanto maior o número de passos de um processo que puderem ser automatizados, melhor. Descobrimos que isso é fundamental em nosso negócio.

Viajantes são exigentes. Eles costumam fazer seus planos sem prévio aviso, e os detalhes de sua viagem são ainda assim de grande importância para eles. Muitas vezes, tão logo tudo esteja confirmado de acordo com os desejos do viajante, seus planos sofrem mudanças súbitas e o processo se inicia novamente. Isso faz parte da vida. É algo que vem com o ofício, e nossos CCAs precisam ter os nervos dos controladores de tráfego aéreo, devendo ao mesmo tempo ser capazes de entrever meios de melhorar os serviços e torná-los especiais.

Há muita coisa envolvida em nossos serviços, embora você talvez não perceba ao olhar um bilhete de viagem. Nosso pessoal trabalha duro para que essas coisas aconteçam, e isso não lhes seria possível sem as ferramentas que transformam o impossível em possível.

Dicas de Tecnologia para sua Empresa Levar em Consideração

Resumo

- Esteja sempre em busca de métodos pelos quais a tecnologia possa poupar tempo em sua empresa, liberando seu pessoal para criar e se concentrar nos aspectos mais refinados e intangíveis dos serviços. Automatizar processos corriqueiros pode eliminar as possibilidades de erro, reduzir o estresse e melhorar os serviços. Mas remodele seus processos antes de aplicar a tecnologia. Automatizar um processo ruim não compensa.
- Três exemplos de produtos tecnológicos que adotamos e que podem ter utilidade em sua empresa são: (1) uma sala da frente que automatiza grande parte do processo de atendimento ao cliente na linha de frente; (2) um programa automatizado de garantia da qualidade que aumenta a precisão, reduz custos e fortalece a confiança de seus clientes; e (3) um banco de dados abrangente sobre as atividades dos clientes, para o seu uso e o deles (lembre-se de lhes oferecer acesso on-line aos dados).
- O desenvolvimento de produtos tecnológicos — como no caso de quaisquer produtos, programas e serviços — não deve ocorrer no vácuo. Invista em mecanismos de avaliação que incentivem a colaboração imediata, enquanto as sugestões dos usuários ainda estiverem frescas em suas mentes.

- Certifique-se de que você conhece plenamente o negócio e suas necessidades antes de lhe aplicar tecnologia. O papel do analista de negócios é fundamental nesse processo.
- Uma vez que a Internet é a plataforma de comunicação do mundo, o desenvolvimento na maioria das empresas deve ser direcionado em maior parte para aplicativos em rede.
- Ferramentas de Administração de Relações com o Cliente (CRM) podem ajudar as organizações a captar dados sobre sua interação com a clientela, ajudando-as a atender mais satisfatoriamente esses clientes. Além disso, a tecnologia de partilha de conhecimentos pode ajudá-lo a quantificar, compartilhar e ampliar os ativos de conhecimento de sua organização. Esse conhecimento também pode ser compartilhado diretamente com seus clientes.
- Pense em criar um laboratório de automação em que seja possível desenvolver, testar e refinar produtos aplicáveis a seu mercado.
- Informação é poder. Obtenha-a e desenvolva maneiras de aplicá-la em prol de sua empresa e de seus clientes. As empresas nunca devem estacionar tecnologicamente. Caso você não tenha recursos disponíveis para seu próprio departamento tecnológico, faça parceria com algum fornecedor de tecnologia, que o levará rumo ao futuro.
- Interligar operações e dados financeiros lhe permitirá ter em vista um quadro completo no momento de tomar decisões. Um sistema de Planejamento de Recursos para Empreendimentos (ERP), aliado a sua sala dos fundos, pode proporcionar análises sofisticadas e abrangentes.
- Reinvista continuamente em tecnologia, tanto em termos de pessoal quanto das ferramentas de que esse necessita para levar seus talentos além dos limites tradicionais. Além disso, deixe que *eles* escolham as ferramentas de que necessitam. Cuide, porém, de só investir em tecnologia se ela lhe proporcionar uma vantagem estratégica ou o potencial de altos retornos sobre o investimento. Se ela não fizer nenhuma dessas duas coisas, não invista.
- Deixe que os especialistas sejam donos de seus passos, mas dedique tempo e esforço para conhecer o que eles estão fazendo e como o fazem. Você compreenderá suas necessidades mais claramente e será capaz de apreciar mais plenamente o que fazem. Isso também servirá como parâmetro para definir as prioridades de um projeto tecnológico.

- Se você tiver sua própria equipe de tecnologia, lembre-se de cultivar a felicidade em seu ambiente de trabalho. Os desligamentos na área de tecnologia são provavelmente mais dispendiosos do que em outros departamentos, em função dos atrasos resultantes no desenvolvimento dos produtos.
- Não deixe que seu departamento tecnológico vire uma ilha em sua organização — envolva-o em todos os aspectos da empresa. Desse modo, seu pessoal de tecnologia ficará mais satisfeito com o trabalho e terá uma compreensão mais clara das necessidades às quais seus produtos atenderão.

CAPÍTULO ONZE

Olhe ao Seu Redor

Há cerca de dez anos, perdemos um cliente que valia 80 milhões de dólares. Foi devastador. Não previmos que isso aconteceria. Por anos atendemos aquele cliente como que em um sonho, e, em um instante, tudo ruiu.

Os associados que atendiam o cliente ficaram aturdidos, pois supunham que seus serviços fossem excepcionais. Na verdade, o cliente concordava com isso. Mas, mesmo assim, o perdemos. Nunca se está preparado para uma perda como essa, mas devíamos ao menos tê-la previsto.

Nosso cliente estava passando pela fase mais difícil de sua história e decidiu fazer uma série de grandes mudanças. Seu parceiro de viagens foi uma delas.

Parece que todos perceberam seus problemas antes que nós. Estávamos tão concentrados em lhes prestar serviços que não notamos que nossos concorrentes os rodeavam como tubarões. Nossos serviços eram ótimos, mas a maior prioridade deles foi o corte drástico de custos. É como estar vestido a rigor sem ter aonde ir.

Perdemos a oportunidade de adaptar nossa estratégia a suas necessidades de mudança, e isso nos custou caro. Não vimos a escrita na parede até que foi tarde demais. Jamais saberemos se teríamos conseguido preservar o cliente com uma nova abordagem, mas lamentamos não ter criado a oportunidade de descobrir. O cliente se foi, e coube-nos então minimizar os danos.

A primeira coisa que fizemos foi envolver imediatamente todo o pessoal afetado pela perda. Reunimo-nos como uma equipe — havia mais de 169 pessoas — e determinamos juntos nossa estratégia. Aqueles associados estavam entre os nossos melhores, e neles investíramos bastante. Queríamos que continuassem na empresa, mas eles precisavam ter um cliente.

Nesse entremeio, desenvolvemos um plano de transição para que os serviços de nosso cliente não fossem interrompidos pelas mudanças durante sua partida. Nós o havíamos servido por anos, e queríamos preservar nossa reputação como prestadores de serviços. Isso manteve ativos os funcionários que se dedicavam a ele, enquanto procurávamos novos clientes para que eles atendessem.

Aceleramos nossos esforços de vendas e acabamos obtendo novos negócios. Mas o que ocorreu nesse ínterim foi crucial para o moral da empresa. Fizemos uma lista das 169 pessoas afetadas, e nossa equipe de altos executivos se reunia todas as manhãs de segunda-feira para discutir o posicionamento de cada pessoa, uma por uma.

Era essencial que cada indivíduo fosse plenamente aproveitado em seu novo papel. Como empresa, não podíamos nos dar ao luxo de simplesmente arranjar-lhes alguma coisa para fazer. Trabalhamos com uma margem de lucros estreita. E, ao mesmo tempo, não teria sido justo para com nosso pessoal infligir-lhe tarefas ingratas. Dos 169, apenas oito deixaram nossa empresa, a maioria para atender o cliente com seu novo parceiro de viagens.

Nós sobrevivemos ao final. Como a maior parte das experiências humilhantes, essa nos ensinou muita coisa, e emergimos mais fortes. O que aprendemos valeu um cliente de 80 milhões de dólares? Não sei, mas é certo que somos hoje uma empresa melhor. Aprendemos uma lição valiosa sobre prestar atenção às conturbações de quaisquer mercados e ao modo como elas afetam nossos clientes. E fortalecemos a lealdade mostrando a nosso pessoal que cada indivíduo é importante, não importa os obstáculos que a empresa enfrente.

A Cadeia Alimentar
O Efeito Dominó dos Infortúnios Corporativos

Estar atento aos próprios custos é um bom negócio, mas não basta. Você tem de ficar de olho na saúde das empresas ao seu redor, particularmente na de seus clientes.

Quando as corporações enfrentam dificuldades econômicas, quando se defrontam com crises em seu mercado, elas são obrigadas a cortar custos de maneira drástica. Isso gera uma onda de choque que se alastra pela cadeia alimentar. Podemos prestar a nossos clientes os melhores serviços imagináveis, mas, se eles não tiverem dinheiro para gastar, não terão escolha senão reduzir sua atividade nos negócios que fazem conosco. Quando cortam gastos, as empresas param de comprar computadores, artigos para escritório, serviços de viagem e assim por diante. Com isso, seus fornecedores em cada um desses segmentos sofrem prejuízos, que levam a cortes em suas empresas. Cortes corporativos envolvem muitas vezes demissões em massa ou, pior ainda, insolvência.

Ninguém escapa de tais problemas. Ainda que sua casa esteja em ordem, se a de seu vizinho estiver em chamas, a sua também correrá perigo.

Qual é a resposta? Gostaria de ter um livro de receitas que tornasse uma empresa imune aos efeitos cíclicos de baixas na economia ou em seu mercado. Não tenho. Mas aprendemos a importância de manter os olhos abertos para fatores que afetam não somente nossa própria empresa ou mercado, mas todos os negócios no mundo inteiro. Saber que problemas seus clientes reais e potenciais podem enfrentar é algo que põe o controle das coisas em suas mãos.

Olhe para o Futuro
A Importância dos Prognósticos

Não olhe para trás. Alguma coisa pode estar procurando ultrapassá-lo.

– Leroy "Satchel" Paige, *Maybe I'll Pitch Forever*
(Talvez Eu Arremesse para Sempre)

Olhar para o futuro é tão importante quanto olhar a sua volta. Para isso, você precisa afiar continuamente sua habilidade de pensar como o mercado — como seus clientes e concorrentes. De certa forma, trata-se de "piratear" os processos de pensamento das pessoas ao seu redor. É uma habilidade que se adquire com a prática.

Um admirador perguntou certa vez a Sir Isaac Newton como ele conseguia fazer descobertas tão admiráveis em astronomia. Sua resposta foi simples: "Pensando sempre sobre elas".

Passamos um tempo considerável contemplando o futuro. Quando tomamos uma decisão, discutimos todos os resultados possíveis e o modo como eles afetarão nossos clientes. Discutimos quais serão provavelmente suas próximas medidas. Quando se desempenha o papel de outra empresa, o ponto de vista dela se torna mais claro. Por meio desse processo, previmos fusões e falências de companhias aéreas, mudanças de pessoal no topo de corporações e tendências tanto em nosso mercado quanto na demanda de consumo em geral — tudo isso bem antes de essas coisas ocorrerem.

Nada é mais empolgante do que ver algo que você previu se tornar realidade, particularmente se você agiu com base nessa projeção e posicionou seus clientes e sua empresa de modo a ter uma situação fortalecida no futuro. Esses prognósticos podem ser feitos graças à ciência da dedução, uma espécie de lógica industrial nascida da experiência de mercado, da mente aberta e da concentração nos fatores que espreitam no horizonte.

A capacidade de ouvir é importante, assim como a arte da observação — estudar como indivíduos e empresas reagiram em circunstâncias similares. Combine ambas com a lógica do "se isso, então aquilo", e tendências começarão a se materializar em frente a seus olhos, desde que você se habitue a procurá-las.

Um segredo para descobrir tendências é a comunicação aberta dentro de sua organização, particularmente na equipe central encarregada de iniciar o desenvolvimento estratégico. Em nosso caso, nosso núcleo de vice-presidentes se encontra semanalmente para analisar as informações obtidas em campo e especular sobre situações possíveis. Tentamos pensar como nossos clientes, como se fôssemos nossos concorrentes e, finalmente, como clientes em potencial. Esse processo nos deu uma evidente vantagem competitiva.

É gratificante estar à frente. Isso é ainda mais divertido se, no momento em que seus concorrentes ouvirem falar do que você vem fazendo, você já estiver fazendo uma outra coisa.

Os prognósticos devem se basear parcialmente na história e principalmente na habilidade de identificar maneiras pelas quais o presente pode ser aprimorado. É importante estar em condições de agir rapidamente. Uma vez que houver identificado uma necessidade, você tem de estar pronto para dar o salto. No momento em que compradores e concorrentes se aperceberem da necessidade, você será o único posicionado de maneira adequada para atendê-la.

Os previdentes bem-sucedidos compreendem tendências. Sejam gerentes de finanças, meteorologistas ou contadores, eles são capazes de detectar tendências ainda em estado embrionário. Chamamos isso de "antecipação educada", e ela nos ajudou a tomar algumas de nossas decisões de maior êxito.

Há um Motivo para o Chamarmos de um "Bravo" Mundo Novo[1]
Os Temores e as Recompensas de Fazer as Coisas de Modo Diferente

Adotar uma abordagem heterodoxa pode ser difícil. Fazer as coisas de modo diferente pode envolver maior pressão. Quando você faz alguma coisa da maneira tradicionalmente aceita e falha, as pessoas tendem a dizer que foi uma boa tentativa. Mas quando você tenta algo incomum e falha, as pessoas dizem com freqüência que você trançou as pernas. É importante que a administração sênior dê às pessoas a segurança para fazer experiências inteligentes, deixando claro que não há problemas em falhar se as conseqüências forem bem calculadas.

Todos temos zonas de conforto naturais, mas, além delas, existe todo um mundo de novas oportunidades. É como o ditado: "Não se pode dizer nada que ainda não se

1 N. do T.: A expressão "Brave New World" é mais conhecida em português como "Admirável Mundo Novo". Ela se encontra originalmente na peça *A Tempestade*, de Shakespeare, e é título do romance mais famoso de Aldous Huxley. Porém, nesse contexto, mantivemos o sentido como original.

saiba". É um testemunho em favor do ouvir, já que é só então que aprendemos as coisas. O mesmo vale para nossas ações. Se insistirmos em fazer tudo sempre da mesma maneira, não poderemos aprender nada de novo, e limitaremos nossos resultados ao que eles são hoje.

Um Estudo de Caso
A Up-Stream

Todo mundo dizia que o aparelho de fax acabaria com o negócio de entregas em 24 horas. Todos diziam que a Internet acabaria com as agências de viagem (e com uma série de outros negócios e segmentos de mercado). Nada disso aconteceu, e não acontecerá com empresas que procurarem meios de oferecer continuamente novos valores, em vez de meramente permanecer nos negócios. Um dos segredos para isso é ser completamente flexível em tudo, começando pelos serviços ou produtos que você oferece, passando pelo modo como os oferece, e chegando àqueles a quem os oferece. Trataremos de nosso papel cambiante em nossos negócios tradicionais no próximo capítulo, que trata de parcerias. Aqui, falaremos sobre expandir nossos horizontes.

Em 2000, inauguramos nosso primeiro negócio fora do mercado de viagens com a criação da Up-Stream (Corrente Acima), oferecendo a outras empresas serviços terceirizados de atendimento ao cliente. Nossa decisão de expandir para o campo de administração das relações com o cliente fazia sentido. Averiguamos as coisas que fazíamos bem, e os centros de atendimento eram uma delas.

Criamos essa divisão de negócios com ativos já existentes: serviços largamente reconhecidos, consistentes e premiados; vasta experiência na administração de redes e centros de atendimento em escala global; centros de atendimento de baixo custo por todo o mundo (nós os chamamos de Intellicenters); uma cultura que nos possibilita atrair e preservar os grandes talentos; programas únicos de treinamento para ajudar a garantir nossos altos padrões; grande porte e alcance global; resultados comprovados como líder na administração de informações; e um índice de retenção de clientes de 98%.

O mercado está aí. A Internet tem empresas ansiosas por uma solução de atendimento aos clientes. Quanto maior o número de pessoas comprando on-line, maior a necessidade de centros de atendimento que dêem conta dessas transações. Conforme o mercado eletrônico vai inchando, o sucesso vai dependendo de conseguirmos dar aos clientes a melhor experiência. As empresas estão descobrindo que seus clientes exigem dos serviços eletrônicos os mesmos padrões elevados que exigiriam de serviços tradicionais. O atendimento ao cliente está se tornando o grande diferencial, mas é algo difícil e dispendioso de ser bem-feito.

Concluímos, então, que poderíamos oferecer o atendimento mais rápido, com acesso instantâneo a recursos de primeira linha. Os consumidores de nossos clientes Up-Stream podem nos contatar via telefone, resposta por voz interativa, bate-papo eletrônico, e-mail, telefonia IP, iFAQ, iVideo, fax ou auto-atendimento pela rede. Todo contato com o consumidor é documentado em um perfil detalhado, a partir do qual as empresas clientes podem criar estratégias de venda, direcionar seus anúncios, guiar o desenvolvimento de produtos e aprimorar processos.

De acordo com a Jupiter Communications, 90% das pessoas que compram via on-line preferem a interação humana; porém, somente 3% dos grandes sites de e-commerce oferecem a opção de atendimento real. A necessidade é evidente, e achamos que estamos um passo adiante da concorrência. Os provedores tradicionais de atendimento ao cliente são organizações gigantescas e morosas, que parecem ter um pesado enfoque tecnológico, pensando apenas secundariamente no serviço aos clientes. Os arrivistas do atendimento aos clientes pela Internet costumam ter uma base de clientes pontocom e pouca experiência em lidar com empresas da *Fortune 500*. E parecem ter seus centros em regiões de custos mais altos do que os nossos.

Assim, após analisarmos o mercado, nossos potenciais concorrentes e nossas próprias capacidades, decidimos investir nessa nova linha de negócios. O ponto de entrada mais sensato seria o segmento de viagens, e por isso começamos trabalhando com empresas como a UAL.com, da United Airlines, a National Airlines e a US Airways Cargo. E fomos abrindo para outros mercados a partir daí. A Up-Stream emprega cerca de 1,2 mil pessoas em sete centros de atendimento, e vem crescendo rapidamente.

Muitos fatores contribuíram para o sucesso da Up-Stream. Um deles foi o fato de que nós lhe demos uma identidade totalmente à parte. As empresas em geral não gostam de extrair recursos importantes de seus negócios principais e direcioná-los para uma nova iniciativa, mas foi justamente isso o que fizemos. Selecionamos parte de nosso melhor pessoal e a instalamos em um andar separado em nossa sede mundial. A Up-Stream tem uma equipe nuclear de quarenta pessoas, incluindo funcionários centrais de tecnologia, marketing, finanças, recursos humanos e administração de operações, além da alta liderança.

Não creio que se possa iniciar uma nova iniciativa a contragosto, temendo riscos. Você tem de inaugurá-la como se ela fosse seu futuro. E pode muito bem ser.

Anos-Luz Adiante
O Que nos Reserva o Futuro?

Alguns filmes populares envolvem regressões no tempo para corrigir o presente ou o futuro, como as séries *O Exterminador do Futuro* e *De Volta para o Futuro*. O tema comum é que o que fazemos hoje gera o mundo de amanhã. Mas como não podemos voltar realmente no tempo, é melhor considerarmos os efeitos futuros do que fazemos hoje.

Como serão os negócios em 2005, 2010, 2015? Você precisa pensar sobre isso, e fazer algo a esse respeito *agora*. As empresas ficarão ultrapassadas se investirem seu tempo e seus recursos no dia de hoje, nesta semana e neste ano. O lapso entre a estratégia e a realidade pode ser longo. A única maneira de assegurar o sucesso e a longevidade é prever os anos vindouros, fazer planos para eles agora e começar a implementar estratégias.

Pode ser melhor cometer um erro do que protelar uma idéia por receios. As idéias ficam estagnadas se as arquivamos, e o mesmo ocorre com o entusiasmo. Isso não significa que tenhamos de tomar decisões impensadas. Precisamos tomar decisões sábias *rapidamente*.

Como pode uma empresa investir tanto tempo em estudar o futuro? Pensar sobre o futuro não exige mais tempo do que pensar sobre o presente. Enquanto algumas empresas estão pensando sobre este ano, outras podem estar pensando sobre o próximo ou ainda sobre o ano seguinte. Daqui a três anos, enquanto as empresas do curto prazo estiverem pensando sobre o ano corrente, aquelas comprometidas com o futuro estarão pensando sobre os dois ou três anos posteriores.

O verdadeiro desafio está em mudar o ciclo de planejamento do presente para o futuro, e, ao mesmo tempo, ter sucesso hoje. A mudança exige um certo período de tempo duplo, quando o hoje e o amanhã têm de ser considerados enquanto se planeja para o longo prazo. Contudo, uma vez que a empresa mude de marcha, ela estará a caminho do futuro.

Mesmo o planejamento mais exaustivo não garante uma viagem tranqüila. Todo plano estratégico deve ter como base a flexibilidade de aproveitar oportunidades surgidas, bem como de enfrentar desafios imprevistos. As pessoas precisam ser capazes de modificar estratégias antigas em uma base diária, ajustando-as para o uso hoje.

Por exemplo, mudanças na tecnologia ocorrem continuamente, e os planos de negócios devem se adaptar a elas. Todavia, modelar uma estratégia de longo prazo com relação aos mercados a explorar e as linhas de negócio a seguir o deixará preparado para criar oportunidades. Os planos podem ser adaptados se a tecnologia mudar.

Platão conta uma história sobre um de seus predecessores, o filósofo grego Tales (c. 640-c. 546 a.C.). Parece que ele caminhava por uma estrada olhando para o céu, estudando as estrelas, quando caiu em um poço. Uma serva o resgatou e comentou que, enquanto ele ficava fascinado com o que havia no céu, não enxergava onde punha os pés.

Embora tenhamos de ficar atentos ao presente, temos várias teorias sobre o que o futuro nos reserva. Estamos criando programas, produtos e estratégias com base nesses prognósticos. Eles incluem coisas que mal parecem possíveis hoje. Mas há algumas décadas tampouco pareciam possíveis muitas coisas que hoje tomamos por certas, como viagens espaciais, computadores pessoais, aparelhos de fax e vôos supersônicos. A ficção científica de hoje é a realidade de amanhã.

Estamos vivendo em uma época contraditória. As pessoas vêm sofrendo exigências crescentes sobre seu tempo. Elas vêem suas vidas se tornarem mais complexas. Conforme as coisas ficam mais sofisticadas, as pessoas se sentem atraídas pelo básico. Assim, embora as novas invenções do futuro prometam suscitar mudanças positivas em nosso mundo, elas trarão consigo um desejo renovado pelas melhores coisas da vida — gente agradável, qualidade, ética e confiança. As empresas do futuro dominarão a técnica de misturar o melhor do novo e do antigo.

Olhando ao Seu Redor e à Sua Frente

Resumo

- Fique atento a mudanças ao seu redor; afinal, por mais irrelevantes que pareçam, elas podem ter efeitos em cascata sobre a cadeia alimentar. É fundamental, sobretudo, ficar de olho na saúde de seus clientes.
- Exercite sua habilidade de pensar como o mercado, como seus concorrentes e como seus clientes. Ouça, observe, use a dedução, pratique a detecção de tendências e estude suas origens.
- Faça regularmente reuniões estratégicas durante as quais seus altos executivos avaliem informações obtidas em campo e especulem sobre situações possíveis e sobre seus efeitos no mercado e em sua empresa.
- Seja flexível quanto aos produtos e serviços que oferece, quanto ao modo como os oferece e quanto às pessoas a quem os oferece. Esteja de prontidão para aproveitar oportunidades de investir em novas áreas nas quais você pode agregar valor. Essas podem ser as chaves de seu futuro.
- Aja *hoje* pelos anos e décadas vindouros. Existe um lapso de tempo entre os conceitos e a realidade, quando se trata de desenvolver novos produtos e serviços. Se você passou o dia de ontem planejando para hoje, poderá passar o dia de hoje planejando para o amanhã.

CAPÍTULO DOZE

Parcerias Abertas

O Dr. David Livingstone, explorador e médico missionário escocês, fez uma viagem para a África Central em 1870 e desapareceu. Sir Henry Morton Stanley, explorador e jornalista do *New York Herald*, recebeu de seu editor a missão de encontrar o Dr. Livingstone. Depois de uma procura exaustiva de oito meses, Stanley o encontrou em Ujiji, em 10 de novembro de 1871, e proferiu as famosas palavras: "Dr. Livingstone, eu presumo?" A notícia rendeu manchetes por todo o mundo. E, depois desse encontro histórico, os dois exploraram a África juntos.

Nem todas as parcerias começam com talentos dessa natureza, mas, no transcorrer dos anos, o mundo se tornou melhor graças a parcerias que alcançaram resultados inacessíveis a indivíduos. Pense, por exemplo, em Rodgers e Hammerstein. Richard Rodgers compôs as músicas; Oscar Hammerstein escreveu as letras. Juntos, eles nos deram sucessos como *Oklahoma!* e *South Pacific*, nos anos 40, que continuam populares mais de meio século depois. Parcerias como essa não ocorrem todos os anos. Elas exigem uma certa mágica, criatividade e confiança.

Perceba como estamos vivendo nos dias de hoje. Sistemas de alarme em nossas casas e escritórios, pessoas criando fortalezas, como o Forte Knox, e blindando seus carros. Mas a maioria de nós gostaria mesmo é da volta daquele tempo em que podíamos deixar as portas destravadas, os vidros dos carros abertos. Todos conheciam seus vizinhos. Negócios eram feitos com um aperto de mão.

Ainda hoje nos apegamos a esse tipo de relacionamento. Claro que também temos contratos, mas, para nós, o aperto de mão é muito importante. Talvez seja porque nossa empresa tem mais de cem anos e recorda ter feito negócios à moda antiga. Talvez seja porque começamos como uma empresa familiar no negócio de reunir famílias. Ou talvez simplesmente nos esquecemos de mudar. Mas as parcerias abertas são uma das chaves de nosso sucesso.

O clima hoje está longe de incentivar parcerias abertas, particularmente em nosso mercado degolador, caracterizado por margens de lucro estreitas como navalhas, por um cerco de fusões e aquisições, por negócios malsucedidos e, às vezes, por falta de profissionalismo e integridade. Esse ambiente, contudo, torna as parcerias francas mais importantes do que nunca. Nossa empresa pode não se assemelhar ao negócio de porta de loja do qual se originou, mas nós nos mantivemos fiéis a seus princípios primeiros: confiança, honestidade e parcerias leais.

É possível fazer mais quando clientes e fornecedores trabalham juntos em uma iniciativa, como parceiros de fato. Sucedem grandes coisas quando os clientes nos vêem como parceiros estratégicos, mais do que como vendedores. Muito além do comércio de produtos e serviços básicos existe um mundo de oportunidades para que sejamos inovadores na definição e na satisfação das necessidades de nossos clientes.

Operando uma Colônia de Nudismo
Conhecendo *Realmente* Seu Cliente

Tive há algum tempo na Alemanha um importante encontro com banqueiros e com um de nossos executivos seniores da Europa. Antes do encontro, consultei meu associado acerca do traje mais adequado. Sinto-me mais confortável de jeans e botas, mas ele me disse ser indispensável terno e gravata, e por isso concordei.

Quando apareci ao encontro de jeans e botas, meu colega ficou horrorizado, até que lhe expliquei que, no trem, eu abrira minha mala com o terno sobre as pias do sanitário masculino, porém, não notara o sistema infravermelho que ativava a água das torneiras, e meu terno acabara totalmente encharcado — o suficiente para esquecer o protocolo.

Eu e meus amigos banqueiros rimos muito com isso, e, no fim das contas, tive de usar jeans mesmo. Mas há momentos em que não vestimos nada.

Folhas de figueira são proibidas em nossa empresa. Acreditamos não haver nada que você possa esconder de seus clientes. Afinal, isso na verdade não dá certo: quanto mais você tenta esconder alguma coisa, mais curiosas ficam as pessoas. Figurativamente falando, operamos uma colônia de nudismo em que cada recanto e cada fenda são expostos a nossos clientes.

Descobrimos que a abertura é recíproca. Quanto mais transparentes formos com nossos clientes, mais transparentes eles serão conosco. O nível de confiança que criamos é mútuo. E é surpreendentemente agradável trabalhar em tal ambiente; essa troca honesta de informações nos permite fazer um trabalho melhor para nossos clientes.

A abertura deve começar no processo de vendas. Quanto mais franca for a empresa sobre suas capacidades, melhor será seu relacionamento com os clientes. Todos sabem o que esperar. Ninguém precisa se matar para que as coisas aconteçam. Isso cria o ajuste ideal para uma parceria duradoura.

As empresas não podem subestimar a importância do relacionamento com os fornecedores no sentido de ajudá-las a atender às necessidades de seus clientes. No caso de empresas manufatureiras que trabalham com sistemas de estoque *just in time*, é essencial que os fornecedores lhes enviem produtos de qualidade na data necessária. Um sistema sem estoque também pode ser eficaz, mas somente se os produtos estiverem à mão no momento de passarem do fornecedor ao comprador.

Quanto a nós, dependemos dos fornecedores de vôos, de alojamentos e de veículos para oferecer o produto final — a viagem em si. Temos de assumir a responsabilidade por coisas além de nossa função pessoal dos serviços. Precisamos assegurar que nossos fornecedores estejam satisfazendo nossos clientes.

Uma parte de nosso sistema de qualidade é o envolvimento que temos no processo de serviços do início ao fim, não importa onde oficialmente nossa parte se encerre. Por exemplo, nosso serviço Biztravel.com garante a cobertura de erros dos fornecedores, tornando-nos responsáveis pelo processo como um todo.

Qualquer empresa pode se beneficiar de uma análise cuidadosa dos negócios de seus fornecedores. Se uma empresa não puder fabricar seus produtos a tempo, devido a peças defeituosas de um fornecedor, isso se torna um problema dela e, por fim, do cliente. Desculpas não resolvem.

Um por Todos e Todos por Um
A Importância dos Relacionamentos em Três Vias

Precisamos trabalhar de forma ajustada com nossos clientes e fornecedores, em parcerias estratégicas. Do modo como vemos o processo, todas as três partes precisam saber exatamente o que esperar. Mesmo na área mais delicada de todas — os preços —, assumimos uma abordagem muito clara.

Nosso mercado é muito dependente do valor das tarifas aéreas, mas escolhemos um caminho diferente. A estrutura tradicional paga comissões maiores por passagens mais caras, e isso vai contra todos os princípios em que acreditamos. Por isso, anos atrás, começamos a trabalhar com nossos clientes e principais fornecedores para mudar a estrutura de compensação de nosso mercado. Hoje, 82% de nossos clientes trabalham conosco em uma base contratual, e apenas 18% com base em comissões.

Além do conflito inerente que as comissões criam, elas são também um modelo de compensação de vida curta. Muitos fatores convergiram para impor mudanças a nosso mercado. Os custos crescentes obrigaram as companhias aéreas a cortar e impor restrições à comissão das agências de viagens. A Internet permitiu às companhias dispensar as agências tradicionais. Todavia, a expansão global fez com que as viagens se tornassem a segunda maior despesa depois da folha de pagamento, e as empresas precisam de ajuda para reduzir esses custos. Elas recorrem a empresas de administração de viagens que administrem e executem contratos de fornecimento, amealhem dados por todo o mundo e consolidem suas compras em um único pacote, para maximizar a economia.

Há muito assumimos que não somos agentes de distribuição, mas, sim, parceiros estratégicos, capazes de fazer muito mais do que simplesmente reservar passagens aéreas. Nossos clientes nos pagam taxas de serviço pelo valor que agregamos. Diagnosticamos suas verdadeiras necessidades e oferecemos diversos serviços que ajudam a dar conta de qualquer faceta do processo de viagens e entretenimento, inclusive em nichos não tradicionais, como videoconferências e sistemas de pagamento corporativo.

Nossos clientes preferem nos recompensar pelo que trazemos à mesa. Eles contam com nossa perícia em atrair, treinar e preservar gente de excelência, que lhes presta um serviço sem paralelos. Eles dependem de nossos sistemas globais e de nossos produtos e serviços proprietários para fazer economias que só poderiam fazer conosco.

Inauguramos esse novo modelo econômico porque não gostávamos do conflito inerente que o velho método suscitava, e, no fim das contas, isso fortaleceu nossa posição no ambiente de hoje, em que transações on-line espremeram os agentes de distribuição até o limite da viabilidade. Estamos sob esse risco? É improvável. Nossos valores são adaptáveis à rede, e adequados ao futuro. Por exemplo, nosso produto patenteado DACODA, que ajuda as empresas a criar estratégias otimizadas de compra quantificando uma vasta gama de fatores (conforme explicado no Capítulo 10), encontra-se disponível no ponto de venda para reservas sem agentes, integrando-se a nosso @Rosenbluth. E, conforme você leu no último capítulo, a demanda pelas soluções da Up-Stream para a administração de relações com o cliente salienta quão focados nas pessoas são os sistemas de entrega interativa, quando bem-feitos.

Trabalhamos com base na premissa de que as organizações mais sensatas prefeririam comprar uma passagem aérea mais barata por nosso intermédio (graças aos conhecimentos, aos produtos proprietários, ao poder de negociação e aos serviços que oferecemos) a comprar uma passagem cara com desconto de uma agência tradicional. Temos as informações que tornam tal economia possível, e, em vez de as guardarmos conosco, nós as compartilhamos com nossos clientes e os ajudamos a usá-las em proveito próprio.

O segredo está em compartilhar nossas informações tanto com nossos clientes quanto com nossos fornecedores. Incluímos nossos clientes em nossos relacionamentos com fornecedores, e vice-versa. Mostramos a nossos fornecedores que estamos prontos a transferir nossos negócios, em prol de nossos clientes, para quem quer que lhes ofereça os melhores preços e serviços. Os fornecedores que participam conseguem mais negócios, nossos clientes fazem economias significativas e nós somos recompensados com uma clientela fiel.

Você É Consumidor de Seu Cliente? A Importância de Apoiar Seus Clientes

Ficamos tão ocupados nos concentrando em oferecer aos clientes nossos produtos e serviços que às vezes não nos damos conta de uma das maneiras mais básicas de servi-los — sendo seus consumidores.

Temos na Rosenbluth International a política de utilizar os produtos e serviços de nossos clientes sempre que possível. Administramos as contas de viagem da Subaru, por isso é natural que usemos seus veículos como carros de entrega. A Philips é cliente nossa, por isso compramos dela lâmpadas e monitores. Trabalhamos com uma cliente nossa, a Oracle, em nossos bancos de dados e portais. Temos hardware da Sun Solaris porque a Sun Microsystems é nossa cliente.

Usamos filmes e equipamentos digitais de apresentação da Kodak, nossa cliente. Como a Armstrong é nossa cliente, adotamos seus azulejos de teto em nossa nova obra. A CIGNA é uma cliente de longa data, e recorremos a ela para serviços de saúde e para a administração de nosso plano 401k de previdência. Compramos nossos insumos de escritório da Boise Cascade e da Staples, nossas clientes, e tenho um caminhão da Toyota porque — como você já adivinhou — ela também é cliente nossa. Alguns de nossos associados na Alemanha dirigem Porsches (nossa cliente), mas provavelmente os compraram antes de as companhias aéreas reduzirem as comissões em seu país.

Insistimos em ter em nossos escritórios tapetes de fibra da Du Pont, pois a Du Pont é nossa cliente. Não é sempre que temos a oportunidade de usar Crayolas[1] da Binney & Smith no trabalho, mas ela é também nossa cliente. Por isso, quando pedimos a clientes e associados que desenhem o que a Rosenbluth significa para eles, são Crayolas que lhes enviamos. Nossos clientes fabricam milhares de produtos e oferecem um número similar de serviços, e nosso pessoal os usa exclusivamente sempre que possível.

Não somente isso ajuda nossos clientes, como nos ajuda a compreendê-los melhor. Fazemos questão de conhecer seus negócios. Pesquisamos os produtos que fabricam para podermos incorporá-los em nosso uso diário, e, com isso, passamos a conhecê-los sob uma perspectiva mais ampla.

1 N. do T.: Crayolas são uma espécie de lápis de cera para ilustrações.

Bem-Vindo ao Lar
Criando uma Atmosfera Aberta

Sentimos que nossa empresa deve ser como um lar para nossos clientes. Eles são bem-vindos a qualquer momento, em qualquer divisão. Afinal de contas, estamos a serviço deles.

Ninguém que espera uma visita deixa a casa desarrumada ou a cristaleira vazia. As casas às quais as pessoas são bem-vindas são sempre limpas e hospitaleiras. Os escritórios não devem ser diferentes.

Tive há muitos anos uma experiência que abriu meus olhos, em uma de nossas filiais. Passei pelo escritório sem me anunciar, e o que descobri foi muito embaraçoso. Havia caixas de papel semi-usadas espalhadas, reservas incompletas nos monitores e livros caídos tortamente. Embora pareça produtiva, e talvez tenha sido mesmo, essa visão me perturbou.

Quando vai ao dentista, você gosta de ver instrumentos usados? Quando visita seu consultor de impostos, você gosta de ver os formulários das outras pessoas espalhados precariamente à sua volta? Quando almoça em um restaurante, você gosta de se sentar ao lado dos restos de comida de alguém? Você jamais aceitaria isso.

O mesmo vale para viagens. É um negócio muito pessoal, que exige atenção aos detalhes. Não basta ser organizado — você tem de *parecer* organizado. Todos na Rosenbluth sabem que isso é importante para o nível de conforto de nossos clientes.

O que fiz com relação ao caos em nosso escritório? A única coisa que julguei correta. Havia alguns clientes presentes, e eu lhes pedi que se retirassem. Perguntei aonde planejavam ir em sua viagem seguinte, e lhes ofereci viagens sem custo, explicando que tinha alguns negócios a tratar com meus associados. Fechei a porta e tive uma conversa com todos no escritório sobre a importância de fazer de seu local de trabalho um lar, para o qual nossos clientes se sintam atraídos e onde possam se sentir à vontade e bem-vindos.

Em seguida, arrumamos o escritório pelo restante do dia, fazendo dele um local que gostaríamos de visitar. Aquela filial costumava ser uma das que eu menos apreciava, mas agora está no nível das melhores. Não somente os associados melhoraram a aparência das coisas à sua volta: com a boa aparência, as pessoas se sentem bem. Sua produtividade aumentou, e acredito que todos estejam mais felizes com seu trabalho. Sei que nossos clientes estão.

Trazendo os Clientes à Cozinha
Não Há Áreas "Proibidas" para Clientes

Já ocorreu de você gostar de um restaurante, até dar uma olhada na cozinha? O comum é você ficar enjoado ao fisgar um relance da cozinha e suas operações. Nem sempre elas são muito limpas, e, de algum modo, a comida perde seu atrativo quando você a vê sendo preparada.

Tentamos fazer com que o passeio em nossa "cozinha" crie uma impressão mais forte do que a visão exterior. Trabalhamos duro para terminar em vantagem nas comparações entre nossa cozinha e as outras de nosso mercado. Sabemos que uma regra é verdadeira: quando trazemos um cliente em potencial para inspecionar o funcionamento interno de nossa empresa, quase sempre realizamos a venda.

Incentivamos os clientes atuais e potenciais a visitar nossos escritórios, para que vejam como somos e conheçam nosso pessoal. É comum, em dias típicos, que haja clientes circulando pelos corredores, fazendo visitas ao lado de nossos associados e acompanhados de clientes potenciais. Nosso pessoal se sente à vontade tanto com seu trabalho quanto com nossos clientes, e isso jamais os perturba. É apenas mais uma maneira de fortalecer os elos que temos com a clientela.

O *Continuum*
Pesquisa e Desenvolvimento Interativos

Já que sabemos ser eficaz que nossos clientes atuais e potenciais visitem nossos escritórios e passem algum tempo com nosso pessoal, decidimos, em 1996, criar um local dentro de nossa sede mundial que os atraísse. Projetamos e desenvolvemos um laboratório interativo de pesquisa e desenvolvimento (descrito brevemente no Capítulo 10), onde os visitantes podem fazer experimentos com o futuro e contribuir para moldá-lo. É um laboratório de mãos à obra, onde testamos produtos e serviços (tanto nossos quanto de outros ramos). Algumas das principais empresas do mundo expõem aí seus artigos mais recentes, e a participação de nossos clientes as ajuda a direcionar seu trabalho.

Fizemos do *Continuum* um local divertido de visitar. Ele proporciona uma viagem virtual, em que se incluem uma cabine parcial de avião em tamanho real, onde os visitantes podem experimentar o que há de mais recente em assentos e instalações de primeira classe; um "quarto de hotel do futuro"; e um simulador de locação de veículos. Os visitantes podem fazer testes com a realidade virtual e acessar um futuro em que as telecomunicações, a computação, os eletrodomésticos, o trabalho e o lazer tendem para um mesmo ponto.

O *Continuum* fez tanto sucesso (mais de trezentas empresas o visitaram) que estamos abrindo um segundo centro em Londres. Para manter os centros atualizados, estamos sempre procurando as inovações mais recentes, e os fechamos todos os anos para atualizar os artigos em exposição junto com nossos parceiros estratégicos, que ajudam a subscrever o projeto e oferecem itens interativos de primeira linha. O *Continuum* é um excelente meio de fortalecer nossos relacionamentos tanto com clientes quanto com fornecedores.

O Casamento Corporativo
O Relacionamento Perfeito entre Clientes e Fornecedores

O nível supremo de uma parceria é a fusão dos talentos. Chamamos isso de "casamento corporativo" (mencionado no Capítulo 10), o qual constitui o relacionamento definitivo com os clientes. De que exatamente estamos falando? De uma forma de intercâmbio ocorrido em um ambiente de total confiança. Um compartilhamento de pessoas.

Os especialistas em tecnologia conhecem sistemas de informação. Os peritos em recursos humanos conhecem problemas pessoais. O pessoal de operações conhece procedimentos, processos e eficiência. Muita coisa pode ser compartilhada entre setores. Pode ser um encontro de um dia entre contrapartidas, ou um compartilhamento de associados durante uma semana, um mês ou mesmo um ano.

Esse compartilhamento permite que conheçamos certas necessidades de nossos clientes que de outra maneira não conheceríamos. Os benefícios são recíprocos. Os clientes que estabelecem conosco uma parceria desse nível passam a compreender mais plenamente as bases sobre as quais trabalhamos. Eles compreendem os objetivos que devemos atingir como empresa e os desafios que enfrentamos para isso. Colocar-se um pouco no lugar do outro cria a plataforma para o trabalho em equipe.

Aprendemos muito com nossos clientes, e me orgulho em dizer que eles também aprenderam conosco. A melhor parte disso tudo é que se torna quase impossível, para nossos concorrentes, arrebatar algum cliente com o qual cultivamos esse nível de parceria. Como em um bom casamento, o compromisso é com a satisfação e a duração. Não há necessidade de acanhamentos, e com isso podemos fazer coisas até então tidas como impossíveis.

Relacionamentos básicos terão resultados básicos. Quando os parceiros se abrem para novos níveis de confiança, eles atingem um patamar de criatividade no qual podem recriar juntos o mercado.

Diagnósticos
Fazendo dos Clientes Verdadeiros Conhecedores

Educar seus clientes sobre seu mercado e seu negócio é uma medida sensata. Para empresas que oferecem produtos e serviços excelentes, os melhores clientes são os de maior conhecimento. A razão é simples: quanto mais seus clientes souberem sobre seu mercado, mais serão capazes de apreciar o serviço que você oferece. Para aqueles de pouco discernimento, todos os produtos e serviços parecem iguais, e o valor real do que você oferece pode ser ignorado.

Como meio não só de ajudar nossos clientes a entender as complexidades de nosso mercado, mas também de ajudá-los a moldar programas que atendam a seus objetivos específicos, desenvolvemos algo que chamamos de "diagnósticos". Os diagnósticos são um processo por meio do qual identificamos as necessidades únicas de cada cliente e ajustamos a ele nosso modelo operacional, para satisfazer tais necessidades.

Como a maioria das empresas, costumávamos responder cegamente aos pedidos de proposta (RFPs, *requests for proposals*) que surgiam, gastando no processo um bocado de energia. Mas nessa corrida pelo sucesso, em que "todo mundo é a mesma coisa", os clientes terminam com a mediocridade. Hoje procuramos visitar proativamente as empresas que supomos poder ajudar, trabalhando com elas para diagnosticar suas verdadeiras necessidades. *Depois* desse processo, decidimos, ou não, fazer negócio, dependendo de nossa adequação.

Encare a coisa como se fosse um processo médico. Qual foi a última vez que você ficou doente e requisitou propostas para que um médico com consultas mais baratas o ajudasse no tratamento que você mesmo escolheu? Nunca. Você procura um ou dois médicos de grande reputação e se senta com eles, discute seus sintomas específicos e termina com um plano de tratamento e com a perícia deles.

Fazemos isso por meio de processos altamente detalhados de diagnóstico, que são também uma parte essencial de nosso processo de planejamento de negócios com clientes atuais. Há aí três componentes principais: (1) estudo dos indicadores de desempenho; (2) análise DACODA (levando em conta suas políticas, requisitos, metas, padrões de negócios e cultura); e (3) um prognóstico de três anos baseado nas informações obtidas nos dois primeiros passos.

O prognóstico inclui uma análise de custo e uma série de iniciativas recomendadas, além de passos específicos, benefícios potenciais, áreas que apresentam oportunidades e a possibilidade de sucesso. Em outras palavras, nós lhes mostramos o prêmio potencial a ser conquistado, o modo exato de chegar até ele e a possibilidade de que o conquistem. Essas informações são inestimáveis para clientes atuais e potenciais, e nos ajudam a direcionar nossas energias para o ponto em que terão o maior impacto.

A Fonte
Ajudando os Que Ajudam os Clientes

O plano mais cuidadosamente delineado não funcionará se as pessoas incumbidas de implantá-lo não tiverem os recursos corretos para sustentar seus esforços. Costumávamos ouvir em campo que, no ritmo em que andavam as coisas, era às vezes difícil contatar as sedes, com correios de voz e outras frustrações típicas dos negócios. Já não ouvimos tais queixas... desde "A Fonte".

A Fonte agrupou diversas áreas essenciais de suporte que até então haviam estado separadas, e ofereceu ao pessoal de campo "compras em uma parada só". Quatro áreas a integram: (1) desenvolvimento de negócios (vendas); (2) implementação (a entrega do que se vende); (3) serviços de automação (garantir o cumprimento dos planos); e (4) gestão de informações (reportar os resultados a nossos clientes).

Reunimos essas quatro áreas "sob o mesmo teto", ocupando meio andar em nossa sede mundial. Como a equipe recém-formada queria trabalhar em conjunto, sem barreiras, ela própria projetou seu espaço de trabalho, assemelhando-o a uma grande sala de estar, completa, com cadeiras confortáveis e mesa de café, em torno da qual as pessoas, inclusive os clientes, se reúnem freqüentemente. A Fonte é um núcleo de eletricidade, e podemos sentir isso.

Ninguém ali tem escritório próprio, nem deseja. Os líderes de cada uma das quatro áreas trabalham juntos constantemente, e a chefe da Fonte se senta em meio a todos, sempre tomando parte em reuniões e conhecendo idéias. No início, as pessoas faziam apostas sobre o tempo que ela levaria para requerer uma sala própria, mas agora sabem que ela não fará isso.

A Fonte atualmente encontra-se aberta doze horas por dia, e, quando alguém em campo recorre a ela, a ligação nunca cai em um correio de voz. Sempre há uma pessoa de prontidão que pode ajudar no que for preciso. Todos em campo sabem que devem recorrer a uma única fonte, como também o sabem nossos clientes. Estes recorrem a seu gerente-geral, e nosso gerente-geral recorre à Fonte. As decisões são tomadas rapidamente, e tudo na Fonte pode ser acessado em "salas eletrônicas" pela Internet (como, por exemplo, propostas, estudos de caso, as melhores práticas etc.).

Testei certa vez a Fonte, e eles foram aprovados com distinção e louvor. Eu me dirigia a um importante evento em um cliente após o trabalho, para o qual se exigia indumentária a rigor, e havia esquecido minhas abotoaduras. Recorri à Fonte e lhes perguntei o que podiam fazer por mim. Em questão de minutos eles localizaram dois associados que me emprestaram seus alfinetes de serviço, e eu os usei como abotoaduras.

Não há tarefa por demais incomum para A Fonte, e ela na verdade tem-se mostrado tão bem-sucedida que alguns de nossos clientes nos pediram que desenvolvêssemos "Fontes" para eles (para dar apoio a suas operações de campo), o que estamos a caminho de fazer. O conceito de "compras em uma parada só" faz hoje mais sentido do que nunca, e descobrimos uma maneira de oferecê-lo beneficiando todos os envolvidos.

Os Três Erres
A Melhor Maneira de Encontrar Bons Parceiros é Ser Um

Há "três erres" fundamentais que moldam o alicerce a partir do qual se dará nosso aprendizado pelo resto de nossas vidas. Os três erres da Rosenbluth são igualmente fundamentais para nosso sucesso como empresa: relacionamentos, reputação e referências. Sabemos que são esses os fatores que atraem tanto associados como clientes a nossa empresa.

Falei de relacionamentos, mas a reputação e as referências são também essenciais. Qualquer empresa pode alardear seus serviços, mas o que realmente conta é o que os clientes têm a dizer sobre eles. Isso é reputação. O segredo é traduzir reputação em referências. Nossos clientes são nossos melhores vendedores. Quando falam sobre nós, as pessoas ouvem. A maioria de nossos clientes gosta de discutir nossos serviços com clientes potenciais. As referências que dão fizeram toda a diferença do mundo para nossos esforços de venda. Quando nós e nossos clientes nos vemos verdadeiramente como parceiros, grandes coisas acontecem.

Um Esquema para as Parcerias Abertas

Resumo

- Faça parcerias abertas com seu pessoal, com seus clientes e com seus fornecedores, para aumentar sua capacidade de prestar serviços a sua clientela. É a única maneira de garantir que todos os envolvidos se comprometam com as metas e os objetivos de sua empresa. Fortaleça-os com as informações necessárias ao seu sucesso.
- Dirija sua empresa como a uma "colônia de nudismo", em que nada seja escondido dos clientes. Eles logo se sentirão à vontade para serem igualmente abertos com você. Esse ambiente direto precisa começar com o processo de vendas e se estender até o fim de cada transação, incluindo nisso a participação dos fornecedores no que você faz.

- Parcerias claras com os fornecedores são igualmente importantes. Eles é que tornam seu trabalho possível. A visão que seus clientes têm de seus serviços pode depender da capacidade de seus fornecedores em providenciar os serviços e ferramentas de que você necessita para trabalhar. Trazer seus fornecedores à arena é fundamental.
- Converta sua empresa em um lar fora do lar para seus clientes. Incentive-os a visitá-la com freqüência e a interagir com seu pessoal. Isso aprofundará o relacionamento entre eles. Certifique-se de poder, todos os dias e em todos os locais, acolher seus clientes orgulhosamente em seus escritórios.
- Leve seus clientes à cozinha. Participe-lhes suas estratégias, suas metas, seus objetivos. Eles verão o papel que têm em seus planos de longo prazo.
- Para incentivar clientes atuais e potenciais a visitar seus escritórios e conhecer seu pessoal, procure criar algo que os atraia. Convidar outras empresas a participar do processo o ajudará a custear a iniciativa e lhe dará maior dimensão. Nossa atração é um laboratório funcional de pesquisa e desenvolvimento que proporciona reais benefícios a nossos clientes e fornecedores.
- Conheça o valor real de seus produtos e serviços, e venda-os com base nesse valor. Analise com atenção sua estratégia de preços e verifique se não há conflitos inerentes de interesse, eliminando-os se houver. Procure relacionamentos duradouros, que beneficiem a todos eqüitativamente. É essa a maneira de assegurar um poder estável.
- Faça do uso dos produtos de seus clientes uma política da empresa, e deixe que seus clientes saibam disso. Assim, aumentará o conhecimento de seu pessoal sobre os clientes, contribuirá para as vendas desses e ainda dará nova força a seus relacionamentos.
- Pense em um programa de intercâmbio com seus clientes. Seu pessoal de marketing poderia trabalhar com o deles, o pessoal de tecnologia deles poderia trabalhar com o seu, e assim por diante. Você não somente estaria compartilhando idéias e conhecendo novas maneiras de fazer as coisas, como colocaria seus clientes fora do alcance da concorrência.
- Diagnosticar as necessidades de seus clientes é muito mais eficaz do que responder cegamente a pedidos de orçamento. Tente desenvolver um processo que o ajude a descobrir de fato as necessidades dos clientes, e a alinhar seu modelo operacional em conformidade a elas.

- Os clientes só podem desfrutar serviços de excelência se o pessoal de campo tiver o apoio da sede. Pense em combinar as principais áreas de suporte em um sistema facilmente acessível e "de parada única" para o pessoal de campo.
- As referências são ferramentas de vendas essenciais, e seus clientes devem ser seus melhores vendedores. Cultive suas parcerias com a clientela e utilize-as como referências. Assegurar continuamente a satisfação dos clientes não somente o ajudará a preservar os clientes que já possui, como o recompensará com novos negócios.

CAPÍTULO TREZE

Desbravando Novas Trilhas

O pintor clássico francês Nicolas Poussin ficou furioso por não conseguir criar a imagem de espuma na boca de um impetuoso cavalo que pintara. Ele, então, atirou sua esponja contra a tela, e o resultado foi exatamente aquele que tão tediosamente ele se esforçara para criar.

Uma das melhores parcerias que jamais forjamos foi um puro acaso. Às vezes uma idéia simplesmente fulgura para você, como uma luz distante que você não pode ignorar. O conceito de nossas operações globais por Intellicenters, que teve início em uma pacata cidadezinha rural, foi uma dessas luzes, e os benefícios para a nossa empresa foram surpreendentes.

Em 1988, topamos com uma resposta para muitas dúvidas — não somente da nossa, mas de todas as empresas: como descobrir, preservar e motivar continuamente as melhores pessoas. A resposta está em parcerias entre corporações e comunidades rurais. Graças a nossas parcerias, eliminamos as horas extras e o trabalho temporário, reduzimos nossos custos de operação, descobrimos recursos humanos intocados e pudemos expandir para novas linhas de negócio.

Das Vacas para os Computadores
Uma Idéia Exótica Que Mudou Nossa Empresa

Um dia, no verão de 1988, minha esposa e eu estávamos discutindo o fato de que teríamos chuva na Filadélfia pelo quinto dia consecutivo. Então passamos a comentar sobre uma seca horrível que estava atingindo o Centro-Oeste, e desejamos poder enviar parte de nossas chuvas para lá.

No dia seguinte, meus associados e eu começamos a pensar no que poderíamos fazer para ajudar aquela região tão árida, e a série de eventos que se seguiram fez uma real diferença em nossa empresa. Decidimos abrir um escritório temporário no coração daquele lugar, oferecendo empregos até que a seca retrocedesse.

Como prega o ditado: "Dê um peixe a um homem e ele comerá por um dia; ensine-o a pescar e ele terá alimento por toda a vida". Decidimos que, em vez de contribuir para um fundo de auxílio contra a seca, nós nos proporíamos a ensinar àquelas pessoas técnicas que elas poderiam usar para reduzir sua dependência da agricultura, área em que o sucesso depende muito da colaboração da Mãe Natureza.

Contatamos o Departamento de Agricultura dos Estados Unidos e perguntamos qual o Estado mais gravemente atingido; a resposta foi Dakota do Norte. Visitamos o Estado e perguntamos qual a área mais negativamente afetada, sabendo então que fora Linton, uma cidadezinha com cerca de mil habitantes. Essa comunidade dependia quase totalmente da agricultura para sua subsistência, e foi lá que a seca se mostrou mais impiedosa.

Seguimos então para Linton. O grupo de desenvolvimento local nos ajudou a encontrar uma velha loja de peças para trator com um espaço sem utilização. No dia seguinte, publicamos um pequeno anúncio de "PRECISA-SE DE AJUDA" no jornal local, o *Emmons County Record*, oferecendo vinte empregos em tempo integral por um período de três meses.

Com aquela breve menção no jornal, oitenta pessoas apareceram na manhã seguinte em busca de emprego. Por isso, decidimos contratar quarenta funcionários de meio período em vez de vinte de período integral, para ter um impacto mais positivo nas famílias. Pusemos computadores em nossas instalações provisórias, levamos para lá um pessoal de treinamento e abrimos nossa loja.

Todos na empresa foram convidados a apresentar idéias para tarefas que poderiam ser desempenhadas em nosso escritório rural. Estudamos o tipo de trabalho que vinha sendo feito em horas extras ou com auxílio temporário. Tratava-se quase exclusivamente de arquivamento de dados e outras tarefas ideais para nossos novos associados.

Passamos a contar mais e mais com aquele escritório para todos os tipos de trabalho, e percebemos que as horas extras e o auxílio temporário desapareceram em escritórios por todo o país. A alternativa passou a ser nossos associados em Linton, e começamos a nos perguntar como é que vivíamos antes *sem* eles.

Enfrentamos algum ceticismo. Em nosso próprio mercado, muita gente achou que havíamos perdido a cabeça. Mesmo em Linton, a princípio, as pessoas se perguntavam por que estávamos lá e o que pretendíamos ganhar com isso. No início, não esperávamos ganhar nada mesmo, mas os benefícios começaram a se revelar.

Já nas primeiras semanas começamos a perceber um padrão de qualidade nos serviços, sem absenteísmo e sem desligamentos. O escopo de trabalho de nossos associados expandiu-se juntamente com sua produtividade. O moral era alto, e o escritório era o símbolo do trabalho em equipe.

Quando nos instalamos lá, não esperávamos benefícios em nossa linha de saldo, mas eles foram incontestáveis. Os custos de operação são notavelmente menores nas áreas rurais, e, como o custo de vida é muito inferior ao das grandes áreas metropolitanas, os salários são tipicamente mais baixos. Não se vêem as escaramuças, comuns em cidades grandes, entre gente superqualificada. Acrescente a isso os gastos que podem ser eliminados dispensando-se as horas extras e o trabalho temporário, e você começará a perceber que fazer negócios em comunidades rurais é uma bela alternativa.

E esses são apenas os benefícios *financeiros* das corporações que utilizam comunidades rurais como opção viável de recursos humanos. As empresas devem pensar em recorrer a cidadezinhas agrárias em busca de pessoal de qualidade. Esse ainda é um recurso em grande parte intocado.

Previsão: Seca Contínua
A Necessidade Iminente de Gente de Qualidade

Quando a primeira edição deste livro foi publicada, em 1992, o mercado de trabalho nos Estados Unidos estava abarrotado, e o que faltavam eram empregos, não pessoas. Na época, alertamos para a iminência de uma crise de recursos humanos, e essa crise caiu sobre nós agora. A força de trabalho continua a minguar, e a demanda das corporações está crescendo. Sentiremos os efeitos disso por um longo tempo no futuro.

A população está envelhecendo. Ao mesmo tempo, o número de pessoas abaixo de trinta anos integrando o mercado de trabalho vem diminuindo desde 1980, e espera-se que continue a declinar ainda por bons anos no novo milênio. Há preocupações com o declínio nas habilidades básicas de nossos jovens.

Novas fontes alternativas de mão-de-obra estão sendo utilizadas, e isso faz com que restem menos delas às quais recorrer no futuro. Os recursos humanos são o item mais dispendioso para a maioria das corporações. E as pessoas é que fazem das empresas o que são. Não há preocupação corporativa mais importante, no que se refere ao futuro, do que a descoberta e a preservação de pessoas de excelência.

Uma Arma Desembainhada
Uma Solução para os Recursos Humanos no Futuro

No geral, corporações e comunidades rurais levam vidas separadas. Nós evidentemente precisamos dos produtos e serviços que cada qual oferece, mas, quando se trata de negócios, não trabalhamos em equipe. Os agricultores tentam tirar seu sustento da terra, confrontando no processo todas as imprevisíveis forças da natureza. As corporações se empenham em competir em um ambiente global de mudanças aceleradas.

As comunidades rurais têm uma grande riqueza em recursos humanos, não somente em termos numéricos, mas também na extraordinária qualidade e ética de trabalho. A arma definitiva para as corporações é uma espingarda de dois canos: alta qualidade e baixos custos operacionais. E isso pode ser encontrado em comunidades rurais.

Em contrapartida, trazer trabalho das corporações para as comunidades rurais reduz sua dependência na agricultura, permitindo que as pessoas mantenham sua atividade agrária, pois elas ficam mais aptas a tolerar seus altos e baixos.

Farei Minha Aposta no Agricultor
A Agricultura e os Negócios Têm Mais em Comum do Que Você Talvez Imagine

O celebrado advogado Clarence Darrow, que se incumbiu da defesa no histórico caso Scopes[1], foi certa vez entrevistado para um artigo de revista sobre o segredo do sucesso. O entrevistador disse: "A maioria dos homens com quem conversei até agora atribui seu sucesso ao trabalho duro".

Clarence Darrow replicou: "Acho que isso também se aplica a mim. Fui criado em uma fazenda. Em um dia de muito calor, eu estava separando e empacotando o feno que uma empilhadeira atirava sobre mim. Perto de meio-dia eu estava exausto. Naquela tarde, abandonei a fazenda para nunca mais voltar, e desde então não tive um único dia sequer de trabalho duro".

Não quero dizer com isso que você não saberá trabalhar a menos que venha do campo, mas, sim, que há certos paralelos entre a agricultura e os negócios. Os recursos necessários para gerir uma fazenda excedem por vezes os necessários a uma empresa. Lutar com a natureza não é uma tarefa fácil. Os dias são mais longos do que os de um executivo com chofer. No campo, os dias começam normalmente às cinco da manhã (mas você não encontrará muitos agricultores que julguem que o dia acabou às cinco da tarde).

---

1 N. do R.: Trata-se do famoso caso do professor de biologia John Thomas Scopes, julgado criminalmente por ensinar a teoria da evolução de Darwin em uma escola pública americana. "O Julgamento do Macaco" ("Monkey Trial"), como ficou conhecido, teve repercussão mundial pela batalha de gigantes travada pela acusação e a defesa, representadas por dois grandes advogados da época: o candidato derrotado à presidência dos EUA William Bryan e o militante da União Americana pelas Liberdades Civis Clarence Darrow. Durante o julgamento, que durou onze dias e foi o primeiro a ser transmitido por rádio, a defesa foi impedida pelo juiz John Rauston de apresentar cientistas como testemunhas em favor da teoria da evolução. Scopes foi condenado a uma multa de 100 dólares.

A agricultura é a encarnação do trabalho em equipe. Ninguém consegue operar uma fazenda sozinho. A terra e os animais têm de ser tratados todos os dias. Não há fim de semana, feriado ou folga por doença no campo. A única opção é cooperar com amigos e vizinhos para realizar o trabalho. E a qualidade envolvida na feitura do produto fica clara na época de colheita ou de venda do gado.

Esses valores sólidos são aprendidos logo cedo no campo. A maioria dos garotos enfrenta um dia todo de trabalho na terra da família, antes e depois da escola. Contraste essa ética inerente de trabalho com os desafios que as empresas enfrentam para motivar as pessoas, e a aplicação das comparações entre os negócios e a agricultura fica bem clara.

Parte da Família
Fincando Raízes Permanentes na América Rural

Como já comentei, realizamos incontáveis entrevistas todos os anos para encontrar as pessoas certas. Fazemos longas buscas pelo supra-sumo da safra, e já conseguimos encontrá-lo, embora isso exija muito trabalho duro. O que descobrimos nas comunidades rurais foi uma abundância do tipo de pessoas que procuramos, e isso é raro.

Assim, passadas apenas seis semanas das contratações temporárias em nossa unidade provisória de Linton, decidimos converter nosso escritório rural em um escritório permanente. Anunciamos nossos planos durante a sessão final de nosso encontro geral da empresa, e o anúncio foi recebido com poucos olhos enxutos. Todos em nosso corpo de funcionários estavam comovidos de algum modo com os associados de Linton, fosse pela qualidade de seu trabalho, por sua atitude de prontidão ou por seu entusiasmo contagiante. Esse foi um claro exemplo de decisão que representava *tanto* um bom negócio *como* a coisa certa a fazer.

Hoje temos duzentos associados em período integral naquele escritório da Dakota do Norte, e, desde então, abrimos quatro outros escritórios no mesmo Estado, além de um em Campbellsville, no Kentucky, outro em Killarney, na Irlanda, e em diversas outras partes. O arquivamento de dados ainda faz parte de seu trabalho, mas eles também fazem reservas de viagens, cuidam de boa parte de nosso trabalho contábil, administram todas as operações de serviços aos clientes e atendem ao segmento da Up-Stream (a administração das relações com o cliente, sobre a qual você leu no Capítulo 11). Por exemplo, a National Airlines terceiriza conosco todo o seu serviço de reservas. Cuidamos dos serviços ao cliente para a Orbitz, a Travelocity e o UAL.com, o site da United Airlines. E a US Airways Cargo nos confiou todos os seus serviços de despacho de cargas.

Esse tipo de trabalho impôs à maioria dos nossos Intellicenters um regime de 24/7, oferecendo um novo nível de variedade no trabalho a nossos associados. Criamos uma atmosfera em que as pessoas têm a oportunidade e o incentivo para conhecer constantemente coisas novas. Nossos associados trafegam por todos os setores dos Intellicenters para aprender papéis diversificados. Sempre que desenvolvem uma habilidade nova, isso aumenta nossa flexibilidade. Temos associados experientes à mão para o que quer que seja, a qualquer momento. Esse tipo de diversificação não somente reduz os altos e baixos que qualquer negócio apresenta, como também aumenta a segurança empregatícia de nossos funcionários.

Nossa rede de Intellicenters cresceu tremendamente. Uma unidade em Fargo, em Dakota do Norte, emprega 375 pessoas, e outra em Dickinson, também na Dakota do Norte, chega a ter 380. Ambas ficam abertas 24 horas por dia, 7 dias por semana, atendendo grandes clientes corporativos, clientes da Up-Stream e prestando serviços durante o tráfego, além de oferecerem suporte a negócios pela Internet. Outro centro em Williston, em Dakota do Norte, emprega 120 pessoas (podendo chegar a 200), e agora estamos investindo em unidades "satélites" (a primeira é em Jamestown, em Dakota do Norte, com 75 pessoas) para alcançar comunidades menores, compartilhando a liderança e a tecnologia de nossos centros maiores. Isso nos proporciona o acesso a talentos notáveis.

Nossos clientes de viagens corporativas e da Up-Stream deliram com os serviços de nossos Intellicenters. Por exemplo, o gerente de uma estação ferroviária em Dallas nos escreveu o seguinte a respeito de uma companhia cujas reservas administramos: "Essa é minha quarta companhia, e a primeira a terceirizar os serviços de reserva. Seu pessoal é muito superior ao de quaisquer outras. Nunca parece fazer diferença aquilo de que preciso. Sei que bastará um telefonema e a resposta será sempre: 'Sim, podemos fazer isso'. O que é muito bom".

Roupas de Baixo, Baixos Salários, Baixa Apreciação
Por Baixo de Tudo Isso: Um Pessoal Magnífico

A história de nosso Intellicenter em Campbellsville, no Kentucky, parece um conto de fadas. Campbellsville (cuja população é de 11 mil pessoas) foi sede, durante meio século, de uma fábrica de roupas íntimas da Fruit Of The Loom, que empregava mais de quatro mil pessoas. Praticamente todas as famílias da comunidade dependiam de algum modo da fábrica, mas então ocorreu o impensável... A Fruit Of The Loom deixou a cidade. A comunidade ficou devastada, sem nenhum futuro em vista.

O que aconteceu em seguida foi uma história de Cinderela. A Amazon.com vinha crescendo em saltos quânticos, e procurava meios de estabelecer centros de serviço rapidamente para atender à demanda. Eles descobriram Campbellsville graças a sofisticadas análises, e abriram um centro de distribuição com planos de empregar até mil pessoas. E, então, eles começaram a colocar a comunidade em pé novamente.

Como foi que chegamos a Campbellsville? Um dia, um morador que havia lido sobre nossas operações rurais nos telefonou. Era o proprietário de uma agência de viagens local, tentando nos persuadir a comprar sua empresa e estabelecer lá uma filial. Se usássemos de pura lógica, como a maioria das empresas, teríamos perdido essa oportunidade. Mas deixamos a emoção ter um papel importante no que fazemos, e sabíamos instintivamente haver um tesouro em recursos humanos à nossa espera em Campbellsville.

Compramos a agência local e a convertemos em um Intellicenter, expandindo-a para comportar duzentas pessoas. Achamos magníficos nossos associados locais, e eles sentem o mesmo com relação à nossa empresa. Um artigo sobre a transformação de Campbellsville, na edição de julho de 2000 da *Fast Company*, disse: "Um marco das melhores empresas da nova economia é que elas gostam da distinção entre mão-de-obra e talento, entre músculo e mente, entre valor presente e potencial". Nós sabemos do vasto potencial das comunidades rurais, e continuaremos a fazer delas nosso lar.

Compartilhando a Sorte dos Irlandeses
Expandindo para Comunidades Rurais em Todo o Globo

Depois de anos de experiências maravilhosas na América rural, resolvemos investir em comunidades rurais no exterior para atender nossos clientes globais, e topamos com Killarney, no coração sudoeste do interior irlandês. Escolhemos Killarney porque as pessoas, os valores e a atitude de serviços são muitos similares ao que encontramos em nossas unidades rurais norte-americanas, e pela infra-estrutura tecnológica e a alta habilidade lingüística de seus habitantes. Killarney tem um vigoroso sistema educacional e está bem próxima de centros de ensino superior. Esses fatores, aliados à abundância de serviços voltados ao turismo (os quais fortalecem a atitude de serviços), constituíram para nós as condições ideais.

Abrimos nosso Intellicenter em Killarney em 1998, e hoje empregamos cerca de 100 pessoas, com planos de acrescentar outras 150 em curto prazo. Nossos associados locais prestam serviços em inglês, francês, alemão, holandês, italiano e espanhol a clientes de toda a Europa. Nossa tecnologia permite que os associados saibam de onde provém cada ligação e em qual idioma devem atendê-la. Sua habilidade e dedicação lhes permitem oferecer serviços de primeira ordem.

Fazer negócios na Irlanda rural é tão fascinante para nossos clientes globais quanto é para nossos clientes nacionais fazer negócios na América rural. Certa vez, o gerente de viagens de um grande cliente corporativo visitou conosco o centro. Na ocasião, Kerry (o condado de Killarney) estava nas finais do campeonato irlandês de futebol. O fazendeiro próximo a nosso Intellicenter tem por tradição pintar suas ovelhas nas cores de Kerry durante o campeonato. Nosso cliente ficou tão intrigado que quis tirar uma foto. Era uma cena e tanto vê-lo correndo atrás das ovelhas para fotografá-las de perto. Uma das ovelhas, porém, cansou-se do *paparazzi* e saiu em carreira atrás dele. O homem escapou por uma cerca de arame farpado, rasgou seu belo terno italiano e quebrou sua câmera. Acho que nosso treinamento de serviços não funciona muito bem com ovelhas.

Um Lar nas Colinas
A História de um Lugar Muito Especial

Feliz aquele que, distante das maquinações dos negócios, como as primeiras gerações humanas, labora seus acres ancestrais com gado de lavra própria, livre de toda usura.

– Horácio (65 a.C. – 8 a.C.)

Em 1989, tivemos um encontro de planejamento estratégico em Linton (o encontro que descrevi anteriormente, quando falei de nosso exercício de construção de cercas). Ficamos em um hotel de beira de estrada, fizemos as reuniões no prédio da cooperativa elétrica local e, em vez de jogar golfe ou esquiar como recreação, cavalgamos e trabalhamos na fazenda. Foi o melhor encontro que já tivemos.

Descobrimo-nos fazendo tudo em equipe, em vez de nos dividir em panelinhas. Todos se sentiam livres, renovados, criativos. Voltamos dali mais fortes. Praticamente toda sessão de planejamento estratégico desde então tem sido feita em Dakota do Norte.

Desde os primórdios o homem trabalhou na terra. Foi apenas na virada do século que as pessoas se desligaram dela. Algo de natural foi perdido na vida urbana, e pode ser recuperado na fazenda.

Concluímos que valeria a pena compartilhar essa experiência com outras empresas, e compramos por isso três mil acres de pradarias ondulantes, construindo ali um lugar como nenhum outro. Nós o chamamos de "The Rivery" (A Ribeira), e é um rancho onde as empresas podem promover pequenas reuniões em isolamento — um grupo por vez. Não há registros de caixa. Trabalhamos com o sistema da honra. A maioria de nossos convidados deixa as portas abertas. A cozinha e o bar ficam abertos vinte e quatro horas por dia; assim, os convidados podem se servir do que quiserem sempre que quiserem. Acomodações, refeições e atividades diversas fazem parte do pacote integral. Nossos convidados fazem uso de quaisquer instalações ou atividades adicionais, e simplesmente nos notificam mais tarde. As contas são apresentadas posteriormente, para que nossos convidados não tenham de se preocupar com isso enquanto apreciam sua estada.

Nosso The Rivery é especializado em proporcionar experiências fora do comum, como reuniões naquelas escolas de sala única ou a céu aberto, com as pessoas empoleiradas em fardos de feno. Nosso lema é: "Céu aberto, mente aberta". Há rodeios, cavalgadura de bois, danças em roda e corridas de trilha. É um misto incomum do rústico com a elegância.

Dia após dia é servido aos nossos convidados um chá da tarde, e o serviço de quarto inclui biscoitos recém-assados e leite gelado. Todos os membros da equipe sabem os nomes de todos os convidados.

Nossa equipe é composta de fazendeiros locais, treinados pela organização Ritz-Carlton na arte da hospitalidade. Nossos clientes comentam termos criado ali um lugar que personifica o espírito do campo, o que nos orgulha muito. Durante um século enviamos nossos clientes a lugares bem tranqüilos de férias — por que não agora a um local nosso? E que melhor região para construí-lo do que um local que desempenhou papel tão vital para nossa empresa?

Por Todo o Mundo
Explorando Oportunidades Rurais para a Sua Empresa

Recebemos cartas de literalmente centenas de pequenas cidades rurais do país e do mundo, nos convidando para fazer parte de suas comunidades. Quando criamos novos Intellicenters, temos de fazer duras escolhas.

Há "Lintons" por todo o planeta, prontas para fazer parceria com organizações. A diversidade de atividades oferecida às áreas rurais salvará as comunidades agrárias. A riqueza dos recursos humanos disponíveis ajudará as empresas a superar um dos mais desalentadores desafios de hoje — encontrar gente de qualidade em número suficiente.

As empresas se deram conta de que há muitos tipos de serviço que desconhecem fronteiras geográficas. Ao telefonar a uma empresa para encomendar produtos ou falar com um departamento de serviços ao cliente, você sabe ou se importa com o local onde a ligação está sendo atendida?

Não importa o destino da chamada. O que a maioria das pessoas deseja é que suas encomendas ou solicitações de atendimento estejam sendo cumpridas com perícia e cortesia. As empresas começam a perceber isso, e estamos sendo inundados por telefonemas de corporações interessadas no que fizemos em nossos Intellicenters rurais.

Muitos de nossos clientes se interessaram pela viabilidade de tais operações em suas próprias empresas, graças ao trabalho que fizemos para elas em nossas locações rurais. Empresas que não são nossas clientes também nos telefonam a esse respeito. Recebemos regularmente executivos de organizações distantes em visita a nossos escritórios rurais. Compartilhamos informações sobre o modo como estabelecemos tais escritórios, e os colocamos em contato com as pessoas que podem ajudá-los a dar os primeiros passos.

Várias das empresas que nos contataram abriram unidades rurais. Por exemplo, uma grande organização de saúde, uma companhia de reservas hoteleiras, uma firma de telemarketing e a divisão de acompanhamento de viajantes freqüentes de uma grande companhia aérea.

Graças a nosso escritório inicial em Linton, a todas as unidades rurais que estabelecemos e a nossa criação de parcerias entre o campo e as corporações, beneficiamos nossos clientes de uma maneira inesperada e nada convencional. E ainda, ao longo do caminho, conquistamos alguns clientes.

A Rota Rural

Resumo

- Siga as idéias em que acredita, por mais absurdas que pareçam ao mundo exterior. É assim que nasce a maioria das idéias revolucionárias.
- Procure nichos de pessoas que se ajustem à cultura e à ética de trabalho de sua empresa. Encontramos o nosso nas comunidades rurais.
- Prepare sua empresa para uma continuada seca de recursos humanos, perpetuada por diversos fatores. A população está envelhecendo; as habilidades básicas estão declinando; novas fontes de mão-de-obra alternativa estão sendo utilizadas, o que, em conjunto, faz com que haja menos opções de recursos humanos não utilizados conforme avançamos para um futuro cada vez mais competitivo.
- Considere os recursos humanos rurais como uma arma para a competitividade global. A combinação entre alta qualidade e custos operacionais razoáveis é difícil de superar.
- Se você tiver interesse em explorar suas opções em comunidades rurais, nossa empresa ficará mais do que feliz em ajudá-lo no que for possível, inclusive fornecendo informações que adquirimos ao longo de nossa experiência e da experiência das empresas que auxiliamos no estabelecimento de divisões rurais.

Palavras Finais

Muita Coisa a Digerir

Fiz algumas afirmações neste livro que talvez pareçam estranhas a muita gente. Coisas como "O cliente já não pode vir em primeiro lugar". Se analisada isoladamente, essa afirmação talvez seja alarmante. Mas quando explicamos por que ela dá certo, então ela se torna tão reconfortante quanto um abraço.

Quero resumir aqui essa idéia, para que você a possa ver como a trilha para um novo modo de fazer negócios — um modo que funcionou para nós e que pode funcionar para qualquer empresa disposta a experimentá-lo.

As primeiras impressões ficam. A maioria das pessoas passa seu primeiro dia de trabalho preenchendo formulários. Mas o início de uma carreira deveria ser um evento memorável. Um programa de orientação criativo e inspirador põe as pessoas no ritmo, instila a cultura e erige lealdade — recompensas que a empresa desfrutará constantemente.

A felicidade no ambiente de trabalho é uma vantagem competitiva. Os serviços vêm do coração, e as pessoas que se sentem bem cuidadas também cuidarão melhor de outras. A infelicidade resulta em erros, desligamentos e outros males. Para fortalecer a felicidade, você tem de mensurá-la — use *Crayolas*, correios de voz ou outro meio qualquer, mas faça algo. Finalmente, as empresas precisam ser divertidas. Quando foi a última vez em que você fez bem algo de que não gostava?

Encontrar as pessoas certas exige uma visão ampla, exige que se olhe para além das fontes costumeiras de seu mercado. As pessoas devem ser escolhidas tanto por seu ajuste à equipe quanto por sua colaboração individual. Elas devem ser entrevistadas não somente por seus chefes potenciais, mas também por aqueles que chefiarão e por seus pares. O processo de entrevista deve ser incomum, pois podemos dizer mais sobre uma pessoa quando ela está de guarda abaixada. Acima de tudo, porém, procure pessoas amáveis.

O treinamento eterno é uma arma secreta, pois o crescimento de uma empresa é na verdade o conjunto do crescimento de seus funcionários. Programas de base ampla com natureza filosófica são tão importantes quanto o treinamento técnico. Tudo começa com o primeiro dia de trabalho — as pessoas devem começar na empresa com uma orientação que jamais esqueçam. E o treinamento deve ser oferecido a todos durante toda a carreira.

Os serviços são uma atitude, uma arte e um processo, e estamos todos no ramo de serviços, não importa qual seja nossa atividade. Quando você está afinado com seus clientes, acaba sentindo os serviços nas entranhas. Isso é atitude. A arte nasce do cuidado e da criatividade. E o processo vem da qualidade. Você precisa, em sua empresa, da abordagem correta de qualidade; do contrário, o processo pode atravancar o caminho do progresso.

A cultura define qualquer organização. É importante que as empresas identifiquem o conceito que gostariam de ver expressos em sua cultura, o formalizem, o compartilhem com seu pessoal e o celebrem. Mas o segredo da cultura é a sinceridade, pois, se os atos não corresponderem às palavras, estas serão vazias.

O nascimento e o desenvolvimento de idéias devem ser levados a sério. A inovação será incentivada em um ambiente de criatividade e liberdade. Estudar a origem das idéias pode deflagrar o processo. Elas podem se originar do desejo de fazer algo melhor, de um problema que requer solução ou de praticamente qualquer parte. As idéias devem ser protegidas, mas se tornam mais fortes quando testadas.

O processo de cultivo tem aplicações no ambiente de trabalho. Depois de todo o trabalho para encontrar as pessoas certas, você tem de mantê-las nesse caminho. Cuide para não haver politicagem em sua organização. Recompense as pessoas que contribuem, em vez de meramente buscarem reconhecimento, e também as que ajudam as outras a ter sucesso. Derrube barreiras transferindo as pessoas de setor e dando-lhes treinamento cruzado. Os funcionários devem ser avaliados tanto por seus chefes como por seus chefiados.

Inventar o futuro é uma questão de procurar e aproveitar as oportunidades de capitalizar sobre mudanças. Antes de poder fazer isso, a empresa deve estar livre da dependência indevida de terceiros, e deve estar preparada para administrar o crescimento iminente.

A tecnologia é uma ferramenta que pode reduzir o estresse e melhorar os serviços. Ela pode automatizar processos corriqueiros, deixando as pessoas livres para se concentrarem nos aspectos mais criativos e pessoais dos serviços. As melhores ferramentas tecnológicas são criadas com base na contribuição das pessoas que as utilizam. Isso também integra a equipe de tecnologia ao corpo central da empresa.

Olhe à sua volta e à sua frente, pois não basta ficar atento apenas à sua empresa e ao seu mercado. A saúde dos mercados contíguos pode ter efeitos em cascata, sobretudo a do mercado de seus clientes. Mas é igualmente importante avaliar o futuro, pensando como o mercado pensa. Isso o prepara para servir proativamente sua clientela e sair à frente da concorrência.

Parcerias abertas possibilitam um nível de relacionamento mais elevado com seus clientes. Seus escritórios devem ser para eles lares acolhedores. Os clientes devem ser levados à cozinha, para inspecionar os ingredientes de seus produtos. Devem ser seus melhores vendedores. E você deve ser consumidor deles.

Desbravar novas trilhas significa correr atrás daquilo em que acredita, independentemente do que outros pensem. Ao nos estabelecer em uma cidadezinha do interior, descobrimos uma mina de ouro. Os moradores de comunidades rurais são nossa resposta para a seca de recursos humanos. E podem ser sua resposta também.

Agora É a Sua Vez

O que há de especial nas idéias é o fato de serem obras em andamento. Quanto mais são testadas e adaptadas, melhores elas ficam. As idéias que discutimos há uma década ainda funcionam, mas foram aprimoradas ao longo dos anos, a ponto de um novo livro ter-se mostrado necessário. Agora é a sua vez de experimentar as idéias aqui descritas.

Sei que você pode adaptá-las a seu próprio negócio, e, com isso, estou certo de que as refinará e as aprimorará. Não cometa o erro, a que todos tendemos, de se entusiasmar com a mensagem para depois deixar as novas idéias de molho enquanto apaga incêndios.

Escolha uma idéia agora mesmo e a experimente. Desafio-o a fazer isso. Comece purificando sua empresa dos maus aspectos, substituindo-os por aquilo que é certo, humanitário e essencial para a competitividade. Você deve isso a si mesmo, a seu pessoal, a sua empresa e às partes interessadas.

Um Longo Caminho a Percorrer

Estamos certos de nossas crenças e nos sentimos seguros em compartilhá-las com você. Mas isso não significa que sempre alcancemos nossas expectativas. Embora a maioria dos princípios e programas que discuti aqui sejam práticas diárias, alguns ainda são aspirações. Acho importante lhe dizer que ainda não chegamos lá, mas que estamos perto. Espero que ter posto tais crenças por escrito ajude tanto você quanto nós.

Rosenbluth International
2401 Walnut Street
Philadelphia, PA 19103 - EUA
www.rosenbluth.com

Epílogo

Um Mundo Diferente

Poucos dias antes de eu apresentar o manuscrito final deste livro à HarperCollins, assistimos aos horríveis acontecimentos de 11 de setembro de 2001. Nossa empresa, nossos funcionários, nossas famílias e nosso mundo mudariam para sempre. Durante os meses seguintes passaram-se muitas coisas que desafiavam tudo aquilo em que acreditávamos. Só agora podemos dizer que, se nossa empresa não tivesse como fundamento as crenças e práticas contidas neste livro, poderíamos não ter uma empresa sobre a qual escrever.

Talvez eu tenha escrito este capítulo por ser ele catártico, por ser um meio de lidar com o período mais desafiador que já enfrentei como líder. Talvez o tenha escrito porque o que você está prestes a ler é algo que nenhum presidente de empresa jamais escreveu. Sobretudo, creio que o escrevi porque é importante que outros líderes de outras empresas tenham uma visão íntima da montanha-russa emocional em que ao menos um líder corporativo se dispôs a se aventurar, para que outros pudessem se beneficiar.

Este é um capítulo repleto de dor e amor, medo e deleite, vida e morte, mas trata sobretudo do pensamento mais íntimo do chefe de um negócio de seis bilhões de dólares que viu secarem suas rendas da noite para o dia, e de como ele lutou para continuar vivo após o ataque de 11 de setembro de 2001 aos Estados Unidos. É um capítulo transparente e verdadeiro. Alguns trechos são preocupantes e outros animadores, mas, na maior parte, o capítulo é surreal. Devo muito aos associados e clientes da Rosenbluth International pelo firme apoio que deram a nossa empresa e pelos sacrifícios que fizeram nessa época tão difícil.

Em nenhum momento deixei de me lembrar de quão afortunado sou por empregar as melhores pessoas do mundo, nem do trabalho que elas fizeram em prol de nossos clientes. O capítulo começa em 11 de setembro de 2001.

Nossos Dias Mais Negros

Fora de meu escritório há um conjunto de telas de TV que monitoram acontecimentos mundiais, mercados financeiros e outras notícias que podem afetar nossos clientes ou nosso mercado. Às 8h45 da manhã de 11 de setembro de 2001, testemunhei nessas telas a tragédia que deflagraria uma série de eventos sem precedentes na história de nossa empresa e dos Estados Unidos.

Como milhões, vi horrorizado um jato comercial chocar-se contra o World Trade Center. Minha reação imediata foi notificar nosso Centro de Comunicações em Rede para que iniciassem o processo de identificação de possíveis clientes da Rosenbluth International a bordo. Dezoito minutos mais tarde aconteceu de novo. A essa altura, todos sabíamos instintivamente que estávamos sob um ataque terrorista. O evento voltou a se repetir, dessa vez no Pentágono, e, em seguida, um outro avião veio abaixo no interior da Pensilvânia.

Passados poucos minutos ligou-me uma de nossas associadas de atendimento ao cliente, informando-me ter recebido um telefonema de um passageiro a bordo de um dos aviões seqüestrados, pedindo-lhe que ligasse para a sua família e dissesse que ele a amava. Momentos depois, recebi de nosso banco de dados uma lista dos clientes a bordo de cada um dos aviões destruídos. Nesse momento, meu coração estava no estômago, havia raiva em meu peito e eu sabia o que aconteceria a nossa empresa e aos nossos associados.

Durante os trinta minutos seguintes fiz telefonemas aos presidentes das quatro empresas que tinham funcionários a bordo de cada um dos aviões. Meu coração acelerava conforme eu comunicava os nomes aos líderes das empresas. Em todos os casos, independentemente do porte (a maioria eram empresas da *Fortune 500*), os presidentes conheciam as vítimas pessoalmente.

Passadas as ligações, eu sabia que a direção de nossa empresa estava prestes a ser testada como nunca antes. Também entendíamos que, embora ações imediatas fossem necessárias na organização, tínhamos primeiro de nos concentrar em nossos associados e na dor e temor que tomavam seus corações. Nossa primeira tarefa foi evacuar todos os nossos escritórios em edifícios elevados pelo país, e notificar os demais escritórios de que qualquer associado que sentisse precisar de horas livres ou tivesse de se reunir com seus entes queridos estaria livre para isso. Como a maioria de nossos centros de atendimento tem interligações telefônicas, transferimos as ligações dos clientes por todo o país, sem interrupções.

Recebi um relatório sobre cinqüenta associados nossos que ainda estavam no ar, viajando para reuniões com clientes e fornecedores. Nosso pessoal rastreou cada um desses aviões até sabermos que eles haviam aterrissado a salvo em algum lugar nos

Estados Unidos ou no Canadá. Horas depois, todos foram localizados, e liberamos um coletivo suspiro de alívio.

Por volta do meio-dia, nosso Thought Theatre (Teatro do Pensamento) tinha virado uma capela para qualquer fé, aberto a todos aqueles que quisessem rezar. Por volta das duas da tarde, o prefeito da Filadélfia pediu a todos os escritórios que encerrassem o expediente, e a maioria do pessoal de nossa sede foi para casa ficar com a família. Os que permaneceram começaram a avaliar a situação e a ativar nosso processo para informar os clientes sobre o fechamento de aeroportos e linhas aéreas, a atender telefonemas para acomodar os pedidos de informação dos clientes e a trabalhar para conduzir a seu destino passageiros em dificuldades. No fundo de nossas mentes latejava o fato de que trabalharíamos por algum tempo sem renda nenhuma, já que não havia ninguém comprando passagens e o medo de voar estava para se tornar onipresente.

Fomos para casa exaustos naquela noite, mas sabíamos que nossas famílias, e sobretudo nossos filhos, precisavam da nossa presença, para abraçá-los e tentar reconfortá-los. Às três da manhã eu já não conseguia dormir, e por isso fui ao escritório fazer contato com nossos líderes europeus, para discutirmos o impacto, na Europa, dos eventos na América do Norte. Então comecei a escrever uma carta a todo o nosso pessoal. Ela dizia o seguinte:

> *Caro Amigo:*
>
> *Ontem, teve lugar nos Estados Unidos uma tragédia de proporções humanas e psicológicas incalculáveis. Foi um dia de mortes, destruição e esforços heróicos jamais vistos nas fronteiras norte-americanas. Cada um de nós, à sua própria maneira, aprenderá com o tempo a lidar com esse inconcebível ato de terrorismo e de insensibilidade à vida humana.*
>
> *Na noite passada um silêncio sinistro abateu-se sobre a nação, conforme famílias e amigos se reuniam para lamentar e confortar uns aos outros. Pais davam o melhor de si para explicar os eventos do dia a seus filhos, e muitos, como eu, passaram a noite com eles na cama, tentando aplacar seus temores. Muitos associados perderam amigos ou conhecidos nesse terrível ataque contra a santidade de nossa psique individual e coletiva, e a eles se dirigem nossas preces e pensamentos.*
>
> *Infelizmente, esse pode ser apenas o início. Os Estados Unidos certamente atacarão os perpetradores desse atentado à América do Norte, o que, por sua vez, poderá provocar novas retaliações. Temos de aprender a conviver com isso, e nos conformar com o fato de que vivemos agora em um mundo muito diferente.*

Isso talvez não seja comentado em ondas sonoras, nem seja escrito em jornais, mas um temor insólito se apodera agora de muitos na América do Norte, o que é uma reação normal e razoável. Mas devemos, como outras pessoas em países menos afortunados que o nosso, superar esse medo e compreender que um ataque pode estar à espreita e ocorrer a qualquer momento. Durante períodos de minha vida, vivi sob essas circunstâncias, e sei que podemos nos elevar acima desses justificados temores, vivendo a vida normal pela qual nossos pais e avós lutaram e morreram no século passado. Isso não é fácil, mas não podemos nos entregar ao cativeiro do medo que esse ataque a nosso país procurou criar. Sucumbir ao medo é desistir. E esse não é nosso estilo. Franklin D. Roosevelt, um presidente norte-americano, expressou-o idealmente ao dizer: "Nada temos a temer, salvo o próprio temor". Tendo vivido pessoalmente durante ataques terroristas e meses de guerra, não lhe seria possível usar de palavras mais verdadeiras. Cabe a nós confortar uns aos outros, compartilhar palavras de dor e compaixão, mesmo de horror, e então seguir em frente. Negar-se a isso é admitir a derrota. A América do Norte está unida, nosso governo e nossos militares reagirão resolutamente com a necessária força, e nós prevaleceremos como nação.

Nas últimas dezesseis horas recebi mensagens de apoio de associados por todo o mundo. Todos compartilhavam a dor dos que trabalham nos Estados Unidos e ofereciam auxílio no que lhes fosse possível. Para todos os nossos colegas de além-mar digo "Obrigado".

Tem sido uma tradição, desde o dia em que nasceu nosso país, que as tragédias suscitem o que há de melhor em todos nós. Ontem não foi exceção. Associados por todo o país, e aliás por todo o mundo, receberam ligações de clientes ou familiares desesperados e preocupados, perguntando pelo destino de seus entes queridos. Cada uma das dezenas de milhares de ligações que recebemos teve de ser atendida com carinho, simpatia e fatos. Ontem cada um de vocês foi um herói por aquilo que fez. Desde a associada em Dakota do Norte que atendeu com profissionalismo e desenvoltura ao chamado de um passageiro de um dos aviões seqüestrados, pedindo-lhe que comunicasse seu amor a amigos e familiares, até os departamentos de telecomunicações e tecnologia da informação, que mantiveram nossas linhas abertas e nossos computadores funcionando para que pudéssemos nos comunicar uns com os outros e com os clientes, todos foram heróis. Os associados do Centro de Operações em Rede e o grupo de Comunicações Corporativas, que trabalharam incansavelmente durante o dia e a noite para manter nossas operações em funcionamento e informar regularmente nossos clientes e associados, saíram-se igualmente com heroísmo.

A cooperação de escritórios e centros na transferência de chamadas por todo o país, conforme os escritórios da Rosenbluth em edifícios elevados se fechavam, foi inacreditável. Os associados que operaram os bancos de dados, determinando quais clientes da Rosenbluth International estavam a bordo dos quatro aviões, conseguiram as informações em tempo recorde, permitindo que eu e outros líderes contatássemos os chefes das corporações e os informássemos da perda de seus funcionários, tudo feito de tal maneira que podemos nos orgulhar. Em nota pessoal, meus assistentes executivos Paula Coursey e Jen Hand foram de incalculável préstimo, ajudando-me a coordenar as atividades da empresa durante essa crise.

Houve milhares de outros heróis silenciosos na empresa ontem, e a vocês se dirigem os agradecimentos de associados por todo o mundo, por seus esforços com clientes tanto internos como externos. Em suma, os associados da Rosenbluth International deram o melhor de si no pior dos tempos.

Informo com satisfação que todos os cinqüenta associados da Rosenbluth International que viajavam a negócios dentro dos Estados Unidos foram localizados, e nosso associado em atividade no World Trade Center saiu ileso.

Hoje, e por muitas semanas ainda, um outro tipo de temor poderá acometer nossos amigos na empresa, conforme os telefones pararem de tocar. Isso terá início nessa manhã, e nenhum de nós pode prever até quando durará. Será uma época em que todos teremos de ser bravos e evitar o pânico. O povo norte-americano recupera-se facilmente, mas devemos reconhecer que cada viajante está sendo instado por seu cônjuge, seus filhos e seus pais a não viajar. É da natureza humana agir assim, e estou certo de que vocês fariam o mesmo. Só o tempo dirá quando as pessoas se sentirão confortáveis para viajar novamente.

Os executivos e líderes seniores da empresa se reunirão hoje para avaliar e prognosticar o dano a nossa empresa e seus efeitos sobre todos nós. Comunicaremos nosso plano logo que houvermos avaliado devidamente a situação.

Alguns de vocês talvez saibam que eu havia preparado uma carta a ser distribuída ontem a todos os associados, participando-os da tremenda queda no volume de viagens, de seus efeitos na empresa e nos associados, e de um plano que pretendíamos implementar para nos haver com ela. Renunciei a essa carta, já que a situação mudou dramaticamente nas últimas vinte e quatro horas. Seus chefes estão em posse dela, mas seu conteúdo é agora irrealista, dados os eventos de ontem. Vocês têm minha garantia de que, tão logo optemos por um curso de ação, nós os informaremos de imediato. Como as condições certamente mudarão a cada semana, é provável que nossas estratégias e decisões também mudem, por isso queiram ter paciência enquanto fazemos o que é melhor para os associados, para os clientes e para a empresa.

Não quero encerrar esta carta sem mencionar as centenas de bombeiros e policiais que perderam suas vidas tentando salvar outras no World Trade Center e no Pentágono. Muitos de nós não damos atenção ao trabalho deles, raramente parando para pensar na freqüência com que se arriscam. Eles são o que há de melhor na América do Norte, altruístas e destemidos em seus esforços para salvar vidas e proteger cidadãos. Da próxima vez que você vir um policial ou bombeiro, cumprimente-o e demonstre que você conhece e aprecia a profissão que ele exerce, e a importância que essa tem para todos nós.

Superaremos isso tudo como nação, como povo e como empresa. Não há como negar que os tempos serão difíceis para todos nós, conforme formos lidando com as conseqüências dessa tragédia nacional, mas enfrentá-la, isso faremos. Somos uma empresa composta de pessoas de todas as raças, religiões e nacionalidades, e é essa a força da Rosenbluth International.

Minhas preces dirigem-se a todos vocês, onde quer que vivam, onde quer que tenham nascido, e quaisquer que sejam suas crenças. Somos "Um Só Mundo, Uma Só Empresa". Troquem abraços no dia de hoje, procurem um ao outro e tirem o tempo necessário para voltar seus pensamentos e seu conforto aos que deles precisam.

Com a maior das atenções,

Hal

Às 7 da manhã havíamos decidido que a equipe dos executivos seniores se reuniria a cada quatro horas, para rever nossas estratégias de avanço e as várias maneiras de assegurar nossa viabilidade nesse período de crise. A logística dessas reuniões era um pesadelo. Todos os aviões estavam no chão, e nosso presidente se encontrava no exterior, nosso diretor de informações teve de dirigir de Los Angeles à nossa sede na Filadélfia, nosso vice-presidente sênior de marketing voltava similarmente de New Orleans com um vice-presidente local, e nosso vice-presidente de relações com os fornecedores voltava de carro de Chicago para a Filadélfia.

Sempre me pareceu que os três segredos para um negócio de sucesso fossem a velocidade, a emoção e a confiança. Nunca, na história de nossa empresa, esses três ingredientes foram tão essenciais. Com os aeroportos fechados, com viajantes empresariais ligando em ritmo recorde para cancelar vôos futuros, e com empresas decretando moratórias de viagens a toda hora, estimamos que queimaríamos recursos em um ritmo de 1,2 milhão de dólares ao dia. Acresciam nossas preocupações o risco de violência renovada e o momento e a natureza desconhecidos da reação dos Estados Unidos ao ataque sofrido. Uma coisa era certa: não podíamos prever reservas de vôos para o futuro imediato. Associado às margens de lucros exíguas de nosso mercado, isso tornou necessárias ações decisivas. Tínhamos de criar, comunicar e pôr em prática nosso futuro relacionamento com clientes, associados e fornecedores, de maneira competitiva.

Nossas teleconferências continuaram pelos dias seguintes, enquanto nossos colegas cruzavam o país. Só posso imaginar a cara dos funcionários das lojas 7-Eleven e Dunkin' Donuts enquanto ouviam conversas unilaterais de executivos da administração de viagem, discutindo números e tomando decisões que afetariam milhares de pessoas e dezenas de milhões de dólares. A frustração era parte de cada encontro, já que pelo menos um executivo estava sempre fora de alcance, ou em uma área ruim para celulares, não podendo, então, tomar parte no processo decisório. É desnecessário dizer que superamos os inconvenientes e as frustrações e tomamos medidas em diversas frontes. Uma das primeiras foi comunicar a nosso pessoal que uma redução temporária de salários e muitas mudanças na prática e na política mostravam-se necessárias. Eis a carta que foi tão difícil escrever:

Caro Amigo:

Antes da tragédia de terça-feira, escrevi-lhe uma carta que começava assim:

A primeira decisão que as corporações tomam durante tempos difíceis é reduzir as viagens. Infelizmente, isso tem um efeito direto em nossa empresa e mercado; muitos de nossos clientes reduziram seu volume de viagens em até 60%. Presidentes e acionistas de empresas de capital aberto viram declinar a cotação de suas ações, cair pela metade o valor de suas empresas e ser reduzida dramaticamente sua força de trabalho. Isso só faz gerar mais pressão para que cortem os gastos com viagens.

Tanto associados como líderes contribuíram muito para manter o sucesso de nossa empresa ao longo de tais períodos. Conquistamos volumes recordes de novos negócios para compensar os cortes dos clientes; todavia, uma grande porcentagem desses negócios só será implementada ao longo dos próximos meses, tendo pouco efeito positivo durante os três primeiros trimestres do ano. Tomamos decisões difíceis nesse período para compensar o declínio de renda causado pelas reduções nas viagens dos clientes, mas outras se mostram necessárias para que terminemos o ano de forma mais conveniente tanto para os associados quanto para a empresa.

Muitos de vocês podem não saber que em julho passado nosso grupo de executivos tomou a decisão de não pagar os aumentos por mérito aos líderes da companhia. Além disso, grande parte das compensações pagas aos lideres associa-se diretamente aos níveis de desempenho definidos pela empresa. Portanto, a menos que algo dramático ocorra nos últimos quatro meses de 2001, tais bônus serão eliminados, o que, entendo, será um grande incômodo e desapontamento. É óbvio que os líderes, como também vocês, nada tiveram a ver com as reduções no volume de viagens, mas estão sendo assim mesmo diretamente afetados.

Todavia, essas reduções na compensação da chefia não bastam para cobrir os resultados e metas que a empresa precisa atingir para o ano. Desse modo, tomou-se a determinação de pedir tanto aos líderes quanto aos associados que se sacrifiquem um pouco mais, para que continuemos sendo a empresa forte que somos, voltada ao crescimento e à prosperidade futuros que beneficiarão a todos nós.

(Eu prosseguia enumerando as medidas que tomaríamos para cobrir as reduções de renda e os sacrifícios que teríamos de fazer.)

Infelizmente, os acontecimentos das últimas quarenta e oito horas nos obrigaram a recalcular nossas previsões, uma vez que aeroportos fecharam, empresas adotaram políticas de VIAGENS ZERO e companhias predizem um índice de desistência de 40% entre os passageiros nas próximas seis semanas.

Dessa forma, não tivemos escolha senão reduzir 10% as compensações de todos os associados e líderes até o final do ano. Isso corresponde a uma redução anual de salários de aproximadamente 3%. Se, por algum milagre, as viagens chegarem a níveis acima de nossas expectativas e requisitos corporativos, rescindiremos imediatamente essa decisão.

Também implementamos outras medidas para cortar gastos onde possível. Adotamos uma suspensão das contratações por toda a empresa, que entrou em imediato vigor. Além disso, estamos pedindo a toda liderança sênior que viaje em classe econômica em território nacional, a menos que consigam passagens gratuitas ou bônus. Todos os encontros externos foram cancelados, assim como as sessões de treinamento que exigem viagens de associados. Se, por alguma razão emergencial, um encontro externo for necessário, faremos o melhor possível para que nossos fornecedores os cus-

teiem, assim como eles fizeram durante todo o ano com partidas de golfe dos clientes e outros eventos corporativos de patrocínio da companhia.

Outras contribuições para a redução de custos foram feitas pelos grupos executivos e de liderança sênior. Reduzi meu salário em 20% por um prazo indefinido, e não receberei bônus. O restante da liderança sênior também terá sua compensação total dramaticamente reduzida. Embora as viagens sejam necessárias para administrar uma organização global, não são algo por que ansiamos, já que elas nos afastam de nossas famílias e entes queridos. Infelizmente, além da mudança na política de viagens que já mencionei, pedimos ainda aos líderes que viajem por rotas inconvenientes e/ou com escalas para aproveitar os descontos dos fornecedores e poupar dinheiro à empresa.

A redução de custos, por si só, não mantém uma empresa saudável, nem a prepara devidamente para o futuro. Ainda cumpre fazer investimentos para garantir que avancemos no rumo certo. Esses investimentos são do interesse de todos os associados, embora superficialmente talvez não pareçam. Durante a recessão de 1992 e 1993, investimos na abertura de escritórios por todo o mundo, enquanto foram feitos cortes e reduções nos Estados Unidos. Na época, isso podia parecer questionável, mas estou convencido de que todos aprovariam retrospectivamente tal visão e tal estratégia. Isso possibilitou nosso crescimento atual e futuro. Hoje, concorremos com uma única empresa de fato global.

Decisões similares às de 1992 e 1993 foram tomadas este ano com relação à Up-Stream, à Information Technology e a uma nova divisão de negócios que será anunciada em breve. A decisão da Up-Stream poupou centenas de empregos, particularmente nos Intellicenters da empresa, uma vez que diversificamos nosso portfólio de negócios.

Hoje, administramos as necessidades de atendimento ao cliente de muitos sites de companhias aéreas, e as necessidades de reservas e carregamentos de outros. Essas chamadas estão produzindo uma renda preciosa em uma época em que as chamadas de viagens corporativas estão em baixa.

Ainda que as atuais condições econômicas não mudem em curto prazo, continuo otimista e confiante no futuro. Estamos crescendo mais rápido do que ninguém, a caminho de melhorar nossas margens e lançando produtos geradores de renda em um ritmo recorde.

Gostaria de encerrar esta carta agradecendo-lhe pelos sacrifícios pessoais que você vem fazendo pelo bem da empresa e de nossos colegas associados. Quaisquer medidas de redução como as mencionadas nesta carta requerem que executivos, líderes e associados sejam tratados com justiça e propriedade, ao verdadeiro estilo e cultura de nossa empresa. Acredito que fizemos exatamente isso. Sinto verdadeiramente por quaisquer dificuldades que essas decisões venham a lhe causar, e assumo a responsabilidade por uma a uma delas. Em meu posto privilegiado, sei dos benefícios de longo prazo que tais ações trarão a você e a seus colegas. Embora nos provoquem uma certa dor em curto prazo, esteja certo de que elas são o meio mais correto e mais justo de proteger nosso sucesso continuado durante o mais difícil dos tempos econômicos. Sinta-se à vontade para compartilhar comigo seus pensamentos, escrevendo para hrosenbluth@rosenbluth.com.

Com a maior das atenções,

Hal

Durante as vinte e quatro horas seguintes, recebi centenas de e-mails de associados apoiando as decisões de nossa empresa e outros questionando nosso raciocínio e o momento escolhido para a carta. Passei a noite respondendo a cada um deles.

Com o passar dos dias, continuamos a trabalhar direto, cuidando de telefonemas por todo o mundo, conduzindo clientes em dificuldades a seus destinos conforme os aeroportos iam se abrindo e rezando para que os cancelamentos logo dessem lugar a reservas. Isso infelizmente não ocorreu, e nosso pessoal começou a temer por seus empregos. Estava claro para todos que as medidas tomadas até o momento não bastavam, e que outras seriam necessárias para assegurar a viabilidade de nossa empresa enquanto a nação e o mundo ficassem colados à tela da TV, em vez de voarem em aviões.

A essa altura havíamos eliminado o máximo possível de custos em nossa empresa, e adiáramos os planos de investimento em novos produtos tecnológicos até termos um quadro mais claro do futuro. Todos tínhamos nossas próprias previsões de quando as pessoas voltariam a se sentir seguras para voar, mas se o que me ocorreu no dia seguinte era um indicador do futuro, isso não seria para breve. Eu sentia que todos em nossa empresa tinham de fazer sacrifícios, a despeito do local do mundo onde trabalhassem. Nossa decisão de reduzir os salários nos Estados Unidos não poderia por lei ser aplicada à Europa ou a partes da Ásia. Eu queria mostrar solidariedade a nossos associados norte-americanos, e por isso resolvi voar para a Europa e solicitar a ajuda voluntária de nossos associados.

No início da manhã, participei a minha família minha decisão de viajar. Minha filha de onze anos estava em pranto, pedindo-me que não fosse. Meus filhos de oito e nove anos mostravam o medo em suas faces, mas não expressaram sua preocupação senão mais tarde, no mesmo dia. Meu filho de dezoito anos tentou manter a compostura, mas eu podia enxergar através dela, e ele por fim me perguntou se era mesmo necessário que eu fosse. Fiz o melhor para aplacar seus temores, mas eu sabia, em meu coração, que depois dos cinco dias de incansáveis *replays* na TV mostrando aviões enterrando-se em prédios, não havia nada a dizer que os pudesse confortar.

Duas horas antes de minha partida rumo ao aeroporto, eu estava em casa em uma reunião com nosso presidente e nosso diretor-financeiro discutindo os planos para o dia seguinte. Minha esposa veio me dizer adeus antes de levar minha filha a sua partida de futebol, e mostrou-se desesperada. Meu estômago se revirava, e eu me via preso entre minha família e minha empresa. Eu sabia que não poderia abandonar nenhuma delas. Nossa reunião teve fim logo em seguida, e comecei a fazer as malas para minha viagem à Europa, incapaz nesse entremeio de decidir o que fazer. Pela primeira vez em minha vida uma decisão não me ocorria rápida ou facilmente. Poucos minutos depois um colega veio me buscar para a viagem até o aeroporto. Entrei no carro mas não consegui fechar a porta. Ficamos na saída da garagem por cinco minutos sem dizer uma palavra. Meu estômago nunca me traíra, mas, nessa hora, sentia que ele se revirava para todos os lados. Eu sabia ser seguro voar, mas sabia igualmente que não poderia submeter minha família à miséria por que ela então passava. Sentei-me por mais alguns minutos e então voltei-me a meu associado e lhe disse: "Não vamos mais".

Liguei para nosso presidente, informei-o de minha decisão e lhe pedi que contatasse nosso vice-presidente na Europa. Dirigi-me à partida de beisebol de meu filho de oito anos, pulei na quadra e lhe dei um abraço. Mais tarde, toda a minha família estava reunida novamente, refletindo sobre os eventos do dia e falando daqueles que viriam.

De volta ao escritório, passamos os três primeiros dias da semana observando números, conversando com clientes e avaliando o continuado prejuízo de nossa empresa. Ficava cada vez mais claro para todos nós que nossas medidas até o momento não bastariam. Afastamentos seriam inevitáveis. Nossos líderes deram início ao angustiante processo de determinar quem ficaria e quem partiria. Essas decisões eram especialmente difíceis, uma vez que somos uma empresa de amigos, e o trabalho de todos é valorizado.

Sentei-me na cama aquela noite sem poder dormir, assolado pela culpa, contemplando o vazio. À uma hora da manhã eu estava farto disso, e decidi ir para o escritório. Eu sabia o que aguardava muitos de meus colegas e amigos, e queria escrever-lhes uma carta anunciando que os afastamentos estavam no horizonte. Às 6 da manhã, terminei de escrever a mais difícil carta de minha vida.

Caro Amigo:

Nas próximas quarenta e oito horas, os corações de muitos amigos dedicados, leais e profissionais se partirão, quando o afastamento de associados por toda a empresa se tornar inevitável.

Hoje, há uma fenda emocional no coração de nossa empresa. Uma fenda tão larga e tão profunda quanto a que se estende pelo Sino da Liberdade da América, a apenas uma milha de nossa sede. A bela empresa que juntos construímos foi temporariamente esfacelada pelo mais abominável ato que se pode imaginar. Os eventos de oito dias atrás lançaram nosso mercado em um estado de total desordem, conforme companhias e agências afastam centenas de pessoas, procurando sobreviver até que os viajantes se sintam seguros o bastante para voltar a voar. A grande incógnita é quando. Acrescente-se a esse mistério a possibilidade de o terrorismo voltar a atacar, e o impacto que sofrerão as viagens aéreas quando os Estados Unidos revidarem. A maioria das companhias aéreas prevê uma redução de 50% nas viagens pelas próximas seis ou oito semanas. Em outras palavras, venderemos metade das passagens que vendíamos até antes de 11 de setembro. Nós, também, baseamos nossas projeções em um número similar. Se não houver novos incidentes, esperamos ver sinais de recuperação no futuro próximo, já que existe uma demanda silenciosa por viagens empresariais.

Os afastamentos norte-americanos e as reduções em organizações internacionais anunciadas na quinta e na sexta-feira serão devastadores para os indivíduos afetados, suas famílias e seus amigos, bem como para as pessoas que ficarem. Por definição, um afastamento é uma remoção temporária do cargo, com possibilidades de retorno. As pessoas afetadas podem ficar seguras de que quaisquer problemas decorrentes desse processo serão atendidos por seu líder e seu representante de RH. Como temos todas as razões para acreditar que as viagens acabarão voltando ao normal, nossa meta é trazer os associados de volta à empresa tão logo seja possível.

Quanto aos que não forem afastados, a direção tomou a decisão de impor um congelamento temporário no programa 401k. Além disso, os executivos seniores seguiram voluntariamente meu exemplo e reduziram seus salários em outros 20%.

Palavras não podem expressar a dor e o peso nos corações que acompanham tal decisão. Em uma empresa em que as amizades são tão profundas, as decisões são muito mais difíceis. É natural que os associados afastados nutram certo ressentimento pela empresa, e os não afastados podem acabar tendo sentimentos similares, o que é também compreensível. A dor que esse evento causa nos tocou profundamente, e uma parte de nosso coração se rompe a cada associado que sai pela porta. A convalescença não terá início senão quando começarmos a trazer os associados de volta à nossa família de amigos.

Haverá muitas histórias aflitivas de associados que já não poderão estar conosco. Mães solteiras, pais com filhos doentes, associados cujos cônjuges podem ter recebido há algum tempo uma notificação similar em seus empregos, e assim por diante. Essas são emoções legítimas e racionais. Eu não esperaria menos, pois todos os nossos associados são pessoas gentis e conscienciosas.

Por oito árduos dias e noites, a liderança trabalhou assiduamente, tentando ser tão justa quanto humanamente possível. Isso talvez não lhes sirva de consolo, o que é também razoável, mas sei em meu coração que fizemos todo o possível para evitar essa situação, e faremos todo o possível para retificá-la logo que pudermos.

Entramos em contato com a Casa Branca, com o Escritório de Administração e Orçamento e com o Departamento de Transportes, pedindo que a comunidade das agências seja incluída em quaisquer pacotes de auxílio direcionados às companhias aéreas. Senadores que simpatizam com a empresa conversaram diretamente com o líder do governo Andrew Card e com o secretário dos transportes Norman Mineta em nosso favor. Contatamos membros da Câmara e do Senado, onde há congressistas que conhecem nossa empresa, e os informamos da situação que nosso mercado enfrenta. Propusemos um plano a empresas aéreas para que repassem parte dos fundos caso os recebam do governo, e conversamos com David Collins, presidente da ARC (Airline Reporting Corporation, Corporação Relatorial das Linhas Aéreas), sobre como dimensionar com justiça tais fundos se eles se tornarem disponíveis.

Contatamos clientes pedindo-lhes que nos apóiem, assim como nós os apoiamos nesse período difícil, em que você trabalhou longas e duras horas por eles, sem nenhuma receita que compensasse nossos gastos. As empresas com as quais falamos até agora se mostraram receptivas e compreenderam os problemas temporários que assolam nossa empresa e o mercado das agências como um todo.

Hoje, uma nuvem negra paira temporariamente sobre uma empresa bondosa e compassiva. Uma empresa conhecida por doar, e não por tirar. Uma empresa que nunca esqueceu que seu ativo mais importante são as incríveis pessoas que temos a honra de tratar por colegas. Algumas empresas tomaram decisões como essa para aumentar a lucratividade — nós a tomamos para que nossos funcionários tenham um lugar a que regressar quando os tempos melhorarem.

A empresa sobreviverá, assim como sobreviveu a duas guerras, à Crise dos Mísseis Cubanos e à recessão de 1991-1993. O mundo volta a se deparar com uma recessão global, e o mercado de viagens e linhas aéreas já enfrentou uma este ano. Abundam as conversas sobre falências de companhias aéreas, e os vôos foram reduzidos no mínimo 25% pela maioria delas. Isso também terá um efeito negativo no mercado de viagens como um todo.

As empresas precisam de nossos serviços mais do que nunca. As companhias aéreas dispensaram mais de cem mil empregados, e estão fechando muitos centros de reserva pelo país. Só podemos lhe pedir que continue a ter fé em nossa empresa e a servir nossos clientes e uns aos outros, e saiba que estamos fazendo todo o possível para trazer de volta nossos amigos.

Não há palavras que descrevam adequadamente quão desolados nos sentimos com as decisões que lhe comunicamos nesta carta. Tampouco há palavras que nos ajudem a confortar os associados afetados por tais decisões. Só podemos dizer que não havia outra escolha. Esgotamos as opções disponíveis, e estamos imensamente tristes e sentidos.

Deus abençoe nossos associados, e Deus abençoe a América.

Com a maior das atenções,

A manhã de quinta-feira chegou mais rápido do que qualquer manhã de que eu me lembre.

Subconscientemente, eu esperava que pudéssemos saltar direto da quarta-feira para o sábado, mas as coisas não se dariam assim. Cheguei ao trabalho e dividi o elevador com uma associada que me desejou boa sorte, dizendo-me que tudo ficaria bem e que eu devia manter a cabeça erguida. Às oito da manhã, associados e líderes da sede começaram a receber visitas da chefia em seus escritórios, notificando-os de seu afastamento. Às 8h30, a associada com quem eu dividira o elevador veio a meu escritório se despedir e agradecer. Meu coração tremeu. De algum modo consegui conter minhas lágrimas e lhe desejei boa sorte, agradecendo-lhe por tudo o que fizera por nossa empresa. Logo passou a haver um fluxo contínuo de pessoas aparecendo em meu escritório e agradecendo-me por todos os ótimos anos, comentando como devia ter sido difícil para mim a decisão de afastar funcionários. Imagine só: associados que haviam acabado de perder o emprego estavam em meu escritório tentando me confortar. Perdi a compostura. Abracei-os, chorei e não quis que saíssem. Acabamos nos despedindo, e prometi que faria todo o possível para trazê-los logo de volta.

Pelo resto da manhã recebi telefonemas de presidentes e executivos seniores de companhias aéreas compartilhando comigo seus dilemas e procurando medidas e sugestões que ajudassem a fazer o país voar novamente. De hora em hora eu verificava o mercado de ações, ouvia o discurso de Alan Greenspan ao Comitê de Finanças do Senado e aguardava comunicados de algum auxílio financeiro que o governo pensasse conceder à comunidade das companhias aéreas.

Passei boa parte da tarde respondendo a e-mails de associados afastados ou ainda na empresa. A profusão de apoio vindo de todas as partes era de partir o coração. Palavras de incentivo chegavam a cada cinco minutos. Por segundos eu me sentia fortalecido, e então aparecia à porta um outro associado para me dizer adeus, e eu voltava a perder a compostura. Começaram a chegar telefonemas de grandes centros de atendimento em Dakota do Norte, informando que os líderes se dispunham a trabalhar de graça para poupar os membros da equipe. Pessoas com rendas secundárias pediam que as afastássemos em lugar das outras. Diretores me ligavam com voz de pranto e contavam como os associados cediam voluntariamente seus empregos a colegas que sabiam estar em maiores apuros financeiros do que eles próprios.

Logo a imprensa me telefonou querendo saber se eu comentaria os rumores de que a Rosenbluth International estava afastando associados. Estações de TV queriam enviar suas equipes de filmagem para nos entrevistar sobre o assunto. Eu começava a me sentir como Silly Putty[1]. Queria desesperadamente folhear nosso registro de chamadas para saber se o movimento telefônico estava aumentando, responder a e-mails e transmitir palavras de conforto a todos aqueles que pudesse alcançar. Mas eu sentia igualmente que a imprensa também merecia uma resposta honesta, embora eu me encontrasse esgotado física e emocionalmente, não estando pronto para entrevistas em um momento tão crítico. Conversei com um jornalista e isso foi bom, já que andavam circulando muitas informações falsas e tive a oportunidade de esclarecer as coisas.

Eu nem percebera que já eram quase sete horas da noite. Ainda tínhamos algumas horas antes de tomar a decisão final quanto ao número de associados que teríamos de afastar na manhã seguinte. Um grupo de doze pessoas, liderado por nosso vice-presidente sênior na América do Norte, amontoava-se em uma saleta enquanto os números chegavam. Eu me sentei atônito, vendo-os tomar decisões com base em

1 N. do T.: Espécie de massinha de modelagem com grande elasticidade.

fatos, em informações casuísticas, na emoção e em um consenso dinâmico. Era como se eu houvesse recuado milhares de anos no passado, e me sentasse junto aos "doze sábios". Nesse caso, contudo, eram quatro sábios e oito sábias. A combinação de profissionalismo e compaixão me fez inflar de orgulho enquanto assistia à sua tomada de decisões.

Às oito da noite, determinou-se que o número de associados a serem afastados em nossas unidades da América do Norte e em nossa sede passaria de quinhentos. Restava ainda um item; eram os associados que trabalhavam em nossos grandes centros de atendimento. Eu saberia na manhã seguinte quantos teríamos de afastar. Fui para casa ver o presidente discursar para a nação, sabendo que o número ali oscilaria em torno de trezentos.

Eu me sentava exausto, enquanto o presidente Bush compartilhava com a nação as expectativas quanto aos meses futuros. Meus pensamentos avançavam e recuavam, ora ouvindo seus comentários, ora recapitulando os eventos do dia. Depois de encerrado o discurso, o patriotismo estava ativo em meu coração, e a ansiedade quanto a novas reduções no volume de tráfego aéreo rugia em minha mente. Quatro horas, uma panela de *brownies* e dez *cookies* depois, eu finalmente adormeci.

Na manhã seguinte, cheguei ao trabalho sabendo que uma nova lista de nomes estava prestes a surgir. O mercado de ações prometia outro dia terrível, contribuindo para a pior queda em uma única semana em toda a história. Tentei calcular o que isso representaria para as viagens. Dois segundos depois, desisti e comecei a me concentrar em preparar uma carta a nossos clientes agradecendo-lhes pelo apoio durante esses tempos difíceis. Em seguida, compus uma carta para todos os nossos funcionários afastados e outra para os que ficaram. Algumas boas notícias começaram a chegar conforme países por todo o mundo concordavam em emitir cartas de crédito, liberando uma verba bastante necessária. Alguns de nossos clientes concordaram em adiantar em um ou dois meses nossos honorários administrativos, enquanto outros concordaram em alterar nossos arranjos contratuais. Eu sentia ímpetos de saltar pelas linhas telefônicas e abraçar cada um deles, pois sabia o extremo a que muitos haviam chegado para conseguir tais aprovações. Esse foi um verdadeiro testemunho dos serviços e valores que nosso pessoal e nossa empresa lhes trouxeram ao longo dos anos. Foi uma notável demonstração de parceria por parte de nossos estimados clientes.

Sentei-me em silêncio e refleti sobre quão abençoados somos, tendo os melhores associados e clientes que uma empresa poderia sonhar em ter. Muitos dos líderes incumbidos da infeliz tarefa de transmitir as más notícias aos associados fizeram-no pela primeira vez em suas carreiras. Que difícil deve ter sido para eles! Passei algum tempo com nosso vice-presidente de recursos humanos, que me relatou como, por vezes seguidas, o pessoal afastado interpelava seus chefes para lhes enxugar as lágrimas e lhes desejar sorte pelos tempos futuros.

No início da tarde de sexta-feira, recebi o número final de associados afetados em nossos grandes Intellicenters na América do Norte. As histórias advindas de Dakota do Norte, do Kentucky, de Delaware, da Pensilvânia e do Arizona eram as mesmas dos escritórios e sedes do mundo todo. Um centro especialmente afetado tirou uma foto em grupo para me enviar com seus agradecimentos. Quando ouvi isso, perdi o equilíbrio e tive de me sentar. Outro centro promoveu uma coleta em prol dos afastados, para amortecer o golpe até que pudessem ser chamados de volta. A emoção humana partilhada entre os associados era um farol em meio à tempestade. Um farol que constituiria a base de nosso novo início.

Na manhã de segunda-feira, enviei a seguinte carta:

Caro Amigo:

Uma nova semana está sobre nós, e alguns de vocês podem ver mesas ou locais de trabalho desocupados a seu lado. Compartilho a dor que experimentam, e sei que associados e líderes por todo o mundo sentem o mesmo. As demonstrações de amor e compaixão entre os associados na última semana foram inimagináveis.

Chefes pediam que os afastássemos em lugar de seus funcionários. Associados diziam: "Escolham-me. Posso passar por isso, mas meu amigo não pode". Muitos associados se prontificaram a trabalhar de graça para poupar outros do afastamento, e todos derramamos lágrimas.

Associados afastados consolavam seus líderes, que perdiam o controle ao lhes transmitir as más notícias. Recebi de associados afetados e-mails de apoio, incentivo e agradecimento pelo tempo em que estiveram na empresa, e todos derramamos lágrimas.

Pessoas se prontificavam a reduzir sua carga horária para que outras pudessem trabalhar em meio período, líderes reduziam voluntariamente seus salários, e todos derramamos lágrimas.

Que notável grupo de pessoas nós somos. Que notável grupo de pessoas devemos nos empenhar em trazer de volta! Meu amor e afeição por todos vocês são inestimáveis. O trauma emocional das últimas semanas nos consumiu, e esgotou a energia corpórea de uma multidão formidável de associados e líderes.

Hoje nossa flor perdeu algumas pétalas; devemos prosseguir sem elas e cultivar novas com o passar das semanas. Antes da primeira geada, muitas das pétalas estarão de volta, e, na primavera, um novo jardim florescerá. Somos hoje uma empresa diferente, preparada para resistir aos efeitos dos insanos eventos de 11 de setembro de 2001, mas uma empresa que levará tempo para se recobrar das emoções da última semana.

Os sonhos de muitos foram suspensos; devemos continuar juntos, trabalhar ainda mais duro, para que possamos restituir tais sonhos às pessoas que deixaram a empresa. Os sacrifícios foram muitos, mas poucos foram acompanhados de queixas. Agora devemos nos esforçar e olhar adiante, sabendo que uma nova jornada teve início e um novo mercado está se formando.

Muitas companhias aéreas e de viagem serão forçadas a baixar suas portas nas próximas semanas. Nossas preces devem se voltar também para elas. Um novo paradigma está prestes a se revelar nas viagens, e seremos seus pioneiros. O resultado, se seguido, beneficiará as companhias aéreas, as corporações e também as companhias de administração de viagens.

Nossos clientes foram magnânimos nesse período de crise no mercado, e lhes devemos muitos agradecimentos. Eles nos apoiaram com novos arranjos contratuais, e mantiveram nossos associados em primeiro plano durante todas as discussões. Somos verdadeiramente abençoados com os funcionários e com a clientela compassivos que temos. Isso não se dá por acidente. Foram a dedicação de vocês às necessidades dos clientes e sua proteção à política deles que ficaram em primeiro plano quando decidiram apoiar vocês e nossa empresa durante esse período de incerteza nas viagens. Eles merecem nosso melhor, e sabemos que vocês o proporcionarão como de costume.

As companhias aéreas acabaram de receber um pacote de auxílio do governo federal. Não creio que parte alguma se destine a nós, mas assim é a vida e temos de aceitá-la. Um mercado de linhas aéreas forte é essencial para nosso país, para nossos clientes e para nós. Contentemo-nos por ao menos uma parte de nosso mercado ter obtido ajuda.

É hora de seguirmos em frente. Criaremos nós mesmos a brisa que inflará nossas velas. Nossa empresa é forte, nossa liderança é firme e vocês são nossa força e inspiração. Cabe a nós aproveitar o futuro; devemos avançar resolutamente para dominá-lo, em prol de nossos clientes, de nossos fornecedores e de nós mesmos.

Com todo o meu amor e gratidão,

Conforme as semanas transcorriam, as viagens começavam a se recuperar. Em nenhum momento se aproximaram dos níveis antigos, o que já era de início desanimador, pois estivéramos em um declínio econômico durante mais de um ano. A América corporativa sabia que teria de se levantar e voltar a caminhar. A questão que restava era: com que velocidade? Só o tempo diria.

Reagindo

Durante as semanas seguintes, as reservas voltaram a aparecer. As companhias aéreas haviam reduzido seus vôos em mais de 20%, e as viagens se tornaram ainda mais inconvenientes do que já eram. A segurança foi aumentada nos aeroportos e uma sensação de renovada tranqüilidade começou a se manifestar no público viajante.

Nossa liderança e nossos associados continuaram a trabalhar sob condições extremas, que só eram agravadas pela redução no número de funcionários da empresa. Nosso contador sênior, da Arthur Andersen, comentou com nosso diretor-financeiro que nunca vira uma empresa agir tão rápido para se reerguer e gerar estabilidade financeira como a Rosenbluth International. Mais uma vez, foi um esforço de toda a empresa, rápido, decisivo e emocionalmente doloroso. A velocidade, a emoção e a confiança estavam na ordem do dia. Continuavam a surgir e-mails de associados afastados, desejando-nos boa sorte e expressando gratidão por seu tempo junto à empresa. Ainda consideramos nossos amigos como parte da companhia, por isso decidimos que toda correspondência da empresa aos associados deve continuar a ser-lhes enviada por e-mail. Nossa organização de recursos humanos agiu rapidamente e arquivou em nosso sistema os endereços de e-mail de todos.

Nossa equipe de executivos continuou a trabalhar rápida e silenciosamente no planejamento de cenários, procurando descobrir oportunidades que nossa empresa pudesse aproveitar nesse período de caos e confusão no mercado. Algumas idéias vieram-lhes à mente, e promovemos discussões com nossa firma de investimentos para conhecer suas opiniões e obter sua colaboração.

Conforme os dias se passavam, eu ia me exasperando com o fato de que a comunidade de agências vinha fazendo 80% das reservas e preenchimentos de passagens para as companhias aéreas, e, no geral, se incumbia dessas funções para as companhias aéreas quase de graça. O mercado de agências era, de fato, o único canal de distribuição viável para as empresas aéreas, e, embora estas estivessem recebendo auxílio federal, nada era repassado àqueles dentre nós que lhes prestavam tais serviços.

Para mim era óbvio que não importava as companhias aéreas terem dinheiro, combustível, aviões e pistas de decolagem a sua disposição. Se elas não tivessem um processo pelo qual as pessoas fizessem reservas, seu mercado ficaria estacionado. A essa altura, as companhias haviam dispensado grande parte de sua força de trabalho, e tinham fechado inúmeros centros de reserva. O mercado de agências emprega 300 mil reservistas habilidosos, que dão conta de 80% das reservas de vôo. Sem elas, as viagens ficariam suspensas, já que as corporações não disporiam de meios viáveis de administrar as reservas, as informações e a venda de bilhetes. Atendemos aos três maiores bancos do mundo, a diversas corretoras de Wall Street, às maiores empresas mundiais de tecnologia, produtos farmacêuticos e manufaturas, e a muitas outras corporações essenciais para o comércio. Comecei a imaginar o que lhes ocorreria se elas não conseguissem fazer negócios devido à paralisação das linhas aéreas, por falta de terminais de reservas e venda de passagens. Concluí ser hora de ir a Washington, D.C., lutar por nosso mercado e sua importância.

Cheguei ao Capitólio às 9h15 da manhã, e retornei à Filadélfia nove horas depois. Conversei privativamente com quinze senadores dos Estados Unidos, três congressistas e com o capelão do Senado. Três semanas antes eu teria evitado os senadores e congressistas e recorrido diretamente ao capelão, na premissa de que um ato de Deus seria melhor que um ato do Congresso. Todavia, naquele dia, me senti fortalecido, animado e entusiasmado com minha missão. Washington é perto da Filadélfia, mas as únicas vezes em que estive lá foram durante a Marcha de um Milhão de Mães e durante o torneio de futebol de minha filha Jessica.

Eu mal imaginava o quanto teria de andar naquele dia. Pior: estava calçando sapatos de cadarço pela primeira vez em três anos, desde que meu cachorro, Dexter, comeu os berloques de um que eu tinha. Às três horas da tarde, meus calcanhares estavam sangrando, pois meus pés por alguma razão haviam crescido desde que eu usara aqueles sapatos, um ano antes. Passei a maior parte de meu tempo com os congressistas e suas equipes, informando-os da importância do mercado, mais que dos interesses de nossa empresa. Não é que nosso mercado não tenha uma associação representativa. Ele tem, mas parece que ninguém, além dela, estava defendendo o mundo das agências perante o Congresso. Alguém tinha de dar esse passo e assumir a responsabilidade. Deixei Washington com os pés sangrando, esperando que o coração do Congresso também sangrasse. Eu estava crente que isso ocorreria, pois todos os senadores e congressistas com quem falei deram grandes mostras de apoio a minhas sugestões, pedindo-me que lhes fornecesse estatísticas e procedimentos que ajudassem a esboçar uma legislação. Liguei algumas vezes para a ASTA, a associação comercial de nosso ramo, para assegurar que nossos esforços estivessem alinhados conforme avançássemos.

Na manhã seguinte, recebi o primeiro esboço de um projeto de lei do Senado resultante de minhas visitas. Foi uma experiência estimulante ver como as coisas podem acontecer rápido se os setores público e privado compreenderem plenamente os problemas essenciais de nosso país e estiverem preparados para agir juntos em benefício da nação. Por volta do meio-dia, recebi outro telefonema de Washington, procurando elaborar um projeto similar, porém, com algumas mudanças. As coisas estavam progredindo, mas ficara patente que a Casa Branca tentaria controlar a legislação, e rapidez seria essencial. Meus colegas e eu trabalhamos rapidamente redigindo observações que tinham de ser enviadas com urgência para o Senado. Em poucas horas nossa carta estava a caminho de Washington.

Fui para casa aquela noite sentindo-me rejuvenescido, pois um novo relatório de nosso departamento financeiro mostrava que a situação de nosso caixa melhorara dramaticamente, e que as reservas de vôo estavam alguns pontos acima do nível dos dias anteriores. Devorei um sanduíche de carne ou dois, vi Barry Bonds rebater seu septuagésimo *home run*[2] e adormeci.

A manhã de sexta-feira chegou, com a notícia de que um indivíduo na Flórida havia sido contaminado por antraz. Algumas agências de notícia falavam de uma epidemia, enquanto outras diziam se tratar de um único indivíduo. Rezei pela recuperação da pessoa e para que se tratasse de um incidente isolado. Conforme o dia avançava, as companhias aéreas anunciavam promoções para estimular o tráfego e os governos estaduais começavam a usar soldados da Guarda Nacional para ajudar na segurança dos aeroportos. Fiquei feliz por ver tais medidas sendo tomadas.

Fizemos outra reunião entre os executivos para avaliar o desempenho da empresa e discutir medidas adicionais e estratégias para adotá-las. Foi uma reunião agradável, e os ânimos foram melhorando conforme cada executivo falava de sua área particular de responsabilidade. As melhores notícias eram que havíamos começado a trazer de volta alguns associados afastados, e, se as tendências de negócios se mantivessem em ascendência, continuaríamos readmitindo mais e mais pessoas.

No meio da tarde, comecei a pensar na partida de futebol que meu filho mais velho, Jeffrey, jogaria naquela noite, no fato de que ele era o armador e entraria em campo com um dedo quebrado na mão esquerda e uma torção no ombro direito. Adquiri força e inspiração renovadas graças à liderança que ele demonstrava ao não sucumbir à dor, esforçando-se antes por não deixar sua equipe desanimar. Espero ter me saído assim tão bem liderando nossa empresa em um período similarmente difícil. De uma coisa eu tinha certeza: estávamos ambos rodeados pelos melhores companheiros que poderíamos desejar. O telefone tocou; era o Comitê de Comércio do Senado convidando-me a testemunhar na sexta-feira seguinte em favor de nosso mercado nas audiências do subcomitê. Meus pensamentos voltaram a meu filho Jeff, sabendo que nenhum de nós podia dar bola fora nessa sexta-feira... nem na seguinte.

---

2 N. do T.: *Home run*: ponto marcado no beisebol quando o rebatedor consegue percorrer todas as bases antes de a bola voltar a campo.

A Recuperação

Na manhã de quinta-feira, eu estava dando os retoques finais ao testemunho escrito que apresentaria ao Senado. Era um requisito dos departamentos envolvidos antes de meu testemunho oral na manhã seguinte, e por isso trabalhei em ritmo acelerado. Não temos um escritório de assuntos do governo nem lobistas trabalhando em nosso favor. A tarefa de reunir informações e estatísticas e a elaboração de meus comentários recaíram sobre mim e sobre nossa gerente de comunicação corporativa. Nenhum de nós tinha experiência alguma nessa área. Por isso, enquanto minha colega trabalhava diligentemente para se familiarizar com os procedimentos e nuanças do Congresso, eu assistia ao seriado *The West Wing*, da NBC, para compreender melhor os procedimentos em Washington.

Os negócios se reerguiam lentamente, e os resultados do reajuste de nossa empresa a demandas mais modestas de viagens aéreas nos deixaram em boa forma, desde que não houvesse novos incidentes. Descobri-me então a caminho de Washington para lutar por nosso mercado, que ainda cambaleava devido aos efeitos do 11 de setembro. Era meu trabalho ajudar 29 mil agências de viagens a pôr-se de pé novamente, contribuindo para salvar centenas de milhares de empregos. Só então a magnitude da situação começava a me ocorrer.

Minha esposa Renee e eu chegamos a Washington na noite anterior a meu testemunho, e fomos para o estúdio da CNBC, como convidados de nosso amigo Chris Matthews. Estávamos em uma divisão do *Hardball with Chris Matthews* três horas depois de o Departamento de Justiça publicar o alerta de que um ataque terrorista era esperado para os próximos dias, e as chances de que ocorresse eram de 100%. Um dos convidados de Chris naquela noite era um especialista em antraz, o qual acabava de eclodir na Flórida. Eu pouco sabia ser aquele somente o início de quatro dias de grande emoção. Depois do programa, o presidente fez uma conferência com a imprensa procurando explicar as razões para o alerta do Departamento de Justiça, e tentando acalmar tanto quanto possível os cidadãos da América do Norte. Assistimos à conferência juntos, e Chris apresentou em seguida um especial com Margaret Carlson, da revista *Time*, e David Gergen, do *U.S. News & World Report*. Ele lhes perguntou como imaginavam que seria a reação norte-americana ao último susto. Ambos opinaram que todos ficariam perto de casa. Durante um intervalo, Chris olhou para mim e disse: "Bem, aí vêm mais mil cancelamentos". Evidentemente, nossas estatísticas o confirmaram no dia seguinte.

Deixamos os estúdios e seguimos para o hotel, para descansarmos um pouco antes do testemunho na manhã seguinte. Como eram dez horas da noite e não havíamos comido desde o meio-dia, Renee quis pedir alguma coisa quando chegamos ao hotel.

Fiquei indeciso entre um martíni com vodca, um uísque com coca, um vinho branco ou tinto, ou simplesmente três dedos de qualquer coisa que o copeiro quisesse me empurrar.

Fomos dormir vendo uma rede após a outra reprisar o alerta de ataques terroristas iminentes nos Estados Unidos. As notícias começaram a se juntar em um nevoeiro de informações similares, e adormeci com o controle remoto embutido firmemente em minha mão.

A manhã chegou e fomos para o Capitólio. Eu estava calmo, recomposto e pronto para qualquer coisa que os senadores atirassem em meu caminho. Às 9h25 da manhã, entramos na sala de audiência e tomamos nossos lugares. A senadora Hillary Clinton testemunhou primeiro, falando do dilema de Nova York e incentivando todos a visitarem seu Estado. Bill Marriott veio em seguida e apresentou a todos a situação do mercado hoteleiro, incentivando o Congresso a aprovar um projeto de incentivo que fizesse com que as pessoas voltassem a viajar.

Levantei-me em seguida, e o calor das luzes das câmeras começou a fazer efeito sobre mim. A última coisa de que eu precisava era prestar testemunho criando um fosso à minha volta devido ao excesso de transpiração. De algum modo, consegui fazer minhas declarações e permanecer admiravelmente enxuto. Expliquei o papel fundamental que a comunidade de agências desempenhava como sistema de distribuição das companhias aéreas. Prossegui dizendo que, sem ela, as linhas aéreas voltariam a estacar e buscariam novo auxílio do governo para criar um sistema de distribuição, pois dependem das agências como canal primário de distribuição. Expliquei que as companhias aéreas haviam demitido cerca de 100 mil pessoas e fechado dezenas de centros de reserva, não havendo nenhuma outra infra-estrutura para que as corporações e o público fizessem reservas e recebessem passagens.

A pedido da Sociedade Americana dos Agentes de Viagem, solicitei ao Senado um subsídio de 364 milhões de dólares, além de meu pedido original de garantias de empréstimo do governo, as quais me pareciam essenciais para que a maior parte das agências sobrevivesse. Após o testemunho de três outros especialistas do mercado, representando as locadoras de veículos, o mercado de cruzeiros e a união dos trabalhadores hoteleiros, chegou a vez de o Senado fazer perguntas. O primeiro, o senador Fitzgerald, de Illinois, olhou-me direto nos olhos e declarou ser o único voto dissidente quanto ao pacote de auxílio às linhas aéreas, e explicou como, a seu ver, as coisas não se encerrariam aí. Ele declarou que as companhias aéreas haviam combinado um imenso esforço de *lobby* e que o resultado do programa de auxílio só beneficiaria seus acionistas e os executivos que as dirigiam.

Tive vontade de saltar a mesa de testemunhas e agarrar o sujeito. Mantive a calma e esperei o momento correto de responder. Dez minutos depois tive minha chance, e fiz um apelo apaixonado para que todos compreendessem que não adiantava as linhas aéreas receberem seu pacote — que concordei ser merecido — se não houvesse meio de o público fazer reservas e receber bilhetes. O programa do governo não valeria de nada. Mencionei que nosso mercado tinha um único lobista, que todas as agências, exceto duas, eram negócios privados de controle de famílias, não possuindo acionistas, e que eu era um novato no Capitólio representando 30 mil agências. Prossegui dizendo que, sem uma infusão imediata de verba, a maioria das agências não sobreviveria ao final do ano. Expliquei que, se tal se desse, as companhias aéreas que não dispusessem de meios de oferecer seus serviços ficariam paradas, e a América do Norte corporativa sofreria sérias limitações em sua capacidade de fazer negócios. O comércio nos Estados Unidos cairia presa dos ataques terroristas de 11 de setembro.

Felizmente, o senador Fitzgerald parecia representar uma minoria. Eu estava confiante em que havia acertado o alvo e conquistado um imenso apoio no Congresso naquela semana. A legislação definitiva seria esboçada a partir da segunda-feira; Renee e eu nos dirigimos à Estação Pensilvânia e dali regressamos à Filadélfia, para o que, eu supunha, seriam dois dias relaxantes.

Saí de casa na tarde de domingo para ver o jogo de futebol de minha filha, e em seguida fui ao aeroporto com minha assistente-executiva tomar um vôo para São Francisco, com o propósito de visitar clientes e associados. Antes de minha saída, recebi um telefonema informando-me de que Levi Jangula, filho de dois de nossos associados de Linton, em Dakota do Norte, contraíra meningite e estava em um hospital em Bismarck. Liguei para o hospital, apenas para descobrir que seus pulmões tinham sofrido um colapso, seu coração vinha falhando e a situação era delicada. Eu disse à mãe de Levi que tomasse uma ambulância aérea e o levasse até Fargo, em Mineápolis, ou Rochester, em Minnesota, se sentisse que em Bismarck não fosse possível lhe dar o tratamento necessário. Prometi ligar do aeroporto para me informar. Quando liguei soube que ele seria levado por via aérea a Rochester, em Minnesota.

Cancelamos imediatamente nosso vôo para São Francisco e procuramos seguir para o St. Mary's Hospital, em Rochester. Minha assistente entrou em ação, coordenando opções de vôo com nosso serviço vinte e quatro horas, enquanto eu circulava pelo aeroporto em busca de quaisquer vôos com destino a Mineápolis ou Chicago. Tornávamo-nos vítimas dos eventos das semanas anteriores. As companhias aéreas haviam reduzido dramaticamente seus serviços, e todos os vôos para as duas cidades estavam esgotados. Se embarcássemos em um vôo posterior, ficaríamos presos em Mineápolis ou Chicago, já que os últimos vôos para Rochester tinham sido vitimados pelas reduções.

Conseguimos lograr o sistema e arranjamos dois lugares para Rochester com escala em Chicago, mas enfrentamos então o dilema de chegar até o balcão de passagens, abarrotado por centenas de pessoas, para comprar passagens em uma outra companhia aérea. Levava-se então quinze minutos para passar pelas linhas de segurança, e o vôo para Chicago sairia em vinte minutos.

O pensamento rápido de minha assistente nos levou ao Clube do Almirantado das Linhas Aéreas Americanas, onde conseguiram nos atender e nos ajudar com nossos preparativos. Surgiu então um novo problema: o vôo para Chicago atrasou em uma hora e meia, e teríamos somente três minutos para embarcar no vôo para Rochester quando lá chegássemos. Previa-se que estaríamos a doze portões de distância, mas minha assistente é uma corredora experimentada, e nosso plano era que ela alcançasse o vôo enquanto eu carregaria as quatro malas, feito uma mula de carga. Se perdêssemos o vôo, estávamos dispostos a dirigir de Chicago a Rochester. Chegamos a ele quando faltavam trinta segundos.

Eu não conseguia tirar a imagem de Levi Jangula de minha mente. Levi é filho de Sharon e Larry Jangula. Sharon foi a primeira pessoa que contratamos em Dakota do Norte. Eles vivem em uma fazenda a quinze quilômetros da pequena cidade de Linton, de mil habitantes. Larry não somente administra sua fazenda, como trabalha em nosso The Rivery, o recanto executivo às margens do Rio Missouri. Sharon, depois de abrir nosso centro de dados em Linton, em 1988, passou a administrar nosso The Rivery, dirigindo com Larry, todos os dias, cento e dez quilômetros de ida e volta para trabalhar. Eu conhecia Levi desde seus nove anos, e o vi se transformar de criança em adulto. Meu coração batia com ansiedade e adrenalina no caminho para Rochester. Rezei para que o dele também estivesse batendo quando chegássemos lá.

Chegamos ao hospital às 10h30 da noite de domingo. Na sala de espera, sua tia nos contou que ele estava sujeito a um ataque cardíaco a qualquer momento, mas que o haviam posto em repouso e lhe estavam ministrando antibióticos e outros fluidos, além de bombear ar a seus pulmões. Fui até o quarto de Levi imaginando como estariam Larry e Sharon. Sharon voara na ambulância aérea com Levi, enquanto Larry dirigira nove horas para deixar espaço no vôo aos paramédicos.

Fiquei feliz por estar no quarto de Levi, mas fiquei preocupado com o que vi. Havia mais cabos e fios à volta dele do que haveria em uma sala de computação. Monitores sofisticados verificavam todos os sinais vitais, e alarmes soavam a cada dois minutos indicando que algo não ia muito bem. Sharon e Larry estavam inclinados à volta de seu leito, tentando confortá-lo tanto quanto possível. Eles lhe disseram que ele passaria por uma cirurgia do coração dali a dois dias, para reparar ou substituir uma válvula logo que a infecção fosse controlada. O médico comunicou a todos que, se ele piorasse dramaticamente antes disso, a cirurgia seria realizada em regime de emergência.

Meu coração estava todo com a família, e também me afundava aos poucos no estômago. Ali estava um jovem de vinte anos lutando por sua vida, e parecendo, ao mesmo tempo, que acabara de deixar o ventre da mãe. Era uma cena surreal. Ele parecia tão indefeso! Seus pais o tocavam o tempo todo, dando-lhe compressas frias e pedaços de gelo, e tentando ministrar-lhe suco de maçã por um canudo. Era tão tocante quanto estarrecedor.

Eu amava a família Jangula, e, quando voltei ao hotel aquela noite, não consegui tirá-la de minha mente. Depois de chegar a meu quarto, liguei o noticiário para saber o que ocorrera durante o dia, e então fiz algo que não fazia há semanas. Desliguei na mesma hora. A vida tinha voltado aos eixos no hospital. Naquela noite eu não estava interessado no Taleban, em antraz ou em carregamentos aéreos. Eu vira o amor de dois pais por seu filho, no esforço de lhe dar esperança, embora todos soubessem que passariam pela extrema angústia de não poder fazer nada por ele, senão deixá-lo à mercê de uma equipe médica e de sua fé em Deus. É uma cena que ficará em minha mente, de maneira indelével, por anos no futuro.

Voltamos ao hospital na manhã seguinte, e entramos no quarto no exato momento em que o cirurgião cardíaco declarava que não queria esperar por mais tempo e que realizaria a cirurgia dentro de vinte e quatro horas. A infecção cardíaca consumira o músculo ao redor do coração, a válvula mais importante se havia rompido e já não funcionava, e eles não podiam aguardar que a infecção deixasse seus rins e seu fígado. Veio então a parte que, eu sabia, cumpria ao cirurgião revelar. As chances de Levi perecer com a cirurgia eram de 10% a 15%. Suas chances de vida sem ela eram nulas. Mais uma vez, meu coração entremeou-se com meu estômago, e pensei que sofreria um enjôo.

Cuidei das despesas de hotel de Sharon e Larry pelo tempo que ficassem em Rochester, e reconheci que seria de pouca ajuda além disso; assim, voltamos ao aeroporto para o vôo de volta à Filadélfia. Conversei com minha esposa e lhe falei das chances de Levi; ela me ajudou a me sentir melhor, dizendo que as chances poderiam ter sido de 50%, o que seria bem mais grave. Vi gente fazer coisas muito interessantes com a estatística, mas aí estava algo simples e claro. As palavras de incentivo de Renee devolveram alguma cor à minha face.

A corrida ao aeroporto levou quinze minutos. Enquanto esperava pelo vôo telefonei ao senador Dorgan, amigo meu e mestre das audiências. Ele me disse ter sentido que meu testemunho fora bom, mas que não havia no Congresso muito apetite por subsídios; por isso, ele vinha trabalhando em um pacote de empréstimos, que a seu ver teria melhor chance. Concordamos em manter contato pelos dias seguintes. Minha próxima ligação foi para o escritório do senador Conrad, que trabalhava com o senador Inouye para concluir a legislação o mais rápido possível. A essa altura eu começava a voltar à rotina do trabalho e oscilava entre o entusiasmo e a exaustão. Apanhei um *Wall Street Journal* no aeroporto, só para ler na manchete da Seção C que os bancos não punham as mãos em nada que se associasse a viagens. Agora os empréstimos a nosso ramo eram mais importantes que nunca.

Telefonei ao escritório e soube que mudanças de horário vinham ocorrendo aos montes nas grandes companhias. Estas nos pediam que notificássemos todos os passageiros afetados, já que não possuíam os recursos necessários para isso. Mais trabalho; nada de receita. Se ao menos o Congresso enxergasse como nosso mercado realmente funciona! As companhias recebem o auxílio e repassam o trabalho e os custos à comunidade de agências. Eu começava então a fazer a transição emocional da ação em prol de um ramo em necessidade para a pura raiva e desconsolo. Eu sabia que teria de canalizar essas emoções em uma direção positiva, tornando-me ainda mais ousado e convicto em meus esforços por conseguir que o governo ajudasse a comunidade de agências.

Levi Jangula estava na sala de cirurgia havia nove horas, passando por uma operação cardíaca. Conversei com sua mãe enquanto ela e Larry aguardavam seu retorno da cirurgia. Eles acabavam de ouvir do médico que a cirurgia transcorrera bem e que fora possível reparar seu coração, em vez de implantar uma nova válvula. Embora estivesse longe de não correr perigo, Levi sobreviveu bem à primeira barreira. Adormeci sabendo que ao menos um membro da família da empresa estava a caminho da recuperação.

Na manhã seguinte, tivemos uma reunião da equipe executiva na Rosenbluth International, para avaliar nossa situação financeira e estimar o que ocorreria em seguida. Os negócios melhoravam, com mais pessoas voltando a voar. Isso, unido às ações que tomáramos cinco semanas antes, demonstrou que continuávamos a progredir, e, na verdade, estávamos adiante das projeções feitas após o 11 de setembro. Durante a reunião, recebi um chamado do escritório do senador Dorgan, informando-me que a legislação seria apresentada naquele mesmo dia, contendo as garantias de empréstimo as quais eu vinha pleiteando.

Para não deixar alternativas intocadas, concordei em comparecer aquela noite ao programa *Moneyline*, da CNN, com Lou Dobbs, para enfatizar minha mensagem de que, sem uma comunidade atuante de agências, as companhias aéreas ficariam paralisadas e o comércio nos Estados Unidos sofreria outro golpe direto. Eu já havia me encontrado com o *New York Times*, com o *Wall Street Journal* e com a Associated Press para explicar-lhes os fundamentos do assunto.

A caminho do trabalho na manhã seguinte, liguei para o St. Mary's Hospital, em Rochester, Minnesota, para saber das condições de Levi. Ele continuava a se recuperar, mas, como na maioria dos casos, sofrera uma recaída ou duas. Seu coração, seus pulmões e outros órgãos vitais estavam funcionando bem, mas a infecção não liberara ainda seus ombros, joelhos e outras juntas, e outra cirurgia seria necessária para repará-lo. Ela ocorreria ainda naquele dia.

Eu começava a acreditar que a recuperação de Levi e a do mercado de viagens estavam em um curso paralelo, quando a Câmara e o Senado foram evacuados devido a um ataque com antraz. Nosso projeto de lei provavelmente seria adiado até que o Congresso voltasse à ativa, na semana seguinte. Liguei para a Sociedade Americana dos Agentes de Viagem para atualizá-la quanto ao pé em que as coisas estavam, e prometi informá-la dos eventos conforme estes fossem ocorrendo.

Tive uma reunião com nosso presidente e nosso diretor-financeiro para projetar os últimos três meses do ano. Foi um encontro promissor, pois ficou evidente que não só saíramos da zona de perigo como estávamos financeiramente tão fortes como nunca, e provavelmente explodiríamos em 2002. Tomei a decisão de que em 1º de janeiro de 2002 as reduções de salário seriam rescindidas por todo o mundo, e que, conforme os negócios voltassem a crescer, readmitiríamos tantos associados quanto possível. De fato, já conseguíramos reconvocar mais de cem pessoas. Quando voltavam ao trabalho, elas eram saudadas pela seguinte carta:

Caro Amigo:

Mal posso lhe dizer quão contentes estamos por você haver voltado à empresa. Seus amigos sentiram sua falta, e unem-se a mim em meu deleite ao recebê-lo de volta. Não imagino senão parcamente quão difícil foi para você esse período de ausência, e sei que é uma grande alegria para seus companheiros tê-lo de novo conosco.

Seus amigos trabalharam muito enquanto você esteve afastado, mas sei que, em seus corações, fizeram-no na esperança de que o trabalho duro possibilitasse seu retorno quanto antes. Estamos empenhados em avançar como empresa, e seu regresso é mais um passo nessa direção.

Bem-vindo de volta!

Hal

O Senado permaneceu em sessão, muito embora seus escritórios houvessem sido todos evacuados. Recebi de Washington outro fax com o esboço da legislação, mas tive dificuldades em contatar alguém para comentá-lo. Eu sabia que eles pretendiam apresentá-lo ao plenário naquele dia, e estava ansioso por discuti-lo e assegurar que todas as agências de viagem recebessem uma parte justa. Não havia mais nada a fazer, senão esperar.

Conversei com a mãe de Levi e ela comentou os procedimentos para sua cirurgia, que deveria ocorrer às 11 horas da manhã. Era o último passo necessário a sua plena recuperação. Eu esperava receber uma ligação, no momento em que ele saísse da cirurgia, dizendo que nosso projeto estava pronto para ser levado ao presidente, indicando que a recuperação de nosso mercado estava igualmente a caminho.

Recebi a ligação às 10h45. Depois de nossa discussão, soube que, como todos no Congresso estavam trabalhando em casa ou em instalações provisórias em alguma parte de Washington, o projeto não poderia ser completado até segunda-feira. Eu tinha ciência de que havia feito todo o possível por nosso ramo, e que a legislação proposta seria recebida positivamente pelo governo.

Na semana seguinte, o *Ato de Estabilização do Mercado Americano de Viagens,* S. R. 1578, foi apresentado ao Congresso. Saí do trabalho aquele dia sabendo que a Rosenbluth International havia se recuperado, que Levi estava se recuperando e que na semana seguinte o mercado de viagens também estaria a caminho da recuperação.

No decurso das semanas, Levi voltou para casa após a cirurgia e foi retornando a ser o rapaz viçoso que havia sido. A Rosenbluth International fechou com lucro pelo trimestre e, posteriormente, pelo restante do ano. As companhias Swissair e Sabena Airlines, como as locadoras de veículos National e Alamo, declararam falência; um vôo da American Airlines caiu em Nova York; analistas das linhas aéreas apostavam sobre quais companhias americanas desabariam primeiro; e nosso projeto de lei encalhou no Congresso, com o partidarismo imperando.

Nunca esquecerei o ano de 2001. Foi um ano de risos e dor, perdas e amargura, lágrimas e tranqüilidade. Se Noah Webster ainda vivesse, ele teria de alterar a definição de "normal". Escrevi uma última carta aos associados, na tentativa de pôr os eventos em perspectiva.

Caro Amigo:

Faz quatro semanas desde que me comuniquei formalmente com vocês pela última vez. Muita coisa ocorreu nesse período, e eu gostaria de compartilhar com vocês minhas expectativas quanto ao mercado, à empresa e a algumas decisões preliminares que tomamos em resultado do ocorrido.

Não é novidade para ninguém que todos os setores do mercado de viagens continuam extremamente debilitados. Esse é um resultado direto dos efeitos do 11 de setembro de 2001 e de uma economia mundial enfraquecida. Os Estados Unidos caíram na recessão, e a Europa não está muito atrás. A Ásia precisa ainda se recuperar de uma depressão econômica que durou anos. Acima de tudo, os Estados Unidos e o Reino Unido estão em guerra com o Taleban e as forças da Al-Qaeda no Afeganistão, e outros países em que há escritórios da Rosenbluth International integram a coalizão contra o terrorismo mundial.

Tudo isso provocou um declínio sem precedentes nas viagens mundiais. Se alguém tentasse imaginar o pior cenário possível para o mercado de viagens, seria o mundo de hoje. Esse é evidentemente o ambiente em que devemos competir, mas é também o ambiente em que tencionamos prospe-

rar. Seus líderes já tomaram várias iniciativas para fortalecer nossa empresa durante esses tempos difíceis, em vez de cair presa deles.

Assumimos um papel de liderança junto ao governo, como também na remodelação do arruinado sistema de distribuição das linhas aéreas por todo o mundo. Iniciamos um ciclo de quatro palestras públicas para tratar do que está errado com o mercado e como repará-lo. Temos nossa casa em ordem, e é hora de ajudar os vizinhos a arrumar a deles. Se eles vão aceitar nossa ajuda é algo que resta ver. Todavia, alguma empresa tem de assumir a liderança nas viagens e apontar o caminho, e concluímos que essa empresa é a Rosenbluth International.

Quanto a nossas estratégias como empresa, continuamos a testemunhar o crescimento da Up-Stream, o segmento de atendimento terceirizado a clientes da Rosenbluth International, e inauguramos recentemente o eCLIPSE, uma divisão de intermediação eletrônica voltada ao mercado de viagens como um todo. Nosso segmento central, a administração de viagens, continua a firmar novos negócios; nossos canais de novas vendas são fortes e ficam ainda mais fortes a cada dia.

Infelizmente, as transações estão em baixa há um ano, e as reservas internacionais estão muito abaixo das expectativas de qualquer um. Basta analisar as dificuldades das companhias que voam através do Atlântico e do Pacífico para constatar como as coisas estão ruins. É consenso entre a maioria que o tráfego não excederá os níveis atuais antes de transcorridos nove meses, podendo levar até dezoito para voltar ao nível de 2000. Atribuo 25% disso ao medo de voar e 75% às condições econômicas mundiais. Estima-se que nove milhões de pessoas pelo mundo perderão seus empregos no mercado de viagens em 2002.

Embora a visão panorâmica seja um tanto desoladora, a cada dia fico mais e mais convicto de que nosso caminho é o correto. Recalibramos nossa empresa para ser eficaz nesse novo ambiente, e, salvo por futuros imprevistos, estamos satisfeitos com nossa estrutura de custos. Na última semana, participei de uma reunião com uma centena dos maiores empresários do país. Muitos dos mais admirados dentre eles (Michael Dell, presidente da Dell Computers; Charles Holliday, presidente da Du Pont; e Richard Brown, líder do conselho e presidente da EDS) enumeraram medidas que deveriam ser tomadas imediatamente para reagirmos à crise econômica em que nos encontramos agora. É com satisfação que afirmo que já havíamos adotado tais sugestões há meses, muito antes de as empresas mais admiradas na América do Norte.

Paralelamente a isso, a reengenharia de processos e os investimentos em tecnologia continuarão a ocorrer nas áreas que beneficiam a produtividade de nossa empresa e de nossos clientes, facilitando a vida para todos. Também investiremos em áreas tecnológicas voltadas a novas iniciativas de segurança global para nossos clientes, aumentando nosso arquivo e nossas ferramentas globais de relatórios, nosso portal de Internet e nossa rede global de dados. É em épocas como esta que as empresas fortes avançam e criam ordem a partir do caos, gerando vantagens competitivas para si mesmas e para sua clientela. Os resultados de tais investimentos melhorarão nossas margens, reduzirão os gastos dos clientes e darão maior valor a nossas ofertas, ensejando finalmente uma remuneração melhor para vocês, nossos associados.

Fico extremamente feliz por anunciar que conseguimos trazer de volta mais de duzentos associados afastados, e esperamos continuar a fazê-lo conforme aumentar a demanda por nossos serviços. Também me alegra anunciar que, a menos que algo dramático ocorra em nosso mercado nas próximas seis semanas, no início de janeiro de 2002 os salários voltarão aos níveis anteriores a setembro de 2001. Embora seja esse o intuito da alta administração de nossa empresa, só poderemos realizar o que estiver em nosso poder.

Pareceu-me apropriado comunicar nossa decisão quanto antes, mas cumpre-me alertar novamente a todos que ainda resta muita incerteza no mercado para que essa seja uma promessa absoluta. Conforme nos aproximarmos do fim do ano, o mercado terá tanto a dizer sobre nossas decisões de compensação quanto os executivos da Rosenbluth International.

Até onde sei, seremos a primeira empresa de viagens a restaurar os salários aos níveis anteriores. E essa é uma decisão de alto risco, à luz dos atuais anúncios de "estado de alerta", que parecem surgir a cada duas semanas. Todavia, quero que todos saibam quais são nossas idéias presentes. Embora minhas esperanças sejam de que as coisas continuem estáveis, devo observar uma vez mais que, se as condições piorarem por algum motivo, posso ter de rescindir tal decisão. Não tenho, entretanto, a menor intenção de fazê-lo neste momento.

Todos vocês foram extremamente diligentes em seu trabalho, e nossa empresa lhes é muito grata. Hoje vivemos em um mundo anormal, tanto emocional quanto economicamente. A Rosenbluth International continuará a fazer todo o possível para restituir alguma normalidade a suas vidas, embora eu deva admitir que já não conheço a definição de "normal".

Sinta-se à vontade para me comunicar seus pensamentos, escrevendo para hrosenbluth@rosenbluth.com.

Meus mais sinceros votos,

2001 acabou se mostrando outro ano lucrativo; ganhamos mais do que todas as companhias aéreas do mundo juntas (embora isso não signifique muito). Nossos funcionários estavam voltando a seus lugares e nossa empresa crescia por todo o mundo.

Quando iniciamos 2002, reajustamos felizmente os níveis salariais ao que eram antes de 11 de setembro, e readmitimos mais de 70% dos funcionários afastados. Graças a doações anônimas de nossa liderança sênior, pudemos reduzir as dificuldades daquelas pessoas afastadas que se viam em apuros financeiros extremos. A empresa voltou à sela, e está financeiramente mais forte do que em qualquer momento de seus 110 anos de história. Não fosse pela cultura de nossa companhia e pelo incansável labor de nosso pessoal, o caso seria bem outro.

A empresa continuou a ganhar impulso ao longo do ano. Assinamos um acordo de sociedade em Pequim que tornará a Rosenbluth International uma das maiores companhias de viagens na China, com escritórios em vinte e sete províncias e cinqüenta e uma cidades. A Up-Stream, a divisão da Rosenbluth International que lida com a administração de relações com os clientes, assinou um acordo de sociedade com uma empresa da Índia, ingressando firmemente no negócio mundial de administração de centros de atendimento, com acesso ao ramo dos serviços financeiros. O eCLIPSE teve uma decolagem estonteante, com nosso novo segmento de intermediação eletrônica sendo muito bem aceito por clientes, fornecedores e concorrentes.

Oito meses se passaram desde que iniciei este capítulo. Eles foram o período de negócios mais estimulante de minha vida. Eu não teria conseguido dirigir a empresa nesses tempos tumultuosos sem o conforto, a compenetração, a flexibilidade e a preocupação de nossos associados e líderes. Nossos clientes nos viram dar tudo de nós, e nossos funcionários tiveram o maior prazer com isso. Tentarei apresentar este livro uma vez mais à HarperCollins, e espero que não haja após a esquina um novo imprevisto mundial, obrigando-me a parar as rotativas e voltar para reescrever uma vez mais este capítulo.

Tempos estimulantes aguardam a Rosenbluth International. Nosso mercado está prestes a mudar, e seremos os líderes dessa mudança.

Notas

Capítulo 2, p. 9. Nancy K. Austin. "Wacky Management Ideas That Work". *Working Woman,* novembro de 1991.

Capítulo 3, p. 29. Hal F. Rosenbluth e Diane McFerrin Peters. *Care to Compete?* Reading, Mass.: Perseus Books, 1998.

Capítulo 5, p. 70-72. Hal F. Rosenbluth e Diane McFerrin Peters. *Care to Compete?* Reading, Mass.: Perseus Books, 1998.

Capítulo 6, p. 90. Richard Borden. *Public Speaking as Listeners Like It!* Nova York: Harper & Brothers, 1935.

Capítulo 6, p. 91. Robert Frost. "The Road not Taken", in: *Mountain Interval.* Nova York: Henry Holt & Company, 1916.

Capítulo 7, p. 102. Adaptado e reimpresso com permissão de *The America Heritage Dictionary of the English Language,* copyright © 1981 by Houghton Mifflin Company.

Capítulo 8, p. 115. Extraído de *The Little Prince,* de Antoine de Saint-Exupéry, copyright © 1971 by Harcourt Brace Jovanovich, Inc. Reimpresso com permissão do titular.

Capítulo 8, p. 116. Michael Hammer. "Reengineering Work: Don't Automate, Obliterate". *Harvard Business Review.* Julho/agosto de 1990.

Capítulo 10, p. 138. Tom Peters. *On Achieving Excellence,* copyright © 1988 by TPG Communications. Todos os direitos reservados. Reimpresso com permissão.

Capítulo 11, p. 164. Extraído de *Maybe I'll Pitch Forever,* copyright © 1962 by David Lipman. Reimpressão com permissão da McIntosh and Otis, Inc.

Capítulo 13, p. 185-186. Arnold Packer e William Johnston. *Workforce 2000.* Indianápolis, Ind.: Hudson Institute, 1987.

Capítulo 13, p. 185-187. Extraído de *Fair Fights and Foul: A Dissenting Lawyer's Life,* copyright © 1965 by Thurman Arnold. Reimpresso com permissão da Harcourt Brace Jovanovich, Inc.

Bibliografia

ARNOLD, Thurman. *Fair Fights and Foul: A Dissenting Lawyer's Life.* Orlando, Flórida: Harcourt Brace Jovanovich, 1965.

AUSTIN, Nancy K. "Wacky Management Ideas That Work", *Working Woman,* novembro de 1991.

BARTLETT, John. *Bartlett's Familiar Quotations.* Boston: Little, Brown and Company, 1980.

BORDEN, Richard. *Speaking as Listeners Like It!* New York: Harper & Brothers, 1935.

FADIMAN, Clifton. *The Little Brown Book of Anecdotes.* Boston: Little, Brown and Company, 1985.

FROST, Robert. "The Road Not Taken", in: *Mountain Interval.* Nova York: Henry Holt & Company, 1916.

HAMMER, Michael. "Reengineering Work: Don't Automate, Obliterate". *Harvard Business Review,* julho/agosto de 1990.

LIPMAN, David. *Maybe I'll Pitch Forever.* New York: Bantam, Doubleday, Dell, 1961.

PACKER, Arnold e JOHNSTON, William. *Workforce 2000.* Indianápolis, Ind.: Hudson Institute, 1987.

PETERS, Tom. *On Achieving Excellence.* Palo Alto, Califórnia: TPG Communications, dezembro de 1988.

ROSENBLUTH, Hal e PETERS, Diane McFerrin. *Care to Compete?* Reading, Massachusetts: Perseus Books, 1998.

SAINT-EXUPÉRY, Antoine de. *The Little Prince.* Orlando, Flórida: Harcourt Brace Jovanovich, 1971.

Índice Remissivo